J. K. ROWLING

•

HARRY POTTER
Y LA PIEDRA FILOSOFAL

Traducción de Alicia Dellepiane Rawson

J. K. ROWLING

·

HARRY POTTER Y LA PIEDRA FILOSOFAL

EMECÉ EDITORES

820-93(73)   Rowling, J. K.
ROW   Harry Potter y la Piedra Filosofal. - 2a ed. -
               Buenos Aires : Emecé, 1999.
               256 p. ; 22x14 cm. - (Emecé Juvenil)

               Traducción de : Alicia Dellepiane Rawson

               ISBN 950-04-1957-2

               I. Título - 1. Narrativa Juvenil Estadounidense

Diseño de tapa: *Eduardo Ruiz*
Ilustración de tapa y contratapa: *Dolores Avendaño*
Fotocromía de tapa: *Moon Patrol S.R.L.*
Título original: *Harry Potter and the Philosopher's Stone*
Copyright © *Text Joanne Rowling 1997*
© *Emecé Editores S.A., 1998*
Alsina 2062 - Buenos Aires, Argentina
2ª impresión: 3.000 ejemplares
Impreso en Talleres Gráficos Leograf S.R.L.,
Rucci 408, Valentín Alsina, febrero de 1999

IMPRESO EN LA ARGENTINA / PRINTED IN ARGENTINA
Queda hecho el depósito que previene la ley 11.723
I.S.B.N.: 950-04-1957-2
33.057

*Para Jessica, que ama los cuentos,
para Anne, que también los ama,
y para Di, que oyó este cuento primero.*

CAPÍTULO UNO

El niño que vivió

El señor y la señora Dursley, del número cuatro de Privet Drive, estaban orgullosos de decir que eran perfectamente normales y muy agradecidos por ello. Eran las últimas personas que uno esperaría encontrar involucrada en algo extraño o misterioso, porque no aceptaban esas tonterías.

El señor Dursley era el director de una empresa llamada Grunnings, que hacía taladros. Era un hombre corpulento y rollizo, casi sin cuello, pero con un bigote muy largo. La señora Dursley era delgada y rubia y tenía un cuello casi el doble de largo de lo habitual, lo que le resultaba muy útil, ya que pasaba la mayor parte de su tiempo estirándolo sobre las verjas de los jardines, para espiar a sus vecinos. Los Dursley tenían un hijo pequeño llamado Dudley, y para ellos, no había un niño mejor que él.

Los Dursley tenían todo lo que querían, pero también tenían un secreto, y su mayor temor era que alguien pudiera descubrirlo. No creían que iban a poder soportarlo, si alguien descubría lo de los Potter. La señora Potter era hermana de la señora Dursley, pero no se veían desde hacía años; de hecho, la señora Dursley simulaba que no tenía una hermana, porque su hermana y su marido, un bueno para nada, eran todo lo contrario de los Dursley que era posible ser. Los Dursley se estremecían al pensar en lo que dirían los vecinos si los Potter aparecieran en la vereda. Los Dursley sabían que los Potter también tenían un hijo pequeño, pero nunca lo habían visto. Ese niño era otra buena razón para mantener alejados a los Potter, no querían que Dudley se juntaran con un niño como ese.

Cuando el señor y la señora Dursley se despertaron ese martes gris y nublado, es cuando comienza nuestra historia; no había nada en el cielo con nubes que sugiriera que cosas extrañas y misteriosas muy pronto ocurrirían por toda la región. El señor Dursley tarareaba mientras elegía su corbata más aburrida para el trabajo y la señora Dursley parloteaba feliz mientras forcejeaba para colocar al chillón Dudley en su silla alta.

Ninguno de ellos notó una gran lechuza tostada que pasaba volando por la ventana.

A las ocho y media, el señor Dursley tomó su portafolio, besó a la señora Dursley en la mejilla y trató de despedirse de Dudley con un beso, pero no pudo porque Dudley tenía un berrinche y tiraba su cereal contra las paredes. "Chiquilín" rió entre dientes el señor Dursley, mientras salía de la casa. Se metió en su coche y se alejó del número cuatro.

Al llegar a la esquina se dio cuenta de la primera señal de algo singular: un gato que leía un mapa. Por un segundo, el señor Dursley no se dio cuenta de lo que había visto, pero luego torció la cabeza para mirar otra vez. Había un gato atigrado en la esquina de Privet Drive, pero no se veía ningún mapa. ¿En qué había estado pensando? Tuvo que ser un problema de la luz. El señor Dursley parpadeó y contempló al gato. Le devolvió la mirada. Mientras el señor Dursley daba vuelta la esquina y tomaba la calle, observó al gato por el espejo. Ahora estaba leyendo el cartel que decía *Privet Drive*; no, *mirando* el cartel, los gatos no pueden leer carteles ni mapas. El señor Dursley se sacudió apenas y alejó al gato de sus pensamientos. Mientras conducía hacia la ciudad, no pensó en otra cosa que la gran cantidad de pedidos de taladros que confiaba conseguir ese día.

Pero en las afueras de la ciudad, algo alejó a los taladros de su mente. Mientras esperaba en el habitual congestionamientos matinal del tránsito, no pudo dejar de notar a una cantidad de gente vestida en forma extraña. Gente con capas. El señor Dursley no soportaba la gente que usaba ropa ridícula. ¡Los conjuntos que usaba la gente joven! Supuso que esa debía de ser alguna estúpida moda nueva. Tamborileó con los dedos sobre el volante y su mirada se posó en ese montón de extraños que estaban allí cerca. Cuchicheaban entre ellos, muy excitados. El señor Dursley se enfureció al darse cuenta de que un par de ellos no eran jóvenes, vamos si ese hombre era mayor que él ¡ y vestía una capa verde esmeralda! ¡Qué atrevido! Pero entonces se le ocurrió al señor Dursley que tal vez eso era una tonta publicidad —esa gente evidentemente hacía una colecta para algo—, sí, tenía que ser eso. El tránsito avanzó y unos pocos minutos más tarde, el señor Dursley llegó al estacionamiento de Grunnings, pensando nuevamente en los taladros.

El señor Dursley siempre se sentaba de espaldas a la ventana, en su oficina en el noveno piso. Si no lo hubiera hecho así, le habría resultado difícil concentrarse esa mañana, en los taladros. No vio las lechuzas que volaban a plena luz del día, aunque la gente en la calle sí las veía y las señalaba con la boca abierta, mientras pasaban una tras otra las lechuzas. La mayoría de ellos no había visto una lechuza ni siquiera de noche. Sin embargo, el señor Dursley tuvo una mañana perfectamente normal, sin lechuzas. Gritó a cinco personas diferentes. Hizo varias llamadas telefónicas importantes y gritó un poco más. Estaba de muy buen humor hasta la hora de almorzar, cuando decidió estirar las piernas y cruzar la calle para comprarse un bollo en la panadería.

Había olvidado a la gente con capas, hasta que pasó a un grupo de ellos cerca de la panadería. Al pasar los miró enojado. No sabía porqué, pero lo hacían sentir inseguro. Este grupo también susurraba con excitación y no pudo ver ni una alcancía. Cuando regresaba con un gran bollo en una bolsa de papel, alcanzó a oír unas pocas palabras de lo que decían.

—Los Potter, eso es, eso es lo que escuché...

—Sí, el hijo de ellos, Harry...

El señor Dursley se quedó petrificado. El temor lo invadió. Se volvió hacia los que murmuraban, como si quisiera decirles algo, pero se contuvo.

Se apresuró a cruzar la calle y corrió hasta su oficina, gritó a su secretaria que no lo molestaran, tomó el teléfono y casi había terminado de marcar los números de su casa, cuando cambió de idea. Dejó el aparato y se estrujó los bigotes mientras pensaba... no, era un estúpido. Potter no era un apellido tan especial. Estaba seguro de que había muchísima gente que se llamaba Potter y tenía un hijo llamado Harry. Y pensándolo mejor, ni siquiera estaba seguro de si su sobrino se *llamaba* Harry. Nunca había visto al niño. Podría llamarse Harvey. O Harold. No tenía sentido preocupar a la señora Dursley, siempre se molestaba mucho ante cualquier mención sobre su hermana. No la culpaba... si *él* hubiera tenido una hermana así... pero de todos modos, esa gente con mantos...

Esa tarde le costó concentrarse en los taladros y cuando dejó el edificio, a las cinco en punto, estaba todavía tan preocupado, que caminó derecho hacia un hombre que estaba en la puerta.

—Perdón —gruñó, mientras el hombre diminuto se tambaleaba y casi cae al suelo. Unos segundos después, el señor Dursley se dio cuenta de que el hombre usaba un manto violeta. No parecía disgustado por el empujón. Al contrario, su rostro se iluminó con una amplia sonrisa, mientras decía con una voz tan chillona que llamaba la atención de los que pasaban:

—¡No se disculpe, mi querido señor, porque hoy nada puede molestarme! ¡Hay que alegrarse, porque Usted-Sabe-Quién finalmente se ha ido! ¡Hasta los *muggles* como usted deberían celebrar este feliz, feliz día!

Y el anciano abrazó al señor Dursley y se alejó.

El señor Dursley permaneció completamente abochornado. Lo había abrazado un desconocido. También pensó que lo había llamado un *muggle*, no importa lo que eso fuera. Estaba desconcertado. Se apresuró a subir a su coche y dirigirse a su casa, deseando que todo fuera imaginario, algo que nunca había deseado antes, porque no aprobaba la imaginación.

Cuando entró en el camino del número cuatro, lo primero que vio —y eso no mejoró su humor— fue el gato atigrado que había visto esa mañana. Ahora estaba sentado en la pared de su jardín. Estaba seguro de que era el mismo, tenía el mismo dibujo alrededor de los ojos.

—¡Fuera! —dijo el señor Dursley en voz alta.

El gato no se movió. Sólo le dirigió una mirada severa. El señor Dursley se preguntó si esa sería una conducta normal en un gato. Trató de calmarse y entró en la casa. Todavía seguía decidido a no decirle nada a su esposa.

La señora Dursley había tenido un día bueno y normal. Mientras comían, le contó todo sobre los problemas de la señora de la Puerta de Al Lado con su hija, y que Dudley había aprendido una nueva frase (¡no lo haré!). El señor Dursley trató de actuar con normalidad. Una vez que acostaron a Dudley, fue al living a tiempo para el informativo de la noche.

—Y por último, observadores de pájaros de todas partes, han informado que hoy, las lechuzas de la nación han tenido una conducta poco habitual. Pese a que las lechuzas normalmente cazan durante la noche y es muy difícil verlas a la luz del día, hubo cientos de avisos sobre el vuelo de esos pájaros en todas direcciones, desde la salida del sol. Los expertos son incapaces de explicar la causa por la que las lechuzas han cambiado sus horarios de sueño. —El locutor se permitió una mueca irónica. —Muy misterioso. Y ahora, de nuevo con Jim McGuffin con el informe del tiempo. ¿Habrá más lluvias de lechuzas esta noche, Jim?

—Bueno, Ted —dijo el meteorólogo— eso no lo sé, pero no sólo las lechuzas han tenido hoy una actitud extraña. Televidentes de lugares tan apartados como Kent, Yorkshire y Dundee, han telefoneado para decirme que en lugar de la lluvia que prometí ayer, ¡tuvieron un chaparrón de estrellas fugaces! Tal vez la gente comenzó a festejar antes de tiempo la Noche de las Fogatas. ¡Es la semana que viene, muchachos! Pero puedo prometerles una noche lluviosa.

El señor Dursley se quedó congelado en su sillón. ¿Estrellas fugaces por toda Gran Bretaña? ¿Lechuzas volando a la luz del día? Y ese murmullo, cuchicheando sobre los Potter...

La señora Dursley entró en el living con dos tazas de té. Esto no era bueno. Tenía que decirle algo a su esposa. Se aclaró la garganta con nerviosidad.

—Eh... Petunia querida, ¿has sabido últimamente algo sobre tu hermana?

Como lo esperaba, la señora Dursley parecía molesta y enojada. Después de todo, normalmente ellos fingían que ella no tenía una hermana.

—No —respondió cortante—. ¿Por qué?

—Unas cosas muy raras en las noticias —masculló el señor Dursley—. Lechuzas... estrellas fugaces... y hoy había en la ciudad una cantidad de gente de aspecto raro...

—¿Y entonces? —interrumpió bruscamente la señora Dursley.

—Bueno, simplemente pensé... quizás... que podría tener algo que ver con... tú sabes... *su grupo*.

La señora Dursley bebió su té con los labios fruncidos. El señor Dursley se preguntó si se animaría a decirle que había oído el apellido "Potter". Decidió que no se atrevía. En lugar de eso, preguntó, tratando de parecer despreocupado.

—¿El hijo de ellos... debe de tener la edad de Dudley, no?

—Eso supongo —respondió la señora Dursley con rigidez.

—¿Y cómo era su nombre? ¿Howard, no?

—Harry. Un nombre vulgar y detestable, si me lo preguntas.

—Oh, sí —dijo el señor Dursley, con una horrible sensación de abatimiento—. Sí, estoy de acuerdo.

No dijo nada más sobre el tema, y subieron a acostarse. Mientras la señora Dursley estaba en el cuarto de baño, el señor Dursley se acercó lentamente hasta la ventana del dormitorio y escudriñó hacia el jardín de adelante. El gato todavía estaba allí. Miraba con atención hacia Privet Drive, como si estuviera esperando algo.

¿Se estaba imaginando cosas? ¿Todo esto podría tener algo que ver con los Potters? Si fuera así... si se descubría que ellos eran parientes de un par de... bueno, no creía que iba a soportarlo.

Los Dursley se fueron a la cama. La señora Dursley se quedó dormida rápidamente, pero el señor Dursley permaneció despierto, con todo eso dando vueltas por su mente. Su último y consolador pensamiento, antes de quedarse dormido fue que, aunque los Potter estuvieran involucrados, no había razón para que se acercaran a él y a la señora Dursley. Los Potter sabían muy bien lo que él y Petunia pensaban sobre ellos y los de su clase... No veía cómo él y Petunia iban a ser mezclados en nada que tuviera que ver —bostezó y se dio vuelta—, no podría afectarlos a *ellos* ...

Qué equivocado que estaba.

El señor Dursley cayó en un sueño intranquilo, pero el

14

gato en la pared del jardín no mostraba señales de tener sueño. Estaba sentado tan inmóvil como una estatua, con los ojos fijos, sin pestañear, en la esquina de Priver Drive. Apenas tembló cuando se cerró la puerta de un coche en la calle siguiente, ni cuando dos lechuzas bajaron sobre su cabeza. De hecho, el gato no se movió hasta la medianoche.

Un hombre apareció en la esquina que el gato había estado observando, apareció tan súbita y silenciosamente, que uno habría pensado que había surgido de la tierra. La cola del gato se agitó y sus ojos se entrecerraron.

Un hombre como ese nunca había sido visto en Privet Drive. Era alto, delgado y muy anciano, a juzgar por su pelo y barba plateados, tan largos como para sujetarlos con el cinturón. Usaba ropa larga, una capa color púrpura que barría el piso y botas de taco alto y hebillas. Sus ojos azules eran suaves, brillantes y centelleaban detrás de unos anteojos con cristales media luna y su nariz era muy larga y torcida, como si se la hubiera fracturado un par de veces. El nombre de ese hombre era Albus Dumbledore.

Albus Dumbledore no parecía darse cuenta de que había llegado a una calle en donde todo, desde su nombre hasta sus botas eran rechazadas. Estaba muy ocupado moviendo su capa, buscando algo. Pero pareció darse cuenta de que lo observaban, porque de pronto miró al gato, que todavía lo miraba fijamente desde la otra punta de la calle. Por alguna razón, ver al gato pareció divertirlo. Rió entre dientes y murmuró:

—Debí haberlo sabido.

Encontró en su bolsillo interior lo que estaba buscando. Parecía un encendedor de plata. Lo abrió, lo levantó en el aire y lo encendió. La luz más cercana de la calle se apagó con un leve estallido. Lo encendió otra vez y la siguiente lámpara quedó a oscuras. Doce veces hizo funcionar el Apagador, hasta que las únicas luces que quedaron en toda la calle fueron dos alfileres en la distancia, que eran los ojos del gato que lo observaba. Si ahora alguien mirara por la ventana, hasta la señora Dursley con sus ojos como cuentas, no podrían ver lo que sucedía en la calle. Dumbledore volvió a guardar el Apagador dentro de su capa y caminó hacia el número cuatro de la calle, donde se sentó en la pared, cerca del gato. No lo miró, pero después de un momento, le dirigió la palabra.

—Qué gusto verla aquí, profesora McGonagall.

Se volvió para sonreír al gato, pero ya no estaba. En lugar del gato, le estaba sonriendo a una mujer de aspecto severo, con anteojos de montura cuadrada, con la misma forma del dibujo que el gato tenía alrededor de los ojos. La mujer también llevaba una capa, de color esmeralda. Su cabello negro estaba recogido con un rodete. Se la veía claramente disgustada.

—¿Cómo supo que era yo? —preguntó.

—Mi querida profesora, nunca vi a un gato sentado tan rígido.

—Usted también estaría rígido si hubiera estado sentado en una pared de ladrillo durante todo el día —respondió la profesora McGonagall.

—¿Todo el día? ¿Cuando podría haber estado celebrando? Debo haber pasado por una docena de celebraciones y fiestas en mi camino hasta aquí.

La profesora McGonagall resopló enojada.

—Oh, sí, todos celebraban, de acuerdo —dijo con impaciencia—. Uno creería que iban a ser un poquito más prudentes, pero no... hasta los *muggles* se dieron cuenta de que algo sucede. Salió en las noticias. —Torció la cabeza en dirección a la ventana del oscuro living de los Dursley. —Lo escuché. Bandadas de lechuzas... estrellas fugaces... Bueno, ellos no son totalmente estúpidos. Tenían que darse cuenta de algo. Estrellas fugaces cayendo en Kent... apuesto a que fue Dedalus Diggie. Nunca tuvo mucho sentido común.

—No puede culparlos —dijo Dumbledore con tono afable—. Hemos tenido muy poco que celebrar durante once años.

—Ya lo sé —respondió irritada la profesora McGonagall—. Pero eso no es una razón para que perdamos la cabeza. La gente se ha vuelto completamente descuidada, sale a las calles a plena luz del día, ni siquiera vestida con la ropa de los *muggles*, intercambiando rumores.

Lanzó una mirada cortante y de soslayo hacia Dumbledore, como si esperara que le contestara algo, pero como no lo hizo, continuó hablando.

—Sería extraordinario que el mismo día en que Usted-Sabe-Quién parece haber desaparecido al fin, los *muggles* descubran todo sobre nosotros. Supongo que él realmente *se ha ido*, ¿no, Dumbledore?

—Con seguridad es lo que parece —dijo Dumbledore—. Tenemos mucho que agradecer. ¿Le gustaría un sorbete de limón?

—¿Un *qué*?

—Un sorbete de limón. Es una clase de caramelos de los *muggles* que me gusta mucho.

—No, muchas gracias —respondió con frialdad la profesora McGonagall, como si considerara que ese no era el momento para dulces—. Como le decía, aunque Usted-Sabe-Quién se *haya* ido...

—Mi querida profesora, con seguridad que una persona sensata como usted puede llamarlo por su nombre, ¿verdad? Toda esa tontería de Usted-Sabe-Quién... durante once años intenté persuadir a la gente para que lo llamara por su verdadero nombre: *Voldemort*. —La profesora McGonagall se echó hacia atrás con temor, pero Dumbledore, ocupado en desenvolver dos sorbetes de limón, pareció no darse cuenta. —Todo se volverá muy confuso si seguimos diciendo "Usted-Sabe-Quién". Nunca encontré la razón para tener miedo de decir el nombre de Voldemort.

—Sé que usted no tiene ese problema —observó la profesora McGonagall, entre la exasperación y el enojo—. Pero usted es diferente. Todos saben que usted es el único al que Usted-Sabe... oh, bueno, *Voldemort*, tenía miedo.

—Me está halagando —dijo con calma Dumbledore—. Voldemort tenía poderes que yo nunca tuve.

—Sólo porque usted es demasiado... bueno... *noble* para utilizarlos.

—Qué suerte que está oscuro. Nunca me ruboricé tanto desde que Madam Pomfrey me dijo que le gustaban mis nuevas orejeras.

La profesora McGonagall le lanzó una mirada cortante, antes de hablar.

—Las lechuzas no son nada, comparadas con los *rumores* que corren por allí. ¿Sabe lo que todos dicen? ¿Sobre cómo desapareció él? ¿Sobre qué fue lo que finalmente lo detuvo?

Parecía que la profesora McGonagall había llegado al punto que más ansiosa estaba por discutir, la verdadera razón por la que había esperado todo el día en una fría pared, porque ni como gato, ni como mujer, había mirado con tal intensidad a Dumbledore como lo hacía ahora. Era evidente que, no importa lo que los demás dijeran, no lo iba a creer hasta que Dumbledore le dijera que eso era verdad. Dumbledore, sin embargo, estaba eligiendo otro sorbete y no le respondió.

—Lo que están *diciendo* —insistió— es que la noche anterior Valdemort apareció en el valle de Godric. Fue a buscar a los Potter. El rumor es que Lily y James Potter están... están... que ellos están *muertos*

Dumbledore inclinó la cabeza. La profesora McGonagall se quedó boquiabierta.

—Lily y James... no puedo creerlo... No quiero creerlo... Oh, Albus...

Dumbledore se acercó y le palmeó la espalda.

—Lo sé... lo sé... —dijo con tristeza.

La voz de la profesora McGonagall temblaba cuando continuó.

—Eso no es todo. Dicen que él trató de matar al hijo de los Potter, Harry. Pero... no pudo. No pudo matar a ese niñito. Nadie sabe por qué, o cómo, pero dicen que cuando no pudo matar a Harry Potter, el poder de Voldemort se quebró... y es por eso que se ha ido.

Dumbledore asintió apesadumbrado.

—¿Es... es *verdad*? —tartamudeó la profesora McGonagall—. Después de todo lo que ha hecho... de toda la gente que mató... ¿no pudo matar a un niñito? Es simplemente asombroso... de todas las cosas que podrían detenerlo... ¿Pero cómo sobrevivió Harry, en nombre del cielo?

—Sólo podemos adivinar —dijo Dumbledore—. Tal vez nunca lo sepamos.

La profesora McGonagall sacó un pañuelo con puntillas y se lo pasó por los ojos, detrás de los anteojos. Dumbledore resopló mientras sacaba un reloj de oro de su bolsillo y lo examinaba. Era un reloj muy raro. Tenía doce manecillas, pero ningún número; en lugar de eso, pequeños planetas se movían alrededor del borde. Pero para Dumbledore debía de tener sentido, porque lo guardó en su bolsillo y dijo:

—Hagrid está retrasado. A propósito, supongo que él fue quien le dijo que yo estaría aquí, ¿no?

—Sí —dijo la profesora McGonagall—. Y me imagino que no me va a decir *por qué* entre tantos lugares, usted está aquí.

—Vine a entregar a Harry a su tía y su tío. Son la única familia que le queda ahora.

—¿No quiere decir... no *puede* referirse a la gente que vive *aquí*? —gritó la profesora, poniéndose de pie de un salto y señalando al número cuatro—. Dumbledore... no puede. Los observé todo el día. No podría encontrar a gente más distinta a nosotros. Y tienen ese hijo... lo vi pateando a su madre mientras subían las escaleras, gritando por caramelos. ¡Harry Potter vendrá para vivir aquí!

—Es el mejor lugar para él —dijo Dumbledore con firmeza—. Sus tíos podrán explicarle todo cuando sea más grande. Les escribí una carta.

—¿Una carta? —repitió la profesora McGonagall, volviendo a sentarse en la pared—. ¿De verdad, Dumbledore, cree que puede explicar todo en una carta? ¡Esa gente jamás comprenderá a Harry! ¡Será famoso... una leyenda... no me sorprendería que hoy sea conocido en el futuro como el día de Harry Potter... escribirán libros sobre Harry... cada niño en el mundo conocerá su nombre!

—Exactamente —dijo muy serio Dumbledore, por encima de sus anteojos—. Sería suficiente para marear a cualquier niño. ¡Famoso antes de saber hablar y caminar! ¡Famoso por algo que ni siquiera recuerda! ¿No se da cuenta de que será mucho mejor que crezca lejos de todo, hasta que esté preparado para recibirlo?

La profesora McGonagall abrió la boca, cambió de idea, tragó y luego dijo:

—Sí... sí, tiene razón, por supuesto. ¿Pero cómo va a llegar el niño hasta aquí, Dumbledore? —De pronto observó la capa del profesor, como si pensara que podía tener escondido a Harry.

—Hagrid lo traerá.

—¿Le parece... sensato... confiar a Hagrid algo tan importante como eso?

—Le confiaría a Hagrid mi vida —dijo Dumbledore.

—No estoy diciendo que su corazón no esté en el lugar correcto —dijo de mala gana la profesora McGonagall—. Pero

no puede fingir que no es descuidado. Tiene la costumbre de...
¿Qué fue eso?

Un ruido sordo quebró el silencio que los rodeaba. Se fue haciendo más fuerte mientras ellos miraban a ambos lados de la calle buscando alguna luz; aumentó hasta un rugido mientras los dos miraban hacia el cielo y una pesada motocicleta cayó del aire y aterrizó en el camino frente a ellos.

Si la motocicleta era enorme, no era nada comparada con el hombre que llevaba. Era dos veces más alto que un hombre normal y al menos cinco veces más ancho. Simplemente era demasiado grande para que lo aceptaran y tan *salvaje*: cabello largo enmarañado, de color negro y una barba que le cubría casi toda la cara; las manos eran del tamaño de las tapas del cubo para basura y sus pies, con botas de cuero, eran como bebés de delfines. En sus brazos musculosos y grandes sostenía un bulto con mantas.

—Hagrid —dijo aliviado Dumbledore—. Por fin. ¿Y dónde conseguiste esa motocicleta?

—Es prestada, profesor Dumbledore —contestó el gigante, bajando con cuidado del vehículo, mientras hablaba—. El joven Sirius Black me la prestó, señor. Lo traje a él, señor.

—¿No hubo problemas por allá?

—No señor, la casa estaba casi destruida, pero lo saqué justo antes de que los *muggles* comenzaran a aparecer. Se quedó dormido mientras volábamos sobre Bristol.

Dumbledore y la profesora McGonagall se inclinaron sobre las mantas. Adentro, se veía a un bebé, profundamente dormido. Bajo una mata de pelo negro azabache, sobre la frente, pudieron ver una cicatriz con una forma curiosa, como un relámpago.

—¿Fue allí...? —susurró la profesora McGonagall.

—Sí —respondió Dumbledore—. Tendrá esa cicatriz para siempre.

—¿No puede hacer nada para eso, Dumbledore?

—Aunque pudiera, no lo haría. Las cicatrices pueden ser útiles. Yo tengo una encima de mi rodilla izquierda, que es un mapa perfecto de los subterráneos de Londres. Bueno, déjalo aquí, Hagrid, es mejor que terminemos con esto.

Dumbledore tomó a Harry en sus brazos y se volvió hacia la casa de los Dursley.

20

—¿Puedo... puedo despedirme de él, señor? —preguntó Hagrid.

Inclinó su gran cabeza desgreñada sobre Harry y le dio un beso raspándolo con su barba. Entonces, súbitamente, Hagrid dejó escapar un aullido, como un perro herido.

—Shhh —lo chistó la profesora McGonagall—. ¡Vas a despertar a los *muggles*!

—Lo...siento —lloriqueó Hagrid y se limpió la cara con un gran pañuelo—. Pero no puedo soportarlo... Lily y James muertos... y el pobre pequeño Harry tendrá que vivir con *muggles*...

—Sí, sí, es todo muy triste, pero domínate, Hagrid o nos van a descubrir —susurró la profesora McGonagall, palmeando un brazo de Hagrid, mientras Dumbledore pasaba sobre la verja del jardín y caminaba hasta la puerta del frente. Dejó suavemente a Harry en el umbral, sacó la carta de su capa y la escondió entre las mantas de Harry y luego regresó con los otros dos. Durante un largo minuto los tres permanecieron contemplando al pequeño bulto; los hombros de Hagrid se estremecieron, la profesora McGonagall parpadeó furiosamente y la luz titilante, que habitualmente irradiaban los ojos de Dumbledore, parecía haberlo abandonado.

—Bueno —dijo finalmente Dumbledore—, ya está. No tenemos nada que hacer aquí. Será mejor que nos vayamos y nos unamos a las celebraciones.

—Ajá —respondió Hagrid con voz ronca—. Voy a devolver la moto a Sirius. Buenas noches, profesora McGonagall, profesor Dumbledore, señor.

Hagrid se secó las lágrimas con la manga de la chaqueta, se subió a la motocicleta y pateó la palanca para poner el motor en marcha, con un estrépito se elevó en el aire y desapareció en la noche.

—La veré pronto, espero, profesora McGonagall —dijo Dumbledore, saludándola con una inclinación de cabeza. La profesora McGonagall se sonó la nariz como toda respuesta.

Dumbledore se volvió y caminó calle abajo. Se detuvo en la esquina y levantó el Apagador de plata. Lo hizo andar una vez y todas las lámparas de la calle se encendieron, de manera que Privet Drive se iluminó con un resplandor anaranjado y pudo ver a un gato atigrado que se escabullía por la esquina del otro extremo de la calle. También pudo ver el bulto de mantas sobre las escaleras de la entrada de la casa número cuatro.

—Buena suerte, Harry —murmuró. Giró sobre sus talones y con un movimiento de su capa, ya no estaba allí.

Una brisa pasó rápidamente por los prolijos cercos de Privet Drive, que yacía silenciosa bajo un cielo color tinta, el último lugar donde uno esperaría que iban a ocurrir cosas asombrosas. Harry Potter se dio vuelta entre las mantas, sin despertarse. Una mano pequeña se cerró sobre la carta y siguió durmiendo, sin saber que era famoso, sin saber que despertaría en unas pocas horas con el grito de la señora Dursley al abrir la puerta principal para sacar las botellas de leche; ni que iba a pasar las próximas semanas pinchado y pellizcado por su primo Dudley... no podía saber que en ese mismo momento, la gente que se reunía en secreto por todo el país estaba levantando sus copas para decir con voces sosegadas: "¡Por Harry Potter... el niño que vivió!"

CAPÍTULO DOS

El vidrio se desvaneció

Han pasado aproximadamente diez años desde que los Dursley se despertaron para encontrar al sobrino en la puerta de entrada, pero Privet Drive no había cambiado para nada. El sol se elevaba en los mismos jardines pequeños e iluminaba el bronce del número cuatro en la puerta de los Dursley; avanzaba en su living, que era casi exactamente el mismo que el de esa noche cuando el señor Dursley vio las ominosas noticias sobre las lechuzas. Sólo las fotos en la repisa de la chimenea mostraban cuánto tiempo había pasado. Diez años antes había una cantidad de fotos de lo que parecía una gran pelota rosada con gorros de diferentes colores, pero Dudley Dursley ya no era un bebé y ahora las fotos mostraban a un chico rubio y grande montando su primera bicicleta; en una calesita en la feria; jugando con su padre en la computadora; besado y abrazado por su madre. La habitación no tenía señales de que allí viviera otro chico.

Sin embargo, Harry Potter estaba todavía allí, durmiendo en ese momento, pero no por mucho tiempo. Su tía Petunia se había despertado y su voz chillona era el primer ruido del día.

—¡Arriba! ¡A levantarse! ¡Ahora!

Harry se despertó con un sobresalto. Su tía golpeó otra vez en la puerta.

—¡Arriba! —chilló. Harry la oyo caminar hacia la cocina y luego el sonido de la sartén sobre el fuego de la hornalla. El niño se dio vuelta y trató de recordar el sueño que había tenido. Era uno bueno. Había una motocicleta que volaba. Tenía la curiosa sensación de que había tenido el mismo sueño antes.

Su tía regresó a la puerta.

—¿Ya estás levantado? —quiso saber.

—Casi —respondió Harry.

—Bueno, apúrate, quiero que vigiles el tocino. Y no te atrevas a dejarlo quemar. Quiero todo perfecto en el cumpleaños de Duddy.

Harry gimió.

—¿Qué dijiste? —gritó furiosa del otro lado de la puerta.

—Nada, nada...

El cumpleaños de Dudley...¿cómo pudo olvidarlo? Harry se levantó lentamente y comenzó a buscar sus medias. Encontró un par debajo de la cama y, después de sacar una araña de una de ellas, se las puso. Harry estaba acostumbrado a las arañas, porque en la alacena, debajo de las escaleras, estaba lleno de ellas, y allí era donde dormía.

Cuando estuvo vestido bajó al hall, hasta la cocina. La mesa estaba casi cubierta por los regalos de cumpleaños de Dudley. Parecía que Dudley había conseguido la nueva computadora que quería, para no mencionar el segundo televisor y la bicicleta de carrera. Exactamente para qué querría Dudley una bicicleta, era un misterio para Harry, ya que Dudley era muy gordo y detestaba el ejercicio, salvo, por supuesto, que eso significara golpear a alguien. La bolsa de boxeo favorita de Dudley era Harry, pero no podía atraparlo muy seguido. Harry no lo parecía, pero era muy veloz.

Tal vez tenía algo que ver con eso de vivir en una oscura alacena, pero Harry había sido siempre pequeño y muy flaco para su edad. Incluso parecía más pequeño y enjuto de lo que realmente era, porque toda la ropa que usaba eran prendas viejas de Dudley y su primo era cuatro veces más grande que él. Harry tenía un rostro delgado, rodillas huesudas, pelo negro y ojos verdes brillantes. Usaba anteojos redondos siempre pegados con cinta adhesiva, por todas las veces que Dudley lo había golpeado en la nariz. La única cosa que a Harry le gustaba sobre su apariencia era esa pequeña cicatriz en la frente, con la forma de un relámpago. La tenía desde que podía recordar y la primera pregunta que recordaba haber hecho a su tía Petunia era cómo se la había hecho.

—En el accidente automovilístico, donde tus padres murieron —había dicho—. Y no hagas preguntas.

No hagas preguntas, esa era la primera regla para una vida tranquila con los Dursley.

Tío Vernon entró en la cocina cuando Harry estaba dando vuelta el tocino.

—¡Peinate! —ladró, como saludo matinal.

Una vez por semana, tío Vernon miraba por encima de su periódico y gritaba que Harry necesitaba un corte de pelo. Harry debió de tener más cortes de pelo que el resto de los niños de su clase todos juntos, pero no hacía diferencia, su pelo simplemente crecía de esa manera, por todos lados.

Harry estaba friendo los huevos para cuando Dudley llegó a la cocina con su madre. Dudley se parecía mucho a tío Vernon. Tenía una cara grande, rosada, poco cuello, ojos pequeños y de un azul acuoso y pelo rubio y espeso que cubría su cabeza gorda. Tía Petunia decía a menudo que Dudley parecía un bebé de angel. Harry decía a menudo que Dudley parecía un cerdo con peluca.

Harry puso sobre la mesa los platos con huevos y tocino, lo que era difícil porque había poco espacio. Entretanto, Dudley contaba sus regalos. Se alargó su cara.

—Treinta y seis —dijo, mirando a su madre y a su padre—. Eso es dos menos que el año pasado.

—Querido, no contaste el regalo de tía Marge, ves, está debajo de este grande de mami y papi.

—Muy bien, treinta y siete entonces —dijo Dudley, poniéndose colorado.

Harry, que podía ver venir un gran berrinche de Dudley, comenzó a comer su tocino lo más rápido posible, por si daba vuelta la mesa.

Tía Petunia evidentemente también sintió el peligro, porque dijo rápidamente:

—Y vamos a comprarte dos regalos más cuando salgamos hoy. ¿Qué te parece, pichoncito? *Dos* regalos más. ¿Está todo bien?

Dudley pensó durante un momento. Parecía un difícil trabajo. Por último dijo lentamente.

—Entonces tendré treinta y... treinta y...

—Treinta y nueve, dulzura —dijo tía Petunia.

—Oh. —Dudley se dejó caer pesadamente en su silla y tomó el regalo más cercano.—Entonces está bien.

Tío Vernon rió entre dientes.

—El pequeño chiquillo quiere que le den lo que vale, igual que su padre. ¡Bravo, Dudley! —Revolvió el pelo de Dudley.

En ese momento, sonó el teléfono y tía Petunia fue a atender, mientras Harry y tío Vernon contemplaban a Dudley desenvolver la bicicleta de carrera, la filmadora, un avión de control remoto, dieciséis juegos nuevos para la computadora y una videograbadora. Estaba rompiendo el envoltorio de un reloj de pulsera de oro, cuando tía Petunia regresó de hablar por teléfono, enojada y preocupada a la vez.

—Malas noticias, Vernon —dijo—. La señora Figg se fracturó una pierna. No puede cuidarlo —torció la cabeza en dirección a Harry.

La boca de Dudley se abrió con horror, pero el corazón de Harry dio un salto. Cada año, en el cumpleaños de Dudley, sus padres lo llevaban con un amigo a pasar el día, a un parque de diversiones, a comer hamburguesas o al cine. Cada año, Harry se quedaba con la señora Figg, una anciana loca que vivía a dos cuadras. Harry detestaba ir. Toda la casa olía a repollo y la señora Figg le hacía mirar las fotos de todos los gatos que ella había tenido.

—¿Y ahora qué hacemos? —preguntó tía Petunia, mirando furiosa a Harry como si él lo hubiera planeado todo. Harry sabía que debía tener pena por la pierna de la señora Figg, pero no era fácil cuando recordaba que pasaría un año antes de tener que ver otra vez a Tibbles, Snowy, al señor Paws y a Tufty.

—Podemos llamar a Marge —sugirió tío Vernon.

—No seas tonto, Vernon, ella odia al chico.

Los Dursley hablaban a menudo sobre Harry de esa manera, como si no estuviera allí, o más bien como si pensaran que él era algo muy tonto que no podía entenderlos, como un gusano.

—¿Y qué me dices de... cómo es su nombre, tu amiga, Yvonne?

—De vacaciones en Mallorca —respondió enojada tía Petunia.

—Pueden dejarme aquí —sugirió esperanzado Harry. Po-

26

dría mirar lo que quisiera por televisión, para variar y tal vez incluso hasta usar la computadora de Dudley.

Tía Petunia lo miró como si se hubiera tragado un limón.

—¿Y regresar y encontrar la casa en ruinas? —rezongó.

—No voy a quemar la casa —dijo Harry, pero no lo escucharon.

—Supongo que podemos llevarlo al zoológico —dijo en voz baja tía Petunia—... y dejarlo en el coche...

—Este coche es nuevo, él no se va a quedar allí solo...

Dudley comenzó a llorar a gritos. En realidad no lloraba, hacía años que no lloraba de verdad, pero sabía que si torcía la cara y gritaba, su madre le daba cualquier cosa que quisiera.

—Pequeñito Dudley no llores, mami no dejará que él te arruine tu día especial —gritó, abrazándolo.

—¡Yo... no... quiero... que... él venga!—aulló Dudley entre pretendidos sollozos—. ¡Siempre arruina todo! —lanzó una mueca burlona para Harry, de entre los brazos de su madre.

Justo entonces, sonó el timbre de la puerta.

—¡Oh, Dios, ellos están aquí! —dijo enloquecida tía Petunia, y un momento más tarde, el mejor amigo de Dudley, Piers Polkiss, entró con su madre. Piers era un chico flacucho con cara de rata. Era el que habitualmente sujetaba los brazos de los chicos detrás de la espalda, mientras Dudley les pegaba. Dudley suspendió su fingido llanto de inmediato.

Media hora más tarde, Harry, quien no podía creer su suerte, estaba sentado en la parte de atrás del coche de los Dursley, junto con Piers y Dudley, camino al zoológico por primera vez en su vida. Sus tíos no habían podido pensar en otra cosa para él, pero antes de salir, tío Vernon llevó aparte a Harry.

—Te lo advierto —dijo, acercando su rostro grande y colorado al de Harry—. Te estoy avisando ahora, muchacho, cualquier cosa rara, lo que sea y te quedarás en la alacena desde ahora hasta Navidad.

—No voy a hacer nada —dijo Harry— de verdad...

Pero tío Vernon no le creía. Ninguno lo hacía.

El problema era que a menudo, ocurrían cosas extrañas cerca de Harry y no ganaba nada con decir a los Dursley que él no las causaba.

En una oportunidad, tía Petunia, cansada de que Harry

volviera de la peluquería como si no hubiera ido, tomó una par de tijeras de la cocina y le cortó el pelo tan corto que lo dejó casi pelado, excepto por el flequillo, que le dejó "para ocultar esa horrible cicatriz". Dudley se rió como un tonto, burlándose de Harry, quien pasó la noche sin dormir, imaginando el colegio al día siguiente, donde ya se burlaban por su ropa abolsada y sus anteojos remendados. Sin embargo, a la mañana siguiente, tuvo que levantarse para descubrir que su pelo estaba exactamente igual como antes de que su tía lo cortara. Lo pusieron en penitencia en la alacena durante una semana, aunque intentó decirles que *no podía* explicar cómo había crecido tan rápido su pelo.

Otra vez, tía Petunia había tratado de meterlo dentro de un asqueroso pullover viejo de Dudley (castaño con manchas anaranjadas). Mientras más intentaba pasárselo por la cabeza, más pequeña se volvía la prenda; hasta que finalmente parecía para una muñeca, pero no para Harry. Tía Petunia decidió que debió encogerse en el lavadero y para su gran alivio, Harry no fue castigado.

Por otra parte, había tenido un problema terrible cuando lo encontraron en el techo de la cocina del colegio. El grupo de Dudley lo perseguía como de costumbre, cuando para sorpresa tanto de Harry como de los demás, se encontró sentado en la chimenea. Los Dursley recibieron una carta muy enojada de la directora del colegio, diciéndoles que Harry andaba trepando por los techos del colegio. Pero todo lo que trataba de hacer (como le gritó a tío Vernon a través de la puerta cerrada de la alacena) fue saltar detrás de los grandes tachos que estaban afuera de la puerta de la cocina. Harry suponía que el viento debió levantarlo en medio de su salto.

Pero ese día, nada iba a salir mal. Incluso era mejor estar con Dudley y Piers para pasar el día en algún lugar que no fuera el colegio, su alacena o el living con olor a repollo de la señora Figg.

Mientras conducía, tío Vernon se quejaba con tía Petunia. Le gustaba quejarse por distintas cosas: Harry, el ayuntamiento, Harry, el Banco y Harry; esos eran algunos de sus temas favoritos. Esa mañana eran los motociclistas.

—... haciendo ruido como unos locos, esos jóvenes rufianes —dijo, mientras una moto los pasaba.

28

—Tuve un sueño sobre una motocicleta —dijo Harry, recordando de pronto—. Estaba volando.

Tío Vernon casi choca contra el coche de adelante. Se dio vuelta en su asiento y gritó a Harry, su rostro como una gigantesca remolacha con bigotes.

—¡LAS MOTOCICLETAS NO VUELAN!

Dudley y Piers se rieron disimuladamente.

—Ya sé que no lo hacen —dijo Harry—. Fue sólo un sueño.

Pero deseó no haber dicho nada. Si había algo que los Dursley odiaban aún más que él les hiciera preguntas, era que hablara de cualquier cosa que actuara en forma indebida, no importa que fuera un sueño o un dibujo animado. Parecían pensar que podía llegar a tener ideas peligrosas.

Era un sábado muy soleado y el zoológico estaba repleto de familias. Los Dursley compraron a Dudley y Piers unos grandes helados de chocolate en la entrada y luego, como la sonriente señora del puesto preguntó a Harry qué quería, antes de que pudieran alejarse, le compraron un palito helado de limón, que era más barato. Eso tampoco era malo, pensó Harry, chupándolo mientras observaban a un gorila que se rascaba la cabeza y se parecía notablemente a Dudley, salvo que no era rubio.

Harry pasó la mejor mañana que había tenido en mucho tiempo. Tuvo cuidado de caminar un poco alejado de los Dursleys, para que Dudley y Piers, que comenzaban a aburrirse de los animales durante la hora del almuerzo, no empezaran con el deporte favorito que era pegarle a él. Almorzaron en el restaurante del zoológico y cuando Dudley tuvo una rabieta porque su sándwich no era lo bastante grande, tío Vernon le compró otro y Harry tuvo permiso para terminar el primero.

Más tarde, Harry se dio cuenta de que debió haber sabido que era demasiado bueno para durar.

Después del almuerzo fueron a la casa de los reptiles. Estaba oscuro y hacía frío, con vidrieras iluminadas a lo largo de las paredes. Detrás de los vidrios, toda clase de víboras y lagartos colgaban y se deslizaban por las piedras y los troncos. Dudley y Piers querían ver las enormes cobras venenosas y pitones gruesas que estrujaban a los hombres. Dudley encontró rápidamente la serpiente más grandes del lugar. Podía haber envuelto el coche de tío Vernon y aplastarlo como una lata, pero en ese momento no parecía estar con ganas. De hecho, estaba profundamente dormida.

Dudley permaneció con la nariz apretada contra el vidrio, contemplando el brillo de la piel.

—Haz que se mueva —gritó a su padre. Tío Vernon golpeó en el vidrio, pero la serpiente no se movió.

—Hazlo de nuevo —ordenó Dudley. Tío Vernon golpeó con los nudillos, pero el animal siguió dormitando.

—Esto es aburrido —se quejó Dudley. Se alejó arrastrando los pies.

Harry se movió frente al vidrio y miró intensamente a la serpiente. Si él estuviera allí, no le habría sorprendido morirse de aburrimiento, sin ninguna compañía, salvo la de gente estúpida golpeando contra el vidrio, molestando todo el día. Era peor que tener una alacena por dormitorio, donde la única visitante era tía Petunia, golpeando la puerta para despertarlo, al menos él podía recorrer el resto de la casa.

De pronto la serpiente abrió sus ojos como cuentas. Lenta, muy lentamente, levantó la cabeza hasta que sus ojos estuvieron al nivel de los de Harry.

Guiñó un ojo.

Harry la miró fijamente. Luego miró rapidamente alrededor, para ver si alguien lo observaba. No lo miraban. Miró de nuevo a la serpiente y también le guiñó un ojo.

La serpiente torció la cabeza hacia tío Vernon y Dudley y luego levantó los ojos hacia el cielo raso. Dirigió a Harry una mirada que decía claramente:

—*Me pasa esto todo el tiempo.*

—Lo sé —murmuró Harry a través del vidrio, aunque no estaba seguro de que la serpiente pudiera oírlo—. Debe ser realmente molesto.

La serpiente asintió vigorosamente.

—A propósito, ¿de dónde vienes? —preguntó Harry.

La serpiente levantó la cola hacia el pequeño cartel cerca del vidrio. Harry miró con curiosidad.

Boa Constrictor, Brasil.

—¿Era lindo allá?

La boa constrictor volvió a señalar con la cola y Harry leyó: *Este espécimen fue criado en el zoológico.*

30

—Oh, ya veo. ¿Entonces nunca estuviste en Brasil?

Mientras la serpiente sacudía la cabeza, un grito ensordecedor detrás de Harry, los hizo saltar.

—¡DUDLEY! ¡SEÑOR DURSLEY! ¡VENGAN A VER A LA SERPIENTE! ¡NO VAN A CREER LO QUE ESTÁ HACIENDO!

Dudley se acercó contoneándose lo más rápido que pudo.

—Sal del camino —dijo, golpeando a Harry en las costillas. Tomado de sorpresa, Harry se cayó en el piso de cemento. Lo que sucedió a continuación fue tan rápido, que nadie supo cómo había sido. En un segundo, Piers y Dudley estaban inclinados cerca del vidrio y al siguiente saltaron hacia atrás con aullidos de terror.

Harry se incorporó y miró boquiabierto; el vidrio del frente del cubículo de la boa constrictor había desaparecido. La enorme serpiente se había desenrollado rápidamente, deslizándose por el piso. La gente que estaba en la casa de los reptiles gritaba y comenzó a correr hacia las salidas.

Mientras la serpiente se deslizaba ante él, Harry habría podido jurar que una voz baja y sibilante decía:

—Brasil, allá voy... Gracias, amigo.

El encargado de la casa de los reptiles se encontraba en estado de shock.

—¿Pero el vidrio —repetía— dónde fue el vidrio?

El director del zoológico en persona hizo una taza de té fuerte y dulce, para tía Petunia, mientras se disculpaba una y otra vez. Piers y Dudley sólo podían quejarse. Por lo que Harry había podido ver, la serpiente no había hecho más que darles, al pasar, un golpe juguetón en los pies; pero para cuando volvieron al asiento trasero del coche de tío Vernon, Dudley les contaba que casi lo había mordido en la pierna, mientras Piers juraba que había tratado de apretarlo para matarlo. Pero lo peor de todo, para Harry al menos, fue cuando Piers se calmó y pudo decir:

—Harry le estaba hablando. ¿No es cierto, Harry?

Tío Vernon esperó hasta que Piers estuvo fuera de la casa, antes de enfrentar a Harry. Estaba tan enojado que casi no podía hablar.

—Ve... alacena...quédate... no hay comida —pudo decir, antes de desplomarse en una silla y tía Petunia tuvo que servirle una copa de brandy.

Mucho más tarde, Harry estaba acostado en su alacena oscura, deseando tener un reloj. No sabía qué hora era y no podía estar seguro de que los Dursley estuvieran dormidos. Hasta que no durmieran, no podía arriesgarse a ir a la cocina a buscar algo de comer.

Había vivido con los Dursley casi diez años, diez miserables años, hasta donde podía recordar, incluso desde que era un bebé y sus padres habían muerto en un accidente de auto. No podía recordar haber estado en el coche cuando sus padres murieron. Algunas veces, cuando forzaba su memoria durante las largas horas en su alacena, tenía una extraña visión: un relámpago enceguecedor de luz verde y un dolor quemante en la frente. Eso, suponía, era el choque, aunque no podía imaginar de dónde provenía la luz verde. Y no podía recordar nada de sus padres. Sus tíos nunca hablaban sobre ellos y, por supuesto, tenía prohibido hacer preguntas. No había fotos de ellos en la casa.

Cuando era más chico, Harry soñaba una y otra vez que algún pariente desconocido venía a buscarlo para llevárselo, pero eso nunca sucedió; los Dursley eran su única familia. Sin embargo, algunas veces, pensaba (o tal vez esperaba que fuera así) que gente desconocida, en la calle, parecía conocerlo. Eran desconocidos muy extraños. Un hombrecito con una galera violeta lo había saludado, cuando estaba de compras con tía Petunia y Dudley. Después de preguntarle furiosa si conocía al hombre, tía Petunia los había sacado del lugar, sin comprar nada. Una mujer anciana con aspecto estrafalario, toda vestida de verde, lo había saludado alegremente en un ómnibus. Un hombre pelado, con un abrigo largo, color púrpura, le había estrechado la mano en la calle y se había alejado sin decir una palabra. Lo más raro de toda esa gente, era la forma en que parecía desvanecerse en el momento en que Harry trataba de acercarse.

En el colegio, Harry no tenía amigos. Todos sabían que el grupo de Dudley odiaba a ese extraño Harry Potter con su ropa vieja y deforme y los anteojos rotos y a nadie le gustaba estar en contra de la banda de Dudley.

Capítulo tres

Las cartas de nadie

La escapada de la boa constrictor hizo ganar a Harry el castigo más largo de su vida. Para cuando le dieron permiso para salir de su alacena, ya habían comenzado las vacaciones del verano y Dudley ya había roto su nueva filmadora, chocado su avión a control remoto y en la primera salida con su bicicleta de carrera, había atropellado a la anciana señora Figg cuando cruzaba Privet Drive con sus muletas.

Harry se alegraba de que el colegio hubiera terminado, pero no había forma de escapar a la banda de Dudley, que visitaba la casa cada día. Piers, Dennis, Malcolm y Gordon eran todos grandes y estúpidos, pero como Dudley era el más grande y el más estúpido de todos, era el jefe. El resto de ellos se sentían muy felices de unirse al deporte favorito de Dudley: cazar a Harry.

Es por eso que Harry pasaba la mayor parte del tiempo posible fuera de la casa, dando vueltas por allí y pensando en el fin de las vacaciones, cuando podría tener un pequeño rayo de esperanza. Cuando llegara septiembre, iría a la secundaria y, por primera vez en su vida, no iría con Dudley. Dudley tenía una vacante en el antiguo colegio de tío Vernon, Smelting. Piers Polkiss también iría allí. Harry, en cambio, iba a ir a la secundaria Stonewall, de la zona. Dudley pensaba que eso era muy divertido.

—Ellos meten las cabezas de la gente en el inodoro, en el primer día en Stonewall —dijo a Harry—. ¿Quieres venir arriba y practicar?

—No gracias —respondió Harry—. Los pobres inodoros nunca han tenido nada tan horrible como tu cabeza, pueden descomponerse.—Luego salió corriendo antes de que Dudley pudiera entender lo que le había dicho.

Un día del mes de julio, tía Petunia llevó a Dudley a Londres para comprarle su uniforme de Smelting, dejando a Harry en casa de la señora Figg. La señora Figg no estaba tan mal como de costumbre. Resultó que se había fracturado la pierna al tropezar con uno de sus gatos y ya no parecía tan encariñada con ellos como antes. Dejó que Harry viera televisión y le dio un pedazo de torta de chocolate que, por el sabor, parecía que la había guardado desde hacía años.

Esa tarde, Dudley desfiló por el living, ante la familia, con su uniforme nuevo. Los muchachos de Smelting usaban frac color rojo oscuro, pantalones ceñidos bajo las rodillas color naranja y sombrero de paja, rígido y plano. También llevaban bastones con nudos, que usaban para golpearse entre ellos, cuando los profesores no los veían. Eso se suponía que era un buen entrenamiento para la vida futura.

Mientras miraba a Dudley con sus nuevos pantalones, tío Vernon dijo con voz ronca que ese era el momento de mayor orgullo de su vida. Tía Petunia estalló en lágrimas y dijo que no podía creer que ese fuera su chiquito Dudley, tan apuesto y crecido. Harry no se animaba a hablar. Creyó que se le iban a fracturar las costillas, por el esfuerzo para no reírse.

A la mañana siguiente, había un olor horrible en la cocina, cuando Harry fue a tomar el desayuno. Parecía provenir de una gran tina de metal que estaba en la pileta de la cocina. Se acercó a mirar. La tina estaba llena de lo que parecían trapos sucios flotando en agua gris.

—¿Qué es eso? —preguntó a tía Petunia. La mujer frunció los labios, como siempre hacían cuando se atrevía a preguntar algo.

—Tu nuevo uniforme del colegio —dijo.

Harry volvió a mirar en el recipiente.

—Oh —comentó— no me había dado cuenta de que tenía que ser mojado.

—No seas estúpido —dijo enojada tía Petunia—. Estoy tiñendo de gris algunas cosas viejas de Dudley. Cuando termine quedará igual que los de los demás.

Harry tenía serias dudas de que fuera así, pero pensó que era mejor no discutir. Se sentó a la mesa y trató de no pensar sobre el aspecto que iba a tener en su primer día en la secundaria Stonewall; seguramente como si usara pedazos de piel de un elefante viejo.

Dudley y tío Vernon entraron, los dos frunciendo la nariz por el olor del nuevo uniforme de Harry. Tío Vernon abrió como siempre su periódico y Dudley golpeó la mesa con su bastón del colegio, que llevaba a todos lados.

Todos oyeron el ruido del buzón y las cartas que caían sobre el felpudo.

—Trae la correspondencia, Dudley —dijo tío Vernon, detrás de su periódico.

—Que vaya Harry.

—Trae las cartas, Harry.

—Que lo haga Dudley.

—Pégale con tu bastón, Dudley.

Harry evitó el bastón y fue a buscar la correspondencia. Había tres cartas en el felpudo: una postal de Marge, la hermana de tío Vernon, que estaba de vacaciones en la isla de Wight, un sobre color castaño, que parecía una factura y *una carta para Harry.*

Harry la recogió y la miró fijamente, con el corazón vibrando como una gigantesca banda elástica. Nadie, nunca, en toda su vida, le había escrito a él. ¿Quién podía ser? No tenía amigos ni otros parientes ni pertenecía a la biblioteca, así que nunca había recibido notas que le reclamaran la devolución de libros. Sin embargo, allí estaba, una carta con la dirección y su nombre, sin equivocación posible.

> *Señor H. Potter*
> *Alacena Debajo de la Escalera*
> *4 Privet Drive*
> *Little Whinging*
> *Surrey*

El sobre era grueso y pesado, hecho de pergamino amarillento, y la dirección estaba escrita con tinta verde esmeralda. No tenía estampilla.

Con las manos temblorosas, Harry dio vuelta el sobre y

vio un sello de cera púrpura con un escudo de armas; un león, un águila, un tejón y una serpiente, rodeando una gran letra H.

—¡Apúrate, muchacho! —gritó tío Vernon desde la cocina—. ¿Qué estás haciendo, controlando si hay cartas-bomba? —Se rió de su propio chiste.

Harry volvió a la cocina, todavía contemplando su carta. Entregó a tío Vernon la postal y la factura, se sentó y lentamente comenzó a abrir el sobre amarillo.

Tío Vernon rompió el sobre de la factura, resopló disgustado y echó una mirada a la postal.

—Marge está enferma —informó a tía Petunia—. Comió algo en mal estado.

—¡Papá! —dijo de pronto Dudley—. ¡Papá, Harry recibió algo!

Harry estaba por desdoblar su carta, que estaba escrita en el mismo pergamino que el sobre, cuando tío Vernon se la arrancó de la mano.

—¡Esta es *mía*! —dijo Harry, tratando de recuperarla.

—¿Quién te va a escribir a ti? —dijo con tono despectivo tío Vernon, abriendo la carta con una mano y echándole una mirada. Su rostro pasó del rojo al verde con la misma velocidad que las luces del semáforo. Y no se detuvo allí. En segundos era del blanco grisáceo de un viejo plato de avena cocida.

—¡ Pe...pe...Petunia! —jadeó.

Dudley trató de tomar la carta para leerla, pero tío Vernon la mantenía bien alto, fuera de su alcance. Tía Petunia la tomó con curiosidad y leyó la primera línea. Por un momento, pareció que iba a desmayarse. Se apretó la garganta y dejó escapar un gemido.

—¡Vernon! ¡Oh, Dios mío... Vernon!

Se miraron uno al otro, como si hubieran olvidado que Harry y Dudley todavía estaban allí. Dudley no estaba acostumbrado a que lo ignoraran. Pegó un golpe en la cabeza de su padre con su bastón de Smelting.

—Quiero leer esa carta —dijo a los gritos.

—Quiero leerla —dijo Harry furioso— es *mía*.

—Fuera de acá, los dos —graznó tío Vernon, metiendo la carta en el sobre.

Harry no se movió.

—¡QUIERO MI CARTA! —gritó.

—¡Deja que *yo* la vea! —exigió Dudley.

—¡FUERA! —aulló tío Vernon y tomando a Harry y a Dudley por el cogote, los arrojó al hall, cerrando la puerta de la cocina. Harry y Dudley iniciaron una lucha furiosa pero en silencio, para ver quién espiaba por el ojo de la cerradura. Ganó Dudley, así que Harry, con los anteojos colgando de una oreja, se tiró en el suelo para escuchar por el espacio entre la puerta y el piso.

—Vernon —decía tía Petunia, con voz temblorosa— mira el sobre, ¿cómo es posible que sepan dónde duerme él? ¿No estarán vigilando la casa, no?

—Vigilando, espiando, hasta pueden estar siguiéndonos —murmuró violentamente tío Vernon.

—¿Pero qué podemos hacer, Vernon? ¿Les contestamos? Les decimos que no queremos...

Harry pudo ver los zapatos negros brillantes de tío Vernon yendo y viniendo por la cocina.

—No —dijo finalmente—. No, vamos a ignorarlos. Si no reciben una respuesta... Sí, eso es mejor... no haremos nada...

—Pero...

—¡No voy a tener uno de ellos en la casa, Petunia! ¿No lo juramos cuando lo recibimos y destruimos esa peligrosa tontería?

Esa noche, cuando regresó del trabajo, tío Vernon hizo algo que no había hecho nunca antes; visitó a Harry en su alacena.

—¿Dónde está mi carta? —dijo Harry, en el momento en que tío Vernon pasaba con dificultad por la puerta—. ¿Quién me escribió?

—Nadie. Estaba dirigida a ti por error —dijo tío Vernon con tono cortante—. La quemé.

—*No* era un error —dijo Harry enojado—, estaba mi alacena en el sobre.

—¡SILENCIO! —aulló el tío Vernon y un par de arañas cayeron del cielo raso. Respiró profundamente y luego se esforzó por sonreír, con una mueca dolorosa.

—Ah, sí, Harry, sobre la alacena. Tu tía y yo estuvimos pensando... realmente ya estás muy grande para esto... pensamos que sería bueno que te mudes al segundo dormitorio de Dudley.

—¿Por qué? —dijo Harry.

—¡No hagas preguntas! —dijo enojado—. Lleva tus cosas arriba, ahora.

La casa de los Dursley tenía cuatro dormitorios: uno para tío Vernon y tía Petunia, otro para las visitas (habitualmente Marge, la hermana de Vernon), en otra dormía Dudley y en la otra guardaba todos los juguetes y cosas que no cabían en esa. En un solo viaje Harry mudó todo lo que le pertenecía, desde la alacena a su nuevo dormitorio. Se sentó en la cama y miró alrededor. Casi todo allí estaba roto. La filmadora estaba sobre un tanque que una vez Dudley hizo andar sobre el perro del vecino; en un rincón estaba el primer equipo de televisión de Dudley, al que dio una patada cuando suspendieron su programa favorito; una gran jaula que alguna vez tuvo adentro a un loro, al que Dudley cambió en el colegio por un rifle de aire comprimido, que ahora estaba en un estante, con la punta torcida porque Dudley se había sentado encima. Otros estantes estaban llenos de libros. Era lo único en esa habitación que parecía que nunca había sido tocado.

Desde abajo llegaba el sonido de los gritos de Dudley a su madre.

—No lo *quiero* a él allí... *Necesito* esa habitación... haz que se vaya de allí...

Harry suspiró y se estiró en la cama. El día antes hubiera dado cualquier cosa por estar allí. Pero ahora, casi volvería a su alacena con esa carta, en lugar de estar allí sin ella.

A la mañana siguiente, durante el desayuno, todos estaban muy callados. Dudley en estado de shock. Había gritado, golpeado a su padre con el bastón de Smelting, se había descumpuesto a propósito, había pateado a su madre y arrojado la tortuga por el techo del invernadero y seguía sin conseguir que le devolvieran su habitación. Harry estaba pensando en el día de ayer y con amargura deseó haber podido abrir la carta en el hall. Tío Vernon y tía Petunia se miraban uno al otro misteriosamente.

Cuando llegó el correo, tío Vernon, quien parecía intentar ser amable con Harry, hizo que fuera Dudley. Lo oyeron golpear cosas con su bastón en su camino hasta la puerta. Entonces gritó.

—¡Hay otra más!*Señor H. Potter, El Dormitorio Más Pequeño, 4 Privet Drive...*

Con un grito ahogado, tío Vernon se levantó de su asiento y corrió hacia el hall, con Harry siguiéndolo. Tío Vernon tuvo que forcejear con Dudley para quitarle la carta, lo que le resultaba difícil porque Harry lo tironeaba del cuello. Después de un minuto de confusa lucha, en la que todos recibieron golpes del bastón, tío Vernon se enderezó, jadeando para recuperar la respiración, con la carta de Harry arrugada en su mano.

—Vete a tu alacena, quiero decir a tu dormitorio —jadeó a Harry—. Dudley... vete... simplemente vete.

Harry caminó dando vueltas por su nueva habitación. Alguien sabía que se había mudado de su alacena y también parecía saber que no había recibido su primera carta. ¿Eso significaría que lo intentarían de nuevo? Y esta vez, se aseguraría de no fallar. Tenía un plan.

El reloj despertador arreglado sonó a las seis de la mañana siguiente. Harry lo apagó rápidamente y se vistió en silencio. No debía despertar a los Dursley. Se deslizó por las escaleras sin prender ninguna luz.

Iba a esperar al cartero en la esquina de Privet Drive y recoger primero las cartas para el número cuatro. El corazón le latía aceleradamente mientras atravezaba el hall oscuro hacia la puerta.

—¡AAAUUUGGG!

Harry saltó en el aire... había tropezado con algo grande y fofo en el felpudo... ¡algo vivo!

Las luces se encendieron y con horror, Harry se dio cuenta de que esa cosa fofa y grande era la cara de su tío. Tío Vernon estaba acostado en la puerta, en una bolsa de dormir, evidentemente para asegurarse de que Harry no hiciera exactamente lo que intentaba hacer. Gritó a Harry durante media hora y luego le dijo que fuera a preparar una taza de té. Harry se marchó arrastrando los pies y cuando regresó de la cocina, el correo había llegado, directamente a las rodillas del tío Vernon. Harry pudo ver tres cartas escritas en tinta verde.

—Quiero... —comenzó, pero tío Vernon estaba rompiendo las cartas en pedacitos ante sus ojos.

Ese día, tío Vernon no fue a trabajar. Se quedó en casa y clavó el buzón.

—Te das cuenta —explicó a tía Petunia, con la boca llena de clavos— si no pueden *entregarlas*, van a dejar de hacerlo.

—No estoy segura de que eso resultará, Vernon.

—Oh, la mente de esa gente funciona de manera extraña, Petunia, ellos no son como tú y yo —dijo tío Vernon, tratando de golpear un clavo con el pedazo de torta de fruta que tía Petunia le acababa de traer.

El viernes, no menos de doce cartas llegaron para Harry. Como no las podían echar en el buzón, las habían pasado debajo de la puerta, por las hendijas y unas pocas por la ventanita del cuarto de baño de abajo.

Tío Vernon se quedó en casa otra vez. Después de quemar todas las cartas, salió con el martillo y los clavos para asegurar la puerta de atrás y la del frente, para que nadie pudiera salir. Mientras trabajaba, canturreaba *Tiptoe through the Tulips* y se sobresaltaba con cualquier ruido.

El sábado las cosas comenzaron a descontrolarse. Veinticuatro cartas para Harry entraron en la casa, escondidas entre dos docenas de huevos, que un muy confundido lechero entregó a tía Petunia, a través de la ventana del living. Mientras tío Vernon hacía enfurecidos llamados a la oficina de correos y a la lechería, tratando de encontrar a alguien para quejarse, tía Petunia trituraba las cartas en la procesadora.

—¿Quién diablos tiene tanto interés en comunicarse contigo? —preguntaba Dudley con asombro a Harry.

La mañana del domingo, tío Vernon estaba sentado ante la mesa del desayuno, con aspecto de cansado y casi enfermo, pero feliz.

—No hay correo los domingos —les recordó alegremente, mientras ponía mermelada en su periódico— hoy no llegan las malditas cartas...

Algo llegó zumbando por la chimenea de la cocina mientras él hablaba y lo golpeó con fuerza en la parte de atrás de la cabeza. Al momento siguiente, treinta o cuarenta cartas cayeron de la chimenea como balas. Los Dursley se agacharon, pero Harry saltó en el aire, tratando de atrapar una.

—¡Fuera! ¡FUERA!

Tío Vernon atrapó a Harry por la cintura y lo arrojó hacia el hall. Cuando tía Petunia y Dudley salieron corriendo, cubriéndose la cara con las manos, tío Vernon cerró la puerta con fuerza. Podían oír las cartas que seguían cayendo en la habitación, golpeando contra las paredes y el piso.

—Ya está —dijo tío Vernon, tratando de hablar con calma, pero arrancándose al mismo tiempo, parte del bigote—. Quiero que estén aquí de vuelta en cinco minutos, listos para partir. Nos vamos, pongan alguna ropa. ¡Sin discutir!

Se lo veía tan peligroso con la mitad de su bigote arrancado, que nadie se animó a contradecirlo. Diez minutos después se habían abierto camino a través de las puertas trabadas y estaban en el coche, avanzando velozmente hacia la autopista. Dudley lloriqueaba en el asiento trasero, su padre lo había golpeado en la cabeza cuando lo encontró tratando de guardar su televisor, vídeo y computadora en el bolso.

Viajaron. Y siguieron avanzando. Ni siquiera la tía Petunia se atrevía a preguntarle a dónde iban. Cada tanto, tío Vernon daba una vuelta y por un rato conducía en sentido contrario.

—Sacarlos de encima... perderlos de vista... —murmuraba cada vez que hacía eso.

No se detuvieron en todo el día para comer o beber. Al llegar la noche, Dudley aullaba. Nunca había tenido un día tan malo en su vida. Tenía hambre, había perdido cinco programas de televisión que quería ver y nunca había pasado tanto tiempo sin hacer estallar un monstruo en su programa de juegos de la computadora.

Tío Vernon se detuvo finalmente ante un hotel de aspecto lúgubre, en las afueras de una gran ciudad. Dudley y Harry compartieron una habitación con camas gemelas y sábanas húmedas y gastadas. Dudley roncaba, pero Harry permaneció despierto, sentado en el borde de la ventana, contemplando las luces de los coches que pasaban y deseando saber...

Al día siguiente, comieron para el desayuno copos de trigo, tostadas y tomates de lata. Estaban terminado, cuando la dueña del hotel se acercó a la mesa.

—¿Perdonen, pero alguno de ustedes es el señor H. Potter? Tengo como cien de éstas en el mostrador de entrada.

Extendió una carta para que pudieran leer la dirección en tinta verde:

> *Señor H. Potter*
> *Habitación 17*
> *Railview Hotel*
> *Cokeworth*

Harry trató de tomar la carta, pero tío Vernon le golpeó la mano. La mujer los miró asombrada.

—Yo las recogeré —dijo tío Vernon, poniéndose de pie rápidamente y siguiéndola.

—¿No sería mejor volver a casa, querido? —sugirió tía Petunia tímidamente, unas horas más tarde, pero tío Vernon no pareció oírla. Qué era lo que buscaba exactamente, nadie lo sabía. Los llevó al medio del bosque, salió, miró alrededor, sacudió la cabeza y regresó al coche y otra vez lo puso en marcha. Lo mismo sucedió en medio de un campo arado; a mitad de camino de un puente colgante y en la parte más alta de un estacionamiento de coches.

—¿Papá se volvió loco, no? —preguntó Dudley a tía Petunia esa tarde. Tío Vernon había estacionado en la costa, los había encerrado y había desaparecido.

Comenzó a llover. Gruesas gotas golpeaban el techo del coche. Dudley gimoteaba.

—Es lunes —dijo a su madre—. El programa de Humberto es esta noche. Quiero ir a algún lugar con un televisor.

Lunes. Eso hizo acordar a Harry de algo. Si era lunes —y habitualmente se podía confiar en que Dudley supiera los días de la semana, por los programas de la televisión— entonces, mañana, martes, era el cumpleaños número once de Harry. Por supuesto, sus cumpleaños nunca fueron exactamente divertidos; el año anterior, los Dursley le regalaron una percha y un par de medias viejas de tío Vernon. Sin embargo, no se tenían once años todos los días.

Tío Vernon regresó y estaba sonriente. También traía un paquete largo y delgado y no contestó a tía Petunia cuando le preguntó qué había comprado.

—¡Encontré el lugar perfecto! —dijo—. ¡Vamos! ¡Todos afuera!

Hacía mucho frío al bajar del coche. Tío Vernon señalaba a lo que parecía una gran roca en el mar. Y encima de ella, se veía la más miserable choza que uno podría imaginar. Una cosa era segura, allí no había televisión.

—¡Hay anunciada tormenta para esta noche! —anunció encantado tío Vernon, aplaudiendo—.¡Y este caballero aceptó gentilmente alquilarnos su bote!

Un viejo desdentado se acercó a ellos, señalando un viejo bote que se balanceaba en el agua verde plomizo.

—Ya conseguí algunas raciones —dijo tío Vernon—. ¡Así que todos a bordo!

En el bote hacía un frío terrible. El mar helado los salpicaba y la lluvia les golpeaba la cabeza, mientras un viento helado les golpeaba el rostro. Después de lo que pareció una eternidad, llegaron al peñasco, donde tío Vernon los condujo hasta la casa desvencijada.

El interior era horrible, tenía un fuerte olor a algas, el viento se colaba por las hendijas de las paredes de madera y la chimenea estaba vacía y húmeda. Había sólo dos habitaciones.

Las raciones de tío Vernon resultaron ser cuatro bananas y un paquete de papas fritas para cada uno. Trató de encender el fuego con las bolsas vacías, pero sólo dieron humo.

—¿Ahora podríamos usar una de esas cartas, no? —dijo alegremente.

Estaba de muy buen humor. Era evidente que creía que nadie se iba a atrever a buscarlos allí, con una tormenta a punto de estallar. En privado, Harry estaba de acuerdo, aunque ese pensamiento no lo alegraba.

Al caer la noche, la tormenta prometida estalló sobre ellos.

la espuma de las altas olas chocaba contra las paredes de la cabaña y el viento feroz golpeaba los vidrios de las ventanas. Tía Petunia encontró unas pocas mantas en la otra habitación y preparó una cama para Dudley en el sofá. Ella y tío Vernon se acostaron en una cama cerca de la puerta y Harry tuvo que contentarse con una parte del piso y taparse con la manta más delgada.

La tormenta aumentó su ferocidad durante la noche. Harry no podía dormir. Se estremecía y se daba vuelta, tratando de acomodarse, con el estómago rugiendo de hambre.Los ronquidos de Dudley eran amortiguados por los truenos que estallaron cerca de la medianoche. El reloj luminoso de Dudley, colgando de su gorda muñeca, informó a Harry que tendría once años en diez minutos. Esperaba acostado a que se llegara la hora de su cumpleaños, preguntándose si los Dursley lo recordarían y dónde estaría ahora el escritor de cartas.

Cinco minutos. Harry oyo algo que crujía afuera. Esperó que no fuera a caerse el techo, aunque tal vez fuera más cálido si eso ocurría. Cuatro minutos. Tal vez la casa en Privet Drive iba a estar tan llena de cartas, cuando regresaran, que iba a poder robar una.

Tres minutos para la hora.¿Por qué el mar chocaría con tal fuerza contra la roca? Y (faltaban dos minutos) ¿y qué era ese ruido raro? La roca se estaba desplomando en el mar?

Un minuto y tendría once años. Treinta segundos... veinte... diez... nueve... tal vez despertaría a Dudley, sólo para molestarlo, tres... dos... uno...

BUM.

Toda la cabaña se estremeció y Harry se enderezó, mirando fijamente a la puerta. Alguien estaba afuera, golpeando para entrar.

Capítulo cuatro

El guardián de las llaves

Bum. Golpearon otra vez. Dudley se despertó bruscamente.

—¿Dónde está el cañón? —preguntó como un tonto.

Se oyó un crujido detrás de ellos y tío Vernon apareció en la habitación. Llevaba un rifle en las manos; ahora sabían lo que contenía el paquete alargado que traía con él.

—¿Quién está allí? —gritó—. ¡Le prevengo... estoy armado!

Hubo una pausa. Luego...

¡Un golpe violento!

La puerta fue empujada con tal fuerza, que se salió de los goznes y con un golpe sordo cayó el piso.

Un hombre gigantesco apareció en el umbral. Su rostro estaba practicamente oculto por una larga maraña de pelo y una barba salvaje, pero podían verse sus ojos, brillando como escarabajos negros, bajo toda esa pelambre.

El gigante se abrió camino, doblando la cabeza que rozaba el cielo raso. Se agachó, levantó la puerta y sin esfuerzo la colocó en su lugar. El ruido de la tormenta se apagó un poco. Se volvió para mirarlos.

—¿Podríamos hacernos una taza de té, no? No ha sido un viaje fácil...

Se desparramó en el sofá donde Dudley estaba petrificado de miedo.

—Levántate, pedazo de bodoque —dijo el desconocido.

Dudley se encogió y corrió a esconderse junto a su madre, quien estaba agazapada detrás de tío Vernon.

—¡Ah y aquí está Harry! —dijo el gigante.

Harry levantó la vista ante el rostro feroz y peludo, para ver que los ojos negros le sonreían.

—La última vez que te vi, eras sólo un bebé —dijo el gigante—. Eres muy parecido a tu papá, pero tienes los ojos de tu mami.

Tío Vernon dejó escapar un curioso sonido.

—¡Le exijo que se vaya de inmediato, señor! —dijo—. ¡Esto es irrupción en la morada!

—Oh, cierra la boca, Dursley, grandísimo papamoscas —dijo el gigante, se estiró y arrebató el rifle de las manos de tío Vernon, lo retorció con la misma facilidad que si hubiera sido de goma y lo arrojó a un rincón de la habitación.

Tío Vernon hizo otro ruido extraño, como si hubiera aplastado a un ratón.

—De todos modos, Harry —dijo el gigante, dando la espalda a los Dursley— un muy feliz cumpleaños para ti. Tengo algo aquí, tal vez lo aplasté un poco, pero tiene buen sabor.

De adentro del bolsillo interior de su abrigo negro sacó una caja algo aplastada. Harry la abrió con dedos temblorosos. En el interior había una gran torta de chocolate pegajoso, con *Feliz Cumpleaños Harry* escrito en verde.

Harry miró al gigante. Iba a decirle muchas gracias, pero las palabras se perdieron en su garganta y en lugar de eso, dijo:

—¿Quién es usted?

El gigante rió entre dientes.

—Es cierto, no me presenté. Rubeus Hagrid, Guardián de las Llaves y Terrenos de Hogwarts.

Extendió una mano enorme y sacudió todo el brazo de Harry.

—¿Qué tal ese té, entonces? —dijo, frotándose las manos—. Pero no diría que no, si tienen algo más fuerte.

Sus ojos se clavaron en el hogar apagado, con las bolsas de papas fritas arrugadas y dejó escapar una risa despectiva. Se inclinó ante la chimenea, los demás no podían ver qué estaba haciendo, pero cuando un momento después se dio vuelta, había un fuego encendido. Inundó de luz toda la húmeda cabaña y Harry sintió que el calor lo cubría como si estuviera metido en un baño caliente.

El gigante volvió a sentarse en el sofá, que se hundió bajo su peso y comenzó a sacar toda clase de cosas de los bolsillos de su abrigo: una pava de cobre, un paquete de salchichas, un atizador, una tetera, varios jarros y una botella de un líquido color ámbar, de la que tomó un trago antes de empezar a preparar el té. Muy pronto la cabaña estaba llena del aroma de las salchicas calientes. Nadie dijo una palabra mientras el gigante trabajaba, pero cuando sacó las primeras seis salchichas jugosas y calientes, Dudley comenzó a impacientarse. Tío Vernon dijo cortante:

—No toques nada que él te dé, Dudley.

El gigante lanzó una risa sombría.

—Ese gordo pastel que es su hijo no necesita engordar más, Dursley, no se preocupe.

Le entregó las salchichas a Harry, quien estaba tan hambriento, que pensó que nunca había probado algo tan maravilloso, pero todavía no podía sacar los ojos de encima del gigante. Por último, como nadie parecía dispuesto a explicar nada, dijo:

—Lo siento, pero todavía sigo sin saber quién es usted.

El gigante tomó un sorbo de té y se secó la boca con el dorso de la mano.

—Llámame Hagrid —contestó— todos lo hacen. Y como te dije, soy el guardián de las llaves de Hogwarts, todos saben sobre Hogwarts, por supuesto.

—Eh... yo no —dijo Harry.

Hagrid parecía impresionado.

—Lo lamento —dijo rápidamente Harry.

—¿*Lo lamento?*—ladró Hagrid, volviéndose a mirar a los Dursley, quienes retrocedieron a las sombras—. ¡Ellos son los que tienen que disculparse! Sabía que no estabas recibiendo las cartas, pero nunca pensé que no supieras nada de Hogwarts. ¿Nunca te preguntaste dónde habían aprendido todo tus padres?

—¿Todo qué? —preguntó Harry.

—¿TODO QUÉ? —bramó Hagrid—. ¡Ahora espera un segundo!

Se puso de pie de un salto. En su furia parecía llenar toda la habitación. Los Dursley estaban agazapados contra la pared.

—¿Me van a decir —rugió a los Dursley— que este muchacho, ¡este muchacho! no sabe nada...sobre NADA?

Harry pensó que eso iba demasiado lejos. Despúes de todo, había ido al colegio y sus notas no eran tan malas.

—Yo sé *algunas* cosas —dijo—. Puedo hacer cuentas y todas esas cosas.

Pero Hagrid simplemente agitó la mano.

—Me refiero a *nuestro* mundo. *Tu* mundo. *Mi* mundo. *El mundo de tus padres.*

—¿Qué mundo?

Hagrid lo miró como si fuera a explotar.

—¡DURSLEY! —aulló.

Tío Vernon, que estaba muy pálido, susurró algo que sonaba como "Mimblewimble". Hagrid, enfurecido, contempló a Harry.

—Pero tú tienes que saber sobre tu mamá y tu papá —dijo—. Quiero decir, ellos son *famosos*. Tú eres *famoso*.

—¿Cómo? ¿Mi mamá y mi papá eran famosos, en serio?

—No lo sabías... no lo sabías... —Hagrid se pasó los dedos por el pelo, clavándole una mirada de asombro.

—¿No sabes lo que ellos *eran*? —dijo por último.

De pronto, tío Vernon recuperó la voz.

—¡Deténgase —ordenó— deténgase ahora mismo, señor! ¡Le prohíbo que le diga nada al muchacho!

Un hombre más valiente que Vernon Dursley se habría acobardado ante la mirada furiosa que le dirigió Hagrid, quien cuando habló, temblaba de rabia.

—¿Nunca se lo dijo a él? ¿Nunca le dijo lo que decía la carta que Dumbledore dejó para él? ¡Yo estaba allí! ¡Vi que Dumbledore la dejaba, Dursley! ¿Y se lo ocultó durante todos estos años?

—¿*Qué* es lo que me ocultaron? —dijo ansioso Harry.

—¡DETÉNGASE! ¡SE LO PROHÍBO! —aulló tío Vernon aterrado.

Tía Petunia dejó escapar un gemido de horror.

—Ah, voy a hervirles la cabeza a ustedes dos —dijo Hagrid—. Harry, tú eres un mago.

Se produjo un silencio en la cabaña. Sólo podía oírse el mar y el silbido del viento.

—¿Que yo soy *qué*? —jadeó Harry.

—Un mago, por supuesto —respondió Hagrid, sentándose otra vez en el sofá, que crujió y se hundió—. Y uno muy bueno, debo añadir, una vez que te hayas entrenado un poco. ¿Con una mamá y un papá como los tuyos, qué otra cosa podías ser? Y me doy cuenta de que ya es tiempo de que leas tu carta.

Harry extendió la mano para tomar, finalmente, el sobre amarillento, dirigido, con tinta verde esmeralda a: *Señor H. Potter, El piso de la cabaña en la roca, El Mar*. Sacó la carta y leyó:

COLEGIO HOGWARTS DE MAGIA Y HECHICERÍA

Director: Albus Dumbledore
(Orden de Merlín, Primera Clase, Gran Hechicero, Jefe de Magos, Jefe Supremo, Confederación Internacional de Magos)

Querido señor Potter:
    Tenemos el placer de informarle que usted tiene una vacante en el Colegio Hogwarts de Magia y Hechicería. Por favor, observe la lista con el equipo y los libros necesarios.
    Las clases comienzan el 1° de septiembre. Esperamos su lechuza no más tarde del 31 de julio.
    Muy cordialmente

Minerva McGonagall
Directora Asistente

Las preguntas estallaban en la cabeza de Harry, como fuegos artificiales y no podía decidir cuál era la primera. Después de unos minutos, tartamudeó:

—¿Qué quiere decir eso de que esperan mi lechuza?

—Gorgonas galopantes, ahora me acuerdo —dijo Hagrid, golpeándose la frente con tanta fuerza como para derribar un caballo, y de otro bolsillo sacó una lechuza —una lechuza de verdad, viva y algo erizada— una gran pluma y un rollo de pergamino. Con la lengua entre los dientes, escribió una nota que Harry pudo leer al revés.

Querido señor Dumbledore
Entregué a Harry su carta. Lo llevo mañana a comprar sus cosas.
El tiempo es horrible. Espero que usted esté bien.
Hagrid.

Hagrid enrolló la nota, se la dio a la lechuza, que la tomó con el pico, fue hasta la puerta y lanzó a la lechuza en la tormenta. Entonces regresó y se sentó, como si fuera tan normal como hablar por teléfono.

Harry se dio cuenta de que tenía la boca abierta y la cerró rápidamente.

—¿En dónde estaba? —dijo Hagrid, pero en ese momento, tío Vernon todavía con el rostro color ceniza, pero muy enojado, se acercó a la chimenea.

—El no irá —dijo.

Hagrid gruñó.

—Me gustaría ver a un gran *muggle* como usted, deteniéndolo a él —dijo.

—¿Un qué ? —preguntó interesado Harry.

—Un *muggle* —respondió Hagrid— es como llamamos a la gente "no-mágica" como ellos. Y tuviste la mala suerte de crecer en una familia de los más grandes *muggles* que haya visto.

—Cuando lo recibimos, juramos que ibamos a detener toda esa basura —dijo tío Vernon—. ¡Juramos que la íbamos a sacar de él!¡ Un mago, tan luego!

—¿Ustedes *sabían*? —preguntó Harry—. ¿Ustedes *sabían* que yo era... un mago?

—¡Saber! —chilló de pronto tía Petunia—.¡*Saber!* ¡Por supuesto que sabíamos! ¿Cómo no ibas a serlo, siendo lo que era mi condenada hermana? Oh, ella recibió una carta como esa de ese... ese *colegio*... y desapareció y volvía a casa para las vacaciones, con los bolsillos llenos de ranas y convertía a las tazas de té en ratas. Yo era la única que la veía tal como era ¡una monstruosidad! Pero para mi madre y mi padre, oh no, para ellos era Lily hizo esto y Lily esto otro. ¡Estaban orgullosos de tener una bruja en la familia!

Se detuvo para respirar profundamente y luego continuó. Parecía que hacía años que deseaba decir todo eso.

—Luego conoció a ese Potter en el colegio y se fueron y

50

se casaron y te tuvieron a ti y por supuesto que yo sabía que ibas a ser igual, igual de raro, un... un *anormal*. ¡Y luego, como si no fuera poco, tuvo esa explosión y nosotros tuvimos que recibirte!

Harry se había puesto muy pálido. Tan pronto como recuperó la voz, preguntó:

—¿Explosión? ¡Ustedes me dijeron que habían muerto en un accidente de auto!

—¡ACCIDENTE DE AUTO? —rugió Hagrid, saltando tan enojado, que los Dursley volvieron al rincón—. ¿Cómo iban a poder morir Lily y James Potter en un accidente de auto? ¡Eso es un ultraje! ¡Un escándalo! ¡Que Harry Potter no conozca su propia historia, cuando cada chico de nuestro mundo conoce su nombre!

—¿Pero por qué? ¿Qué sucedió? —preguntó Harry con urgencia.

La furia se desvaneció del rostro de Hagrid. De pronto parecía ansioso.

—Nunca esperé esto —dijo, en voz baja y preocupada—. No tenía idea, cuando Dumbledore me dijo que podía tener problemas para llegar a ti, no sabía cómo sería. Ah, Harry, no sé si soy la persona adecuada para decírtelo, pero alguien debe hacerlo. No puedes ir a Hogwarts sin saberlo.

Lanzó una mirada despectiva a los Dursley.

—Bueno, es mejor que sepas todo lo que yo puedo decirte... porque no puedo decirte todo, es un gran misterio, al menos una parte...

Se sentó, miró fijamente al fuego durante unos instantes y luego continuó.

—Comienza, supongo, con... con una persona llamada... pero es increíble que no sepas su nombre, todos en nuestro mundo lo saben...

—¿Quién?

—Bueno... no me gusta decir el nombre si puedo evitarlo. Nadie lo dice.

—¿Por qué no?

—Gárgolas galopantes, Harry, la gente todavía tiene miedo. Caramba esto es difícil. Mira, estaba ese mago que se volvió... malo. Tan malo como puedas pensar. Peor. Peor que peor. Su nombre era...

Hagrid tragó, pero no le salía la voz.

—¿Quiere escribirlo? —sugirió Harry.

—No... no puedo deletrearlo. Está bien... *Voldemort* —Hagrid se estremeció. —No me lo hagas repetir. De todos modos, este... este mago, hace unos veinte años, comenzó a buscar seguidores. Y los consiguió, algunos le tenían miedo, otros sólo querían un poco de su poder, porque él iba consiguiendo poder. Eran días negros, Harry. No se sabía en quién confiar, uno no se animaba a hacerse amigo de magos o brujas desnococidos... Sucedían cosas terribles. Él se estaba apoderando de todo. Por supuesto, algunos se le oponían y él los mató. Horrible. Uno de los pocos lugares seguros era Hogwarts. Hay que considerar que Dumbledore era el único al que Ya-Sabes-Quién temía. No se atrevía a apoderarse del colegio, no entonces al menos.

"Ahora bien, tu mami y tu papi eran la mejor bruja y el mejor mago que yo nunca haya conocido.¡En su época en Hogwarts eran los cabecillas! Supongo que el misterio es porque Ya-Sabes-Quién nunca trató antes, de tenerlos de su lado... probablemente sabía que estaban demasiado cerca de Dumbledore como para querer tener algo que ver con el Lado Oscuro.

"Tal vez pensó que podía persuadirlos... quizá simplemente quería sacarlos de su camino. Lo que todos saben es que él apareció en el pueblo donde ustedes vivían, en el día de Halloween, hace diez años. Tú tenías un año. Él fue a la casa de ustedes y... y...

De pronto, Hagrid sacó un pañuelo muy sucio y se sonó la nariz con un sonido como de una corneta.

—Lo siento —dijo—. Pero es tan triste... saber que tu mami y tu papi, la mejor gente del mundo que podrías encontrar...

"Ya-Sabes-Quién los mató. Y entonces... y ese es el verdadero misterio del asunto... también trató de matarte a ti. Supongo que quería hacer un trabajo limpio, o tal vez para ese entonces, le gustaba matar. Pero no pudo hacerlo. ¿Nunca te preguntaste cómo te hiciste esa marca en la frente? Ese no es un corte común. Eso sucedió cuando una poderosa maldición diabólica te tocó. La que terminó con tu mamá, tu papá y la casa, pero no funcionó contigo y es por eso que eres famoso, Harry. Nadie ha vivido, después de que él decidió matarlo, nadie excepto tú, y eso que él ha matado a algunas de las mejores brujas y magos de la época —los McKinnon, los Bone, los Prewett— y tú eras sólo un bebé, pero viviste.

Algo muy doloroso iba pasando en la mente de Harry. Mientras Hagrid iba terminando la historia, vio otra vez la enceguecedora luz verde, con más claridad de lo que la había recordado antes, y recordó algo más, por primera vez en su vida, una risa cruel, aguda y fría.

Hagrid lo observaba con tristeza.

—Yo mismo te saqué de la casa en ruinas, por orden de Dumbledore. Te traje con esta gente...

—Un montón de viejas tonterías —dijo tío Vernon. Harry dio un respingo, casi había olvidado que los Dursley estaban allí. Tío Vernon parecía haber recuperado su valor. Miraba furioso a Hagrid y tenía los puños cerrados.

—Ahora, escucha esto muchacho —gruñó—, acepto que haya algo extraño acerca de ti, probablemente nada que unos buenos golpes no curen. Y todo eso sobre tus padres; bien eran raros, no lo niego, y en mi opinión, el mundo está mejor, sin ellos... y recibieron lo que buscaban, mezclándose con esos brujos... es como esperaba, siempre supe que iban a terminar mal...

Pero en ese momento, Hagrid se levantó del sofá y sacó de su abrigo, un paraguas rosado. Apuntando a tío Vernon, como con una espada, dijo:

—Lé prevengo, Dursley, le estoy avisando, una palabra más y...

Ante el peligro de ser lanceado por la punta de un paraguas en manos de un gigante barbudo, el valor de tío Vernon desapareció otra vez; se aplastó contra la pared y permaneció en silencio.

—Eso es mejor —dijo Hagrid, respirando con dificultad y sentándose otra vez en el sofá, que ahora se aplastó hasta el suelo.

Harry, entre tanto, todavía tenía preguntas para hacer, cientos de ellas.

—¿Pero qué sucedió con Vol... perdón, quiero decir con Usted-Sabe-Quién?

—Buena pregunta, Harry. Desapareció. Se desvaneció. La

misma noche que trató de matarte. Eso te hizo aún más famoso. Ese es el mayor misterio, sabes... se estaba volviendo más y más poderoso... ¿Por qué se fue?

"Algunos dicen que murió. No estoy seguro de que le quedara suficiente de humano para morir. También dicen que todavía está por allí, controlando su tiempo, pero no lo creo. La gente que estaba de su lado, regresó con nosotros. Algunos salieron como de un trance. No les parece que podrían hacerlo si él regresara.

"La mayoría de nosotros consideramos que él todavía está en alguna parte, pero que perdió sus poderes. Demasiado débil para seguir adelante. Porque algo relacionado contigo, Harry, lo ultimó. Algo sucedió esa noche, que él no contaba que sucedería, no sé qué fue, nadie lo sabe... pero algo relacionado contigo lo confundió.

Hagrid miró a Harry con afecto y respeto, pero Harry, en lugar de sentirse complacido y orgulloso, se sentía casi seguro de que había una terrible equivocación. ¿Un mago? ¿Él? ¿Cómo era posible? Había pasado su vida golpeado por Dudley y amedrentado por tía Petunia y tío Vernon. ¿Si realmente era un mago, por qué no los había convertido en sapos con verrugas cada vez que lo encerraban en la alacena? Si alguna vez derrotó al más grande brujo del mundo, ¿cómo es que Dudley siempre podía patearlo como si fuera una pelota?

—Hagrid —dijo con calma— creo que se equivocó. No creo que yo pueda ser un mago.

Para su sorpresa, Hagrid se rió entre dientes.

—¿No eres un mago, eh? ¿Nunca haces que sucedan cosas cuando estás asustado o enojado?

Harry contempló el fuego. Ahora que pensaba en ello... cada cosa rara que había hecho enojar a su tía y su tío con él, habían sucedido cuando él, Harry, estaba molesto o enojado... perseguido por la banda de Dudley, de golpe se había encontrado fuera del alcance de ellos... con temor de ir al colegio con ese ridículo corte de pelo, lo había hecho crecer de nuevo... y la última vez que Dudley lo golpeó...¿no tuvo su venganza, sin darse cuenta de que lo estaba haciendo? ¿No había soltado la boa constrictor sobre él?

Harry miró de nuevo a Hagrid, sonriendo, y vio que el gigante lo miraba radiante.

—¿Te das cuenta? —dijo Hagrid—. Harry Potter no es un mago... espera, serás muy famoso en Hogwarts.

Pero tío Vernon no iba a rendirse sin luchar.

—¿No le dijimos que él no irá? —dijo con desagrado—. Él irá a la secundaria Stonewall y estará agradecido por ello. Ya leí esas cartas y necesitará toda clase de basuras: libros de hechizos y varitas y...

—Si él quiere ir, un gran *muggle* como usted no lo detendrá —gruñó Hagrid—.¡Detener al hijo de Lily y James Potter para que no vaya a Hogwarts! Está loco. Su nombre está anotado casi desde que nació. Va a ir al mejor colegio de magia y hechicería en el mundo. Siete años allí y él no se conocerá a sí mismo. Estará con jóvenes de su misma clase, lo que será un cambio. Y estará bajo el más gran director que Hogwarts haya tenido: Albus Dumbled...

—¡NO VOY A PAGAR PARA QUE ALGÚN CHIFLADO VIEJO TONTO LE ENSEÑE TRUCOS DE MAGIA! —aulló tío Vernon.

Pero esta vez había ido demasiado lejos. Hagrid empuñó su paraguas y lo agitó sobre su cabeza.

—NUNCA... —bramó— INSULTE- A- ALBUS- DUMBLEDORE-EN- MI- PRESENCIA!

Agitó el paraguas en el aire para apuntar a Dudley... hubo un ralámpago de luz violeta, un sonido como de un petardo, un agudo chillido y al siguiente momento, Dudley brincaba con las manos sobre su gordo trasero, mientras aullaba de dolor. Cuando les dio la espalda, Harry vio una enrulada cola de cerdo, saliendo a traves de un agujero en los pantalones.

Tío Vernon rugió. Empujó a tía Petunia y a Dudley a la otra habitación, lanzó una última mirada aterrorizada a Hagrid y cerró con fuerza la puerta, detrás de ellos.

Hagrid miró a su paraguas y se tiró de la barba.

—No debería enojarme —dijo con pesar—, pero igual no funcionó. Quise convertirlo en un cerdo, pero supongo que ya se parece mucho a un cerdo y no había mucho por hacer.

Miró de reojo a Harry, bajo sus cejas pobladas.

—Te agradecería que no menciones esto con nadie de Hogwarts —dijo—. Yo... no se supone que haga magia, hablando estrictamente. Tengo permiso para hacer un poquito para que te llegaran las cartas y todo eso... Esa era una de las razones por las que quería tener este trabajo...

—¿Por qué se supone que no haga magia? —preguntó Harry.

—Oh, bien... yo estaba también en Hogwarts y, para decirte la verdad, me expulsaron. En el tercer año. Me rompieron la varita por la mitad. Pero Dumbledore me dejó quedar como guardabosque. Es un gran hombre, Dumbledore.

—¿Por qué lo expulsaron?

—Se está haciendo tarde y tenemos muchas cosas que hacer mañana —dijo Hagrid en voz alta—. Tenemos que ir a la ciudad y conseguirte los libros y todo lo demás.

Se quitó su grueso abrigo negro y se lo entregó a Harry.

—Puedes taparte con esto —dijo—. No te preocupes si algo se agita, creo que todavía tengo un par de lirones en uno de los bolsillos.

CAPÍTULO CINCO

Diagon Alley

Harry se despertó temprano esa mañana. Aunque sabía que ya era de día, mantenía los ojos bien cerrados.

—Era un sueño —se dijo con firmeza—. Soñé que un gigante llamado Hagrid vino a decirme que voy a ir al colegio para magos. Cuando abra los ojos estaré en casa, en mi alacena.

Hubo un súbito golpeteo.

—Y esa es tía Petunia golpeando la puerta —pensó Harry, con el corazón abrumado. Pero todavía no abrió los ojos. Había sido un sueño tan lindo.

Toc. Toc. Toc.

—Está bien —rezongó Harry—. Ya me levanto.

Se incorporó y se le cayó el pesado abrigo negro de Hagrid. La cabaña estaba iluminada por el sol, la tormenta había pasado y Hagrid estaba dormido en el sofá y había una lechuza golpeando con su pata en la ventana, con un periódico en el pico.

Harry se puso de pie, tan feliz como si un gran globo se expandiera en su interior. Fue directamente a la ventana y la abrió. La lechuza bajó en picada y dejó el periódico sobre Hagrid, quien no se despertó. Entonces la lechuza se posó en el suelo y comenzó a atacar el abrigo de Hagrid.

—No hagas eso.

Harry trató de apartar a la lechuza, pero cerró el pico amenazadoramente y continuó atacando el abrigo.

—¡Hagrid! —dijo Harry en voz alta—Hay una lechuza...

—Págale —gruñó Hagrid desde el sofá.

—¿Qué?

—Quiere que le pagues por traer el periódico. Busca en los bolsillos.

El abrigo de Hagrid parecía hecho de bolsillos, cantidad de llaves, proyectiles de metal, bombones de menta, saquitos de té... finalmente Harry sacó un puñado de monedas de aspecto extraño.

—Dale cinco knuts —dijo soñoliento Hagrid.

—¿Knuts?

—Esas pequeñas de bronce.

Harry contó las cinco monedas y la lechuza extendió la pata, para que Harry pudiera colocar las monedas en una bolsita de cuero que llevaba atada. Entonces salió volando por la ventana abierta.

Hagrid bostezó con fuerza, se sentó y se desperezó.

—Mejor nos apuramos, Harry, tenemos muchas cosas que hacer hoy, debemos ir a Londres para comprar todas tus cosas para el colegio.

Harry estaba dando vuelta las monedas mágicas y las observaba. Justo había pensado en algo que le hizo sentir que el globo de felicidad en su interior, acaba de pincharse.

—Mm... ¿Hagrid?

—¿Sí? —dijo Hagrid, que se estaba calzando sus enormes botas.

—Yo no tengo dinero y ya oíste al tío Vernon anoche, no va a pagar para que vaya a aprender magia.

—No te preocupes por eso —dijo Hagrid, poniéndose de pie y golpeándose la cabeza—. No creerás que tus padres no te dejaron nada.

—Pero si su casa fue destruida...

—¡Ellos no guardaban el oro en la casa, muchacho! No, la primera parada para nosotros es Gringotts. El Banco de los magos. Come una salchicha, no son malas frías y no me negaré a un pedacito de tu torta de cumpleaños.

—¿Los magos tienen *Bancos*?

—Sólo uno. Gringotts. Manejado por gnomos.

Harry dejó caer el pedazo de salchicha que le quedaba.

—¿*Gnomos*?

—Ajá... así que habría que estar loco para intentar robarles, puedo decírtelo. Nunca te metas con los gnomos, Harry. Gringotts es el lugar más seguro del mundo para lo que quieras guardar, excepto tal vez Hogwarts. Por otra parte, tenía que visitar Gringotts de todos modos. Por Dumbledore. Asuntos de Hogwart. —Hagrid se irguió orgulloso.— En general, me utiliza para asuntos importantes. Buscarte a ti... sacar cosas de Gringotts... él sabe que puede confiar en mí. ¿Tienes todo? Vamos entonces.

Harry siguió a Hagrid fuera de la cabaña. El cielo estaba claro ahora y el mar brillaba a la luz del sol. El bote que tío Vernon había alquilado todavía estaba allí, con el fondo lleno de agua después de la tormenta.

—¿Cómo llegaste aquí? —preguntó Harry, mirando alrededor, buscando otro bote.

—Volando —dijo Hagrid.

—¿*Volando?*

—Sí... pero vamos a regresar en esto. No se supone que deba usar magia, ahora que ya te conseguí.

Se ubicaron en el bote, Harry todavía mirando a Hagrid, tratando de imaginarlo volando.

—Sin embargo, me parece una lástima tener que remar —dijo Hagrid, dirigiendo a Harry otra mirada de soslayo—. ¿Si yo apresuro las cosas un poquito, te importaría no mencionarlo en Hogwarts?

—Por supuesto que no —respondió Harry, ansioso por ver más magia. Hagrid sacó otra vez el paraguas rosado, golpeó dos veces en el borde del bote y salieron a toda velocidad hacia la orilla.

—¿Por qué habría que ser loco para intentar robar en Gringotts? —preguntó Harry.

—Hechizos... encantamientos —dijo Hagrid, desdoblando su periódico mientras hablaba—. Dicen que hay dragones custodiando las bóvedas de máxima seguridad. Y además, hay que saber encontrar el camino; Gringotts está a cientos de kilómetros por debajo de Londres, sabes. Muy por debajo del subterráneo. Te morirías de hambre tratando de salir, aunque hubieras podido robar algo.

Harry permaneció sentado pensando en eso, mientras Hagrid leía su periódico, el *Profeta Diario*. Harry había aprendido de su tío Vernon que a la gente le gustaba que la dejaran tranquila cuando hacía eso, pero era muy difícil, porque nunca había tenido tantas preguntas en su vida.

—El Ministerio de Magia está confundiendo las cosas, como de costumbre —murmuró Hagrid, dando vuelta la hoja.

—¿Hay un Ministerio de Magia? —preguntó Harry, sin poder contenerse.

—Por supuesto —respondió Hagrid—. Querían que Dumbledore fuera el ministro, claro, pero él nunca dejará Hogwarts, así que el viejo Cornelius Fudge consiguió el trabajo. Nunca hubo nadie tan chambón. Así que lanza lechuzas sobre Dumbledore, cada mañana, pidiendo consejos.

—¿Pero qué *hace* un ministerio de Magia?

—Bueno, su trabajo principal es impedir que los *muggles* sepan que todavía hay brujas y magos por todo el país.

—¿Por qué?

—¿*Por qué?* Caramba, Harry, todos querrían soluciones mágicas para sus problemas. No, mejor que nos dejen tranquilos.

En ese momento, el bote golpeó suavemente contra la pared del muelle. Hagrid dobló su periódico y subieron los escalones de piedra hacia la calle.

Los transeúntes miraban mucho a Hagrid, mientras caminaban por el pueblito, hacia la estación. Harry no podía culparlos. Hagrid no sólo era el doble de alto que cualquiera, sino que señalaba cosas perfectamente ordinarias, como los parquímetros, diciendo en voz alta:

—¿Ves eso, Harry? ¿Las cosas que esos *muggles* inventan, eh?

—Hagrid —dijo Harry, jadeando un poco, mientras corría para seguirlo—. ¿Dijiste que había *dragones* en Gringotts?

—Bueno, eso dicen —respondió Hagrid—. Me gustaría tener un dragón.

—¿Te *gustaría* tener uno?

—Quiero uno desde que era un niño... Ya estamos.

Habían llegado a la estación. Había un tren a Londres en cinco minutos. Hagrid, quien no entendía "el dinero *muggle*", como lo llamaba, dio los billetes a Harry, para que comprara los pasajes.

La gente los miraba más que nunca en el tren. Hagrid

ocupó dos asientos y comenzó a tejer lo que parecía una carpa redonda color amarillo canario.

—¿Todavía tienes tu carta, Harry? —preguntó, mientras contaba los puntos.

Harry sacó el sobre de pergamino de su bolsillo.

—Bien —dijo Hagrid—. Hay una lista con todo lo que necesitas.

Harry desdobló una segunda hoja, que no había visto la noche anterior y leyó:

COLEGIO HOGWARTS DE MAGIA Y HECHICERÍA

Uniforme
Los alumnos de primer año, necesitarán:
    1. Tres conjuntos de sencillas túnicas de trabajo (negras)
    2. Un simple sombrero puntiagudo (negro) para uso diario
    3. Un par de guantes protectores (piel de dragón o semejante)
    4. Una capa de invierno (negra, con broches plateados)
Por favor, recuerde que toda la ropa de los alumnos debe llevar etiquetas con su nombre.

Libros
Todos los alumnos deben tener un ejemplar de cada uno de los siguientes libros:
    El Libro Reglamentario de Hechizos (Clase 1) *por Miranda Goshawk*
    Una Historia de la Magia *por Bathilda Bagshot*
    Teoría Mágica *por Adalbert Waffling*
    Guía de Transformación para Principiantes *por Emeric Switch*
    Mil y Una Hierbas Mágicas y Hongos *por Phyllida Spore*
    Filtros y Pociones Mágicas *por Arsenius Jigger*
    Animales Fantásticos y Dónde Encontrarlos *por Newt Scamander*
    Las Fuerzas Oscuras: Una Guía para la Autoprotección *por Quentin Trimble*

Otro Equipo
   1 varilla
   1 caldero (peltre, reglamentario medida 2)
   1 conjunto de ampolletas de vidrio o cristal
   1 telescopio
   1 conjunto de balanzas de latón
   1 varilla
Los alumnos también pueden traer una lechuza o un gato o una tortuga

SE RECUERDA A LOS PADRES QUE LOS DE PRIMER AÑO NO TIENEN PERMISO PARA TENER SUS PROPIAS ESCOBAS

—¿Podemos comprar todo esto en Londres? —se preguntó Harry en voz alta.
—Si sabes a dónde ir —respondió Hagrid.

Harry no había estado antes en Londres. Aunque Hagrid parecía saber adónde iban, era evidente que no estaba acostumbrado a hacerlo de la forma ordinaria. Se quedó atascado en el molinillo del subterráneo y se quejó en voz alta porque los asientos eran muy pequeños y los trenes muy lentos.

—No sé cómo los *muggles* se las arreglan sin magia —comentó, mientras trepaban por una escalera mecánica descompuesta, que los llevaba a una calle llena de negocios.

Hagrid era tan corpulento, que separaba facilmente a la muchedumbre; todo lo que Harry tenía que hacer, era mantenerse detrás de él. Pasaron ante librerías y casas de música, mostradores con hamburguesas y cines, pero en ningún lado parecía que pudieran vender varillas mágicas. Esa era simplemente una calle ordinaria, llena de gente común. ¿Realmente habría montones de oro de magos, enterrados debajo de ellos? ¿Había allí realmente negocios que vendían libros de hechizos y escobas? ¿No sería una broma pesada preparada por los Dursley? Si Harry no hubiera sabido que los Dursley no tenían sentido del humor, podría haberlo pensado, sin embargo, aunque todo lo que le había dicho Hagrid era increíble, Harry no podía dejar de confiar en él.

—Es aquí —dijo Hagrid, deteniéndose—. El Leaky Cauldron. Es un lugar famoso.

Era un diminuto pub, de aspecto mugriento. Si Hagrid no lo hubiera señalado, Harry no lo hubiera visto. La gente que pasaba apresurada ni lo miraba. Sus ojos iban de la gran librería, de un lado, a la casa de música del otro, como si no pudieran ver el Leaky Cauldron. De hecho, Harry tuvo la extraña sensación de que sólo él y Hagrid lo veían. Antes de que pudiera decirlo, Hagrid lo hizo entrar.

Para ser un lugar famoso, era muy oscuro y miserable. Unas pocas ancianas estaban sentadas en un rincón, bebiendo copitas de sherry. Una de ellas fumaba una larga pipa. Un hombrecito, con sombrero de copa, hablaba con el viejo cantinero, que era completamente pelado y parecía una nuez pegajosa. El suave murmullo de las charlas se detuvo cuando ellos entraron. Todos parecían conocer a Hagrid; lo saludaban con la mano y le sonreían y el cantinero buscó un vaso, diciendo:

—¿Lo de siempre, Hagrid?

—No puedo, Tom, estoy por asuntos de Hogwarts —respondió Hagrid, golpeando con su gran mano el hombro de Harry y haciéndole doblar las rodillas.

—Buen Dios —dijo el cantinero, escudriñando a Harry—. ¿Es este... puede ser...?

El Leaky Cauldron súbitamente quedó inmóvil y en silencio.

—Válgame Dios —susurró el cantinero—. Harry Potter... todo un honor.

Salió rápidamente del mostrador y corrió hacia Harry y le estrechó la mano, con los ojos llenos de lágrimas.

—Bienvenido, señor Potter, bienvenido.

Harry no sabía qué decir. Todos lo miraban. La anciana con la pipa seguía soplando, sin darse cuenta de que se le había apagado. Hagrid estaba radiante.

Entonces se produjo un gran movimiento de sillas y al minuto siguiente, Harry se encontró estrechando las manos de todos los de Leaky Cauldron.

—Doris Crockford, señor Potter, no puedo creer que finalmente lo conozco.

—Estoy tan orgullosa, señor Potter, tan orgullosa.

—Siempre quise estrechar su mano... estoy muy complacido.

—Encantado, señor Potter, no puedo decirle cuánto. Diggle, mi nombre es Dedalus Diggle.

—¡Yo lo he visto antes! —dijo Harry, mientras Dedalus Giggle dejaba caer su galera por la excitación—. Usted me saludó una vez en un negocio.

—¡Me recuerda! —gritó Dedalus Giggle, mirando a todos—. ¿Oyeron eso? ¡Él se acuerda de mí!

Harry estrechó manos una y otra vez. Doris Crockford volvía a repetir el saludo.

Un joven pálido se adelantó, muy nervioso. Uno de sus ojos se crispaba.

—¡Profesor Quirrell! —dijo Hagrid—. Harry, el profesor Quirrell será uno de tus maestros en Hogwarts.

—P-P-Potter —tartamudeó el profesor Quirrell, sujetando la mano de Harry con ansiedad— n-no pue-e-do decirle l-lo contento que-e estoy de co-conocerlo.

—¿Qué clase de magia enseña usted, profesor Quirrell?

—D-Defensa Contra las Artes O-Oscuras —murmuró el profesor Quirrell, como si no quisiera pensar en eso—. N-No que usted lo n-necesite, ¿eh P-Potter?—Soltó una risa nerviosa. —¿Esta b-buscando todo su e-equipo, s-supongo? Y-Yo tengo que b-buscar un nuevo l-libro de va-vampiros. —Pareció aterrorizado ante la simple mención.

Pero los demás no permitieron que el profesor Quirrell acaparara a Harry. Le llevó más de diez minutos para despedirse de ellos. Al fin, Hagrid se hizo oír.

—Tenemos que irnos... hay mucho que comprar. Vamos, Harry.

Doris Crockford estrechó la mano de Harry una última vez y Hagrid lo sacó atravesando el pub, hasta un pequeño patio cerrado, donde no había más que un tacho de basura y unas hierbas.

Hagrid miró sonriente a Harry.

—¿Te lo dije, no? Te dije que eras famoso. Hasta el profesor Quirrell estaba temblando al conocerte, aunque te diré que habitualmente tiembla.

—¿Está siempre tan nervioso?

—Oh, sí. Pobre tipo. Una mente brillante. Estaba bien

mientras estudiaba en esos libros, pero entonces se tomó un año de vacaciones, para tener experiencias directas... Dicen que encontró vampiros en la Selva Negra y tuvo un desagradable problema con una hechicera... y desde entonces, nunca fue el mismo. Se asusta de los alumnos, tiene miedo a su propia materia... Ahora ¿dónde vamos, paraguas?

¿Vampiros? ¿Hechiceras? La cabeza de Harry era un torbellino. Hagrid, en tanto, contaba ladrillos en la pared encima del tacho de basura.

—Tres arriba... dos horizontales...—murmuraba—. Correcto, un paso atrás, Harry.

Golpeó la pared tres veces, con la punta de su paraguas.

El ladrillo que había tocado se estremeció —se retorció— y en el medio apareció un pequeño agujero —que se hizo cada vez más ancho— y un segundo más tarde estaban contemplando un pasaje abovedado lo bastante grande hasta para Hagrid, un pasaje hacia una calle con adoquines, que se torcía y doblaba fuera de la vista.

—Bienvenido —dijo Hagrid— a Diagon Alley.

Sonrió ante el asombro de Harry. Entraron en el pasaje. Harry miró rápidamente por sobre su hombro y vio que la pared volvía a cerrarse.

El sol brillaba iluminando una pila de calderos en la puerta del negocio más cercano. *Calderos - Todos los Tamaños - Latón, Cobre, Peltre, Plata - Autorrevolvientes - Plegadizos* decía un cartel que colgaba sobre ellos.

—Sí, vas a necesitar uno —dijo Hagrid— pero mejor vamos primero a conseguir el dinero.

Harry deseó tener ocho ojos más. Movía la cabeza en todas direcciones, mientras iban calle arriba, tratando de mirar todo al mismo tiempo: los negocios, las cosas que estaban afuera y la gente haciendo compras. Una mujer regordeta en la puerta de una droguería, sacudía la cabeza, cuando ellos pasaron, diciendo: "Hígado de dragón, diecisiete *sickles* la onza, están locos..."

Un suave ulular llegaba de un negocio oscuro, con un cartel que decía *Emporio de lechuzas - color tostado, castaño, gris, nevado*. Varios chicos de la edad de Harry pegaban la nariz contra una vidriera con escobas. "Miren —oyó Harry que decía uno de ellos— la nueva Nimbus Dos Mil, la más veloz." Había negocios que vendían ropa, otros, telescopios y extraños instrumentos de plata que Harry nunca había visto antes. Vidrieras repletas de bazos de murciélagos y ojos de anguilas, pilas tambaleantes de libros de encantamientos, plumas y rollos de pergamino, frascos con pociones, globos con mapas de la luna...

—Gringotts —dijo Hagrid.

Habían llegado a un edificio color blanco nieve, que se alzaba sobre los pequeños negocios. De pie, ante las puertas de bronce lustrado, llevando un uniforme carmesí y dorado, había...

—Sí, ese es un gnomo —dijo Hagrid en voz baja, mientras subían por los escalones de piedra blanca. El gnomo era una cabeza más bajo que Harry. Tenía un rostro moreno e inteligente, una barba puntiaguda y, Harry pudo notarlo, dedos y pies muy largos. Cuando entraron, los saludó. Entonces enfrentaron un segundo par de puertas, esta vez de plata, con unas palabras grabadas encima de ellas.

> *Entra, desconocido, pero ten cuidado*
> *Con lo que le espera al pecado de la codicia,*
> *Porque aquellos que toman, pero no se lo han ganado,*
> *Deberán pagar en cambio mucho más,*
> *Así que si buscas por debajo de nuestro suelo*
> *Un tesoro que nunca fue tuyo,*
> *Ladrón, te hemos advertido, ten cuidado*
> *De encontrar aquí algo más que un tesoro.*

—Como te dije, hay que estar loco para intentar robar aquí —dijo Hagrid.

Un par de gnomos los hicieron pasar por las puertas plateadas y se encontraron en un amplio hall de mármol. Un centenar de gnomos estaban sentados en altos taburetes, detrás de un largo mostrador, escribiendo en grandes libros de cuentas, pesando monedas en balanzas de cobre y examinando piedras preciosas con lentes. Había demasiadas puertas como para contarlas, para salir del hall y otros gnomos guiaban a la gente para entrar y salir. Hagrid y Harry se acercaron al mostrador.

—Buen día —dijo Hagrid a un gnomo desocupado—.

Hemos venido para sacar algún dinero de la caja de seguridad del señor Harry Potter.

—¿Tiene su llave, señor?

—La tengo por aquí —dijo Hagrid y comenzó a vaciar sus bolsillos sobre el mostrador, desparramando un puñado de bizcochos para perro sobre el libro de cuentas del gnomo. El gnomo frunció la nariz. Harry observó al gnomo que tenía a la derecha, pesando una pila de rubíes tan grandes como carbones brillantes.

—La tengo —dijo finalmente Hagrid, mostrando una pequeña llave dorada.

El gnomo la examinó de cerca.

—Parece estar todo en orden.

—Y también tengo una carta del profesor Dumbledore —dijo Hagrid, dándose importancia—. Es sobre Usted-Sabe-Qué en la bóveda setecientos trece.

El gnomo leyó la carta cuidadosamente.

—Muy bien —dijo, devolviéndosela a Hagrid—. Voy a hacer que alguien los acompañe abajo, a las dos bóvedas. ¡Griphook!

Griphook era otro gnomo. Una vez que Hagrid guardó todos los bizcochos de perro en sus bolsillos, él y Harry siguieron a Griphook hacia una de las puertas para salir del hall.

—¿Qué es Usted-Sabe-Qué en la bóveda setecientos trece? —preguntó Harry.

—No te lo puedo decir —dijo misteriosamente Hagrid—. Muy secreto. Es un asunto de Hogwards. Dumbledore me lo confió.

Griphook les abrió la puerta. Harry, que había esperado más mármoles, se sorprendió. Estaban en un angosto pasillo de piedra, iluminado con antorchas. Se inclinaba hacia abajo y había unos rieles en el piso. Griphook silbó y un pequeño carro llegó rápidamente por los rieles. Subieron —Hagrid con cierta dificultad— y se pusieron en marcha.

Al principio fueron rápidamente a través de un laberinto de retorcidos pasillos. Harry trató de recordar, izquierda, derecha, derecha, izquierda, una bifurcación, derecha, izquierda, pero era imposible. El veloz carro parecía conocer su camino, porque Griphook no lo dirigía.

A Harry le picaban los ojos por las ráfagas de aire frío, pero los mantuvo bien abiertos. En una oportunidad, le pareció ver un estallido de fuego al final del pasillo y se dio vuelta para ver si era un dragón, pero era demasiado tarde; iban cada vez más abajo, pasando un lago subterráneo con gruesas estalactitas y estalagmitas que crecían del techo y del piso.

—Nunca lo supe —gritó Harry a Hagrid, por sobre el estruendo del carro—. ¿Cuál es la diferencia entre una estalactita y una estalagmita?

—Las estalagmitas tienen una eme —dijo Hagrid—. Y no me hagas preguntas ahora, creo que voy a descomponerme.

Se lo veía color verde y cuando el carro se detuvo al fin, ante la pequeña puerta en la pared del pasillo, Hagrid se bajó y tuvo que apoyarse contra la pared para que le dejaran de temblar las rodillas.

Griphook abrió la cerradura de la puerta. Una oleada de humo verde los envolvió y cuando se aclaró, Harry jadeó. Adentro había montículos de monedas de oro. Pilas de monedas de plata. Montones de pequeños knuts de bronce.

—Todo tuyo —sonrió Hagrid.

Todo de Harry, era increíble. Los Dursley no debían de saberlo o se abrían apoderado de todo en un abrir y cerrar de ojos.¿Cuántas veces se habían quejado de lo que les costaba mantener a Harry? Y todo ese tiempo, una pequeña fortuna enterrada debajo de Londres le pertenecía a él.

Hagrid ayudó a Harry a poner una cantidad en una bolsa.

—Las de oro son galleons —explicó—. Diecisiete sickles de plata para un galleon y veintinueve knuts para un sieckle, es bien fácil. Bueno, esto será suficiente para un par de cursos, dejaremos el resto guardado para ti —se volvió hacia Griphook—. Ahora, por favor, la bóveda setecientos trece. ¿Y podemos ir un poco más despacio?

—Una sola velocidad —contestó Griphook.

Ahora fueron más abajo y con mayor velocidad. El aire se volvió cada vez más frío, mientras doblaban por angostos recodos. Llegaron sacudiéndose al otro lado de una hondonada subterránea y Harry se inclinó por el costado, para ver qué había en el fondo oscuro, pero Hagrid gruñó y lo enderezó, tomándolo del cuello.

La bóveda setecientos trece no tenía cerradura.

—Un paso atrás —dijo Griphook, dándose importancia. Tocó la puerta con uno de sus largos dedos y simplemente desapareció.

—Si alguien que no sea un gnomo de Gringotts intenta eso, será chupado por la puerta y quedará atrapado —dijo Griphook.

—¿Cada cuánto controlan para ver si alguien está adentro? —quiso saber Harry.

—Más o menos cada diez años —dijo Griphook, con una sonrisa maligna.

Algo realmente extraordinario tenía que haber en esa bóveda de máxima seguridad, Harry estaba seguro y se inclinó ansioso, esperando ver por lo menos joyas fabulosas, pero la primera impresión era que estaba vacía. Entonces notó el sucio paquetito, envuelto en papel madera, que estaba en el piso. Hagrid lo levantó y lo guardó en las profundidades de su abrigo. Harry deseaba conocer su contenido, pero sabía que era mejor no preguntar.

—Vamos, regresemos en ese carro infernal y no me hables durante el camino, será mejor que mantenga la boca cerrada —dijo Hagrid.

Después de la veloz trayectoria, salieron parpadeando a la luz del sol, fuera de Gringotts. Harry no sabía adónde correr primero, ahora que tenía una bolsa llena de dinero. No necesitaba saber cuántos galleons eran una libra, para darse cuenta de que tenía más dinero del que había tenido en toda su vida, más dinero incluso del que Dudley tuviera jamás.

—Sería bueno que compres tu uniforme —dijo Hagrid, señalando hacia Madam Malkin, Túnicas para todas las Ocasiones—. Escucha, Harry, ¿te importaría si me doy una vuelta por el Leaky Cauldron? Detesto los carros de Gringotts. —Todavía se lo veía descompuesto, así que Harry entró solo en el negocio de Madam Malkin, sintiéndose algo nervioso.

Madam Malkin era una bruja sonriente y regordeta, vestida de color malva.

—¿Hogwarts, querido? —dijo, cuando Harry empezó a

hablar—. Tengo muchos acá... de hecho, otro jovencito se está probando ahora.

En el fondo del negocio, un chico con rostro pálido y puntiagudo estaba parado sobre un escabel, mientras otra bruja le ponía alfileres en su larga túnica negra. Madam Malkin colocó a Harry en un escabel al lado del otro y le deslizó por arriba de la cabeza una larga túnica y comenzó a marcarle el largo adecuado.

—Hola —dijo el muchacho—¿También Hogwarts?

—Sí —respondió Harry.

—Mi padre está en el negocio de al lado, comprando mis libros y mi madre se fue calle arriba para mirar las varillas —dijo el chico. Tenía voz de aburrido y arrastraba las palabras. —Luego los voy a arrastrar para mirar escobas de carrera. No sé por qué los de primer año no pueden tener una propia. Creo que voy a fastidiar a mi padre para que me compre una y de alguna manera la meteré de contrabando.

Harry estaba recordando muy intensamente a Dudley.

—¿*Tú* tienes escoba propia? —continuó el muchacho.

—No —dijo Harry.

—¿Juegas siquiera algo de Quidditch?

—No —dijo de nuevo Harry, preguntándose qué diablos sería Quidditch.

—Yo sí... Padre dice que sería un crimen si no me eligen para jugar por mi casa, y debo decir que estoy de acuerdo.¿Ya sabes en qué casa vas a estar?

—No —dijo Harry, sintiéndose cada vez más tonto.

—Bueno, nadie lo sabe realmente hasta que lleguemos allí, pero yo sé que seré de Slytherin, porque toda mi familia fue de allí. ¿Te imaginas estar en Hufflepuff, yo creo que me iría, no te parece?

—Mmm —dijo Harry, deseando poder decir algo más interesante.

—¡Oye, mira a ese hombre! —dijo súbitamente el chico, señalando hacia la vidriera del frente. Hagrid estaba de pie, allí, sonriendo a Harry y señalando dos grandes helados, para que viera por qué no entraba.

—Ese es Hagrid —dijo Harry, contento de saber algo que el otro no sabía—. Trabaja en Hogwarts.

—Oh —dijo el muchacho— oí hablar de él. ¿Es una especia de sirviente, no?

—Él es el guardabosques —dijo Harry. Cada vez le gustaba menos ese chico.

—Sí, claro. He oído que es una especie de *salvaje*, vive en una cabaña en los terrenos del colegio y cada tanto se emborracha, trata de hacer magia y termina prendiendo fuego a su cama.

—Yo creo que es brillante —dijo Harry con frialdad.

—¿Eso crees? —preguntó el chico, con tono burlón—. ¿Por qué está aquí contigo? ¿Dónde están tus padres?

—Están muertos —respondió en pocas palabras. No tenía ganas de hablar de ese tema con él.

—Oh, lo siento —dijo el otro, aunque no pareció que le importara—. ¿Pero eran de *nuestra* clase, no?

—Eran un mago y una bruja, si es eso a lo que te refieres.

—Realmente creo que no deberían dejar entrar a los otros, ¿no te parece? No son lo mismo, no los educaron para conocer nuestras costumbres. Algunos nunca habían oído hablar de Hogwarts hasta que recibieron la carta, ya te imaginarás. Yo creo que debería quedar todo en las familias de antiguos magos. ¿Y a propósito, cuál es tu apellido?

Pero antes de que Harry pudiera contestar, Madam Malkin dijo:

—Ya está listo lo tuyo, querido.

Y Harry, sin lamentar la excusa para dejar de hablar con el chico, bajó del escabel.

—Bueno, te veré en Hogwarts, supongo —dijo el muchacho.

Harry estaba muy silencioso, mientras comía el helado que Hagrid le había comprado (chocolate y frambuesa con pedazos de nuces).

—¿Qué sucede? —preguntó Hagrid.

—Nada —mintió Harry. Se detuvieron a comprar pergamino y plumas. Harry se animó un poco cuando encontró un frasco de tinta que cambiaba de color al escribir. Cuando salieron del negocio, preguntó: —¿Hagrid, qué es Quidditch?

—Caramba, Harry, sigo olvidando lo poco que sabes... ¡No saber qué es Quiddich!

—No me hagas sentir peor —dijo Harry. Le contó a Hagrid sobre el chico pálido en lo de Madam Malkin.

—... y dijo que la gente de familia de *muggles* no debería poder ir...

—Tú no eres de una familia *muggle*. Si hubiera sabido quién *eres*... él ha crecido conociendo tu nombre, si sus padres eran magos. Ya lo viste en el Leaky Cauldron. De todos modos, qué sabe él, algunos de los mejores que he conocido, eran los únicos con magia en una larga línea de *muggles*. ¡Mira tu mamá! ¡Mira la hermana que le tocó!

—¿Entonces, qué es Quidditch?

—Es nuestro deporte. Deporte de magos. Es... como el fútbol en el mundo *muggle* —todos lo siguen—, se juega en el aire, con escobas y hay cuatro pelotas... es medio difícil explicarte las reglas.

—¿Y qué son Slytherin y Hufflepuff?

—Casas del colegio. Hay cuatro. Todos dicen que en Hufflepuff son todos inútiles, pero...

—Apuesto a que yo estaré en Hufflepuff —dijo Harry desanimado.

—Es mejor en Hufflepuff que en Slytherin —dijo Hagrid con tono lúgubre—. No hay ni una sola bruja o mago que se vuelva malo, que no haya sido de Slytherin. Tú-Sabes-Quién fue uno.

—¿Vol... perdón, Tú-Sabes-Quién estuvo en Hogwarts?

—Hace muchos años —respondió Hagrid.

Compraron los libros de Harry en un negocio llamado Flourish and Blotts, en donde los estantes estaban llenos de libros hasta el techo. Había enormes forrados en cuero, otros del tamaño de una estampilla, con tapas de seda; libros llenos de símbolos raros y unos pocos con nada impreso. Hasta Dudley, que nunca leía nada, habría deseado tener alguno de esos libros. Hagrid casi tuvo que arrastrar a Harry, para que dejara el libro *Hechizos y Contrahechizos (Encante a sus Amigos y Confunda a sus Enemigos con las Más Recientes Venganzas: Pérdida de Cabello, Piernas de Jalea, Lengua Atada y más, mucho más)* del profesor Vindictus Viridian.

—Estaba tratando de averiguar cómo hechizar a Dudley.

—No estoy diciendo que no sea una buena idea, pero no puedes usar magia en el mundo *muggle*, excepto en circunstancias muy especiales —dijo Hagrid—. Y de todos modos, no podrías hacer ningún hechizo todavía, necesitarás mucho más estudio antes de llegar a ese nivel.

Hagrid tampoco dejó que Harry comprara un sólido caldero de oro (en la lista decía de peltre) pero consiguieron un lindo conjunto de balanzas para pesar ingredientes de las pociones y un telescopio plegable de cobre. Luego visitaron la droguería, que era tan fascinante como para hacer olvidar el horrible aroma, una mezcla de huevos descompuestos y repollo podrido. En el piso había barriles de una sustancia viscosa, potes con hierbas, raíces secas y polvos brillantes llenaban las paredes, manojos de plumas, hileras de colmillos y garras colgaban del cielo raso. Mientras Hagrid preguntaba al hombre detrás del mostrador por un surtido de ingredientes básicos para pociones para Harry; éste examinaba cuernos de unicornio plateados, a veintiún galleons cada uno y minúsculos ojos negros brillantes de escarabajos (cinco knuts la cucharada).

Afuera de la droguería, Hagrid controló otra vez la lista de Harry.

—Sólo falta la varilla...oh, sí, todavía no te busqué un regalo de cumpleaños.

Harry sintió que se ruborizaba.

—Tú no tienes que...

—Sé que no tengo que hacerlo. Te diré qué será. Te daré un animal. No una tortuga, las tortugas pasaron de moda hace años, se burlarán... y no me gustan los gatos, me hacen estornudar. Te voy a regalar una lechuza. Todos los chicos quieren tener una lechuza, son muy útiles, llevan tu correspondencia y todo lo demás.

Veinte minutos más tarde, salieron del Emporio de la Lechuza, que era oscuro y lleno de ojos brillantes y susurros y aleteos. Ahora Harry llevaba una gran jaula con una hermosa lechuza nevada, medio dormida con la cabeza debajo de un ala. Y no dejó de agradecer el regalo, tartamudeando como el profesor Quirrell.

—Ni lo menciones —dijo Hagrid con aspereza—. No espero que recibas muchos regalos de los Dursley. Ahora nos queda solamente Ollivander, el único lugar para las varillas y vas a conseguir la mejor.

Una varilla mágica... eso era lo que Harry realmente había estado esperando.

El último negocio era angosto y de mal aspecto. Sobre la puerta, en letras doradas, se leía: *Ollivander: Fabricantes de Excelentes Varillas desde 382 a.C.* Una sola varilla estaba sobre un almohadón de desteñido color púrpura, en la polvorienta vidriera.

Cuando entraron, una campanilla resonó en el fondo del negocio. Era un lugar pequeño, vacío salvo por una sola silla, alta y angosta, en la que Hagrid se sentó a esperar. Harry sentía algo extraño, como si hubieran entrado en una biblioteca muy estricta; se tragó una cantidad de preguntas que se le acababan de ocurrir, y en lugar de eso, miró los miles de cajas angostas, apiladas prolijamente hasta el techo. Por alguna razón, sintió que le picaba la nuca. El polvo y el silencio parecían hacerle picar por alguna magia secreta.

—Buenas tardes —dijo una voz suave. Harry dio un salto. Hagrid también debió de sobresaltarse, porque se oyó un crujido y se levantó rápidamente de la silla.

Un anciano estaba ante ellos, sus ojos grandes y pálidos, brillaban como lunas en la penumbra del local.

—Hola —dijo Harry con torpeza.

—Ah, sí —dijo el hombre—. Sí, sí, pensaba que iba a verlo pronto. Harry Potter. —No era una pregunta. —Tiene los ojos de su madre. Parece que fue ayer que ella estaba aquí, comprando su primera varilla. Diez pulgadas y un cuarto de largo, elástica, hecha de sauce. Una linda varilla para encantamientos.

El señor Ollivander se acercó a Harry. El muchacho deseó que el hombre parpadeara. Esos ojos plateados eran un poco lúgubres.

—Su padre, por otra parte, prefirió una varilla de caoba. Once pulgadas. Flexible. Un poquito más poderosa y excelente para transformaciones. Bueno, dije que su padre la prefirió, pero en realidad, es la varilla la que elige al mago.

El señor Ollivander estaba tan cerca, que él y Harry casi se chocaban las narices. Harry podía verse reflejado en esos ojos velados.

—Y aquí es donde...

El señor Ollivander tocó la luminosa cicatriz en la frente de Harry, con un largo dedo blanco.

—Lamento decir que yo vendí la varilla que hizo eso —dijo

suavemente—. Trece pulgadas y media. Una varilla poderosa, muy poderosa, y en las manos equivocadas... Bueno, si hubiera sabido lo que esa varilla iba a hacer en el mundo...

Sacudió la cabeza y entonces, para alivio de Harry, fijó su atención en Hagrid.

—¡Rubeus! ¡Rubeus Hagrid! Qué bueno verlo otra vez... Roble, dieciséis pulgadas, flexible...¿Era así?

—Así era, sí señor —dijo Hagrid.

—Buena varilla, esa. Pero supongo que la partieron en dos cuando lo expulsaron —dijo el señor Ollivander, súbitamente severo.

—Eh, sí, eso hicieron, sí —respondió Hagrid, arrastrando los pies—. Sin embargo, todavía tengo los pedazos —agregó con vivacidad.

—¿Pero no los *usa*, no?—preguntó con severidad.

—Oh, no, señor —dijo Hagrid rápidamente. Harry se dio cuenta de que sujetaba con fuerza su paraguas rosado.

—Mmm —dijo el señor Ollivander, lanzando una mirada inquisidora a Hagrid—. Bueno, ahora señor Potter. Déjeme ver... —Sacó de su bolsillo una cinta métrica, con marcas plateadas.— ¿Cuál es su brazo para la varilla?

—Eh... bien, soy diestro —respondió Harry.

—Extienda su brazo. Eso es.—Midió a Harry del hombro al dedo, luego de la muñeca al codo, del hombro al suelo, de la rodilla a la axila y alrededor de su cabeza. Mientras medía, dijo:— Cada varilla Ollivander tiene un núcleo central de una poderosa sustancia mágica, señor Potter. Usamos pelos de unicornio, plumas de cola de fénix y fibras del corazón de dragones. No hay dos varillas Ollivander iguales, como no lo son dos unicornios, dragones o fénix. Y por supuesto, nunca obtendrá tan buenos resultados con la varilla de otro mago.

De pronto, Harry se dio cuenta de que la cinta métrica, que ahora lo medía entre las fosas nasales, lo hacía sola. El señor Ollivander estaba revoloteando entre los estantes, sacando cajas.

—Esto ya está —dijo y la cinta métrica se amontonó en el piso—. Entonces, señor Potter. Pruebe ésta. Madera de haya y fibras de corazón de dragón. Nueve pulgadas. Linda y flexible. Tómela y agítela.

Harry tomó la varilla y (sintiéndose un tonto) la agitó alrededor, pero el señor Ollivander se la quitó casi de inmediato.

—Arce y pluma de fénix. Siete pulgadas. Muy elástica. Pruebe...

Harry probó, pero apenas levantó el brazo, cuando el señor Ollivander se la quitó.

—No, no... ésta, ébano y pelo de unicornio, ocho pulgadas y media. Elástica. Vamos, vamos, inténtelo.

Harry trató. Y probó. No tenía idea de lo que estaba buscando el señor Ollivander. La pila de varillas probada era cada vez más alta, sobre la silla, pero mientras más varillas sacaba el señor Ollivander, más feliz parecía estar.

—¿Qué cliente difícil, no? No se preocupe, vamos a encontrar la pareja perfecta por aquí, en algún lado. Me pregunto... sí, por qué no, una combinación poco usual, acebo y pluma de fénix, once pulgadas, lindo y flexible.

Harry tocó la varilla. Sintió un súbito calor en los dedos. Levantó la varilla sobre su cabeza y la hizo bajar por el aire polvoriento y una corriente de chispas rojas y doradas estallaron de la punta como fuegos artificiales, arrojando manchas de luz que bailaban en las paredes. Hagrid lo vitoreó y aplaudió y el señor Ollivander dijo:

—¡Oh, bravo! Oh, sí, oh, muy bien. Bien, bien, bien... qué curioso... realmente qué curioso...

Puso la varilla de Harry en su caja y la envolvió en papel madera, todavía murmurando: "curioso...muy curioso".

—Perdón —dijo Harry—. ¿Pero *qué* es curioso?

El señor Ollivander fijó en Harry su mirada pálida.

—Recuerdo cada varilla que he vendido, señor Potter. Cada una de las varillas. Y sucede que la pluma de cola de fénix que está en su varilla, dio otra pluma, sólo una más. Y realmente es muy curioso que usted estuviera destinado a esa varilla, cuando su hermana, fue ella la que le hizo esa cicatriz.

Harry tragó, sin poder hablar.

—Sí, trece pulgadas y media. Ajá. Realmente curioso cómo suceden esas cosas.. La varilla escoge al mago, recuérdelo... Creo que debemos esperar grandes cosas de usted, señor Potter... Después de todo, Él-Que-No-Debe-

Ser- Nombrado hizo grandes cosas... terribles, sí, pero grandiosas.

Harry se estremeció. No estaba seguro de que el señor Ollivander le gustara mucho. Pagó siete galleons de oro por su varilla y el señor Ollivander los acompañó hasta la puerta de su negocio.

Al atardecer, con el sol muy bajo en el cielo, Harry y Hagrid emprendieron su camino otra vez por Diagon Alley, a través de la pared y de nuevo por el Leaky Cauldron, ahora vacío. Harry no habló mientras salían a la calle y ni siquiera notó la cantidad de gente que se quedaba con la boca abierta, al verlos en el subterráneo, cargados de una serie de paquetes de formas raras y la lechuza dormida en el regazo de Harry. Subieron por la escalera mecánica, entraron en la estación de Paddington; y Harry en ese momento se dio cuenta de dónde estaban, cuando Hagrid le golpeó el hombro

—Tenemos tiempo de que comas algo antes de que salga el tren—dijo.

Le compró una hamburguesa a Harry y se sentaron a comer en unas sillas de plástico. Harry miró alrededor. De alguna manera, todo le parecía muy extraño.

—¿Estás bien, Harry? Estás muy silencioso —dijo Hagrid.

Harry no estaba seguro de poder explicarlo. Había tenido el mejor cumpleaños de su vida —y sin embargo— masticó su hamburguesa, intentando encontrar las palabras.

—Todos creen que soy especial —dijo finalmente—. Toda esa gente en el Leaky Cauldron, el profesor Quirrell, el señor Ollivander... pero yo no sé nada sobre magia. ¿Cómo pueden esperar grandes cosas? Soy famoso y ni siquiera puedo recordar por qué soy famoso. No sé qué sucedió cuando Vol... perdón, quiero decir, la noche en que mis padres murieron.

Hagrid se inclinó sobre la mesa. Detrás de la barba enmarañada y cejas espesas, había una sonrisa muy bondadosa.

—No te preocupes, Harry. Aprenderás con rapidez. Todos son principiantes al empezar en Hogwarts, vas a estar muy bien. Simplemente sé tú mismo. Sé que es difícil. Has estado separado y eso siempre es duro. Pero vas a pasarlo muy bien en Hogwarts, yo lo pasé y de hecho, todavía lo paso.

Hagrid ayudó a Harry a subir al tren que lo llevaría hasta los Dursley y luego le entregó un sobre.

—Tu pasaje para Hogwarts —dijo—. El 1° de septiembre, en Kings Cross, está todo en el pasaje. Cualquier problema con los Dursley y me envías una carta con tu lechuza, ella sabrá encontrarme... Te veré pronto, Harry.

El tren arrancó de la estación. Harry deseaba ver a Hagrid hasta que se perdiera de vista, se levantó del asiento y apretó la nariz contra la ventanilla, pero parpadeó y Hagrid ya no estaba.

— CAPÍTULO SEIS —

El viaje desde la plataforma
Nueve y tres cuartos

El último mes de Harry con los Dursley, no fue divertido. Es cierto que Dudley ahora le tenía miedo a Harry y no se quedaba con él en la misma habitación, mientras que tía Petunia y tío Vernon no lo encerraban en la alacena ni lo obligaban a hacer nada ni le gritaban. De hecho, no le dirigían la palabra. Mitad aterrorizados, mitad furiosos, actuaban como si cualquier silla con Harry estuviera vacía. Aunque eso era una mejora en muchos aspectos, después de un tiempo resultaba un poco depresivo.

Harry se quedaba en su habitación, con su nueva lechuza por compañía. Decidió llamarla Hedwig, un nombre que encontró en su *Historia de la Magia*. Sus libros del colegio eran muy interesantes. A la noche, se quedaba leyendo en la cama hasta tarde, mientras Hedwig entraba y salía a su antojo por la ventana abierta. Era una suerte que la tía Petunia ya no entrara en la habitación, porque Hedwig traía ratones muertos. Cada noche, antes de dormir, Harry marcaba otro día en la hoja de papel que tenía en la pared, hasta el 1° de septiembre.

El último día de agosto, pensó que era mejor hablar con sus tíos para poder ir a la estación de King Cross, al día siguiente. Así que bajó al living, donde estaban viendo televisión. Se aclaró la garganta, para que supieran que estaba allí y Dudley gritó y salió corriendo.

—¿Eh...tío Vernon?

Tío Vernon gruñó, para demostrar que lo escuchaba.

—Eh... necesito estar mañana en King Cross, para... para ir a Hogwarts.

Tío Vernon gruñó otra vez.

—¿Podría ser que me lleves hasta allí?

Otro gruñido. Harry interpretó que quería decir sí.

—Muchas gracias.

Estaba por volver a subir la escalera, cuando tío Vernon finalmente habló.

—Qué forma curiosa de ir a una escuela de magos, por tren. ¿Las alfombras mágicas estarán todas pinchadas?

Harry no contestó nada.

—¿Y dónde queda ese colegio, de todos modos?

—No lo sé —dijo Harry, dándose cuenta de eso por primera vez. Sacó del bolsillo el pasaje que Hagrid le había dado.—Tengo que tomar el tren de la plataforma nueve y tres cuartos, a las once de la mañana —leyó.

Sus tíos lo miraron asombrados.

—¿Plataforma cuánto?

—Nueve y tres cuartos.

—No digas estupideces —dijo tío Vernon—, no hay ninguna plataforma nueve y tres cuartos.

—Eso dice mi pasaje.

—Equivocados —dijo tío Vernon—. Totalmente locos, todos ellos. Ya lo verás. Simplemente espera. Muy bien, te llevaremos a King Cross. De todos modos, vamos a ir a Londres mañana, si no, no me molestaría.

—¿Por qué van a Londres? —preguntó Harry, tratando de mantener el tono amistoso.

—Llevamos a Dudley al hospital —gruñó tío Vernon—. Para que le saquen esa maldita cola antes de que vaya a Smeltings.

A la mañana siguiente, Harry se despertó a las cinco, tan excitado y nervioso, que no pudo volver a dormir. Se levantó y se puso los jeans, porque no quería tener que caminar por la estación con su túnica de mago, ya se cambiaría en el tren. Controló otra vez su lista de Hogwarts para estar seguro de que tenía todo lo necesario, se ocupó de colocar a Hedwig segura en su jaula y luego se paseó por la habitación, esperando que los Dursley se levantaran. Dos horas más tarde, el pesado baúl de Harry estaba cargado en el coche de los Dursley y tía Petunia había hecho que Dudley se sentara con Harry, para poder partir.

Llegaron a King Cross a las diez y media. Tío Vernon cargó el baúl de Harry en un carrito y lo llevó por la estación. Harry pensó que era una rara amabilidad, hasta que tío Vernon se detuvo, enfrentando las plataformas con una perversa sonrisa.

—Bueno, aquí estás, muchacho. Plataforma nueve... plataforma diez. Tu plataforma debería estar en el medio, pero parece que aún no la construyeron ¿no?

Tenía razón, por supuesto. Había un gran número nueve, en plástico, sobre una plataforma, y otro número diez sobre la otra, y en el medio, nada.

—Que tengas un buen año de colegio —dijo tío Vernon con una sonrisa aún más malvada. Se alejó sin decir una palabra más. Harry se volvió y vio que los Dursley se alejaban. Los tres se reían. Harry sintió la boca seca. ¿Qué es lo que iba a hacer? Estaba llamando la atención, a causa de Hedwig. Tendría que preguntarle a alguien.

Detuvo a un guarda que pasaba, pero sin atreverse a mencionar la plataforma nueve y tres cuartos. El guarda nunca había oído hablar de Hogwarts y cuando Harry no pudo decirle en qué parte del país quedaba, comenzó a molestarse, como si pensara que Harry se hacía el tonto a propósito. Sin saber qué hacer, Harry le preguntó por el tren que salía a las once, pero el guarda le dijo que no había ninguno. Al final, el guarda se alejó, murmurando sobre la gente que hacía perder el tiempo. Según el gran reloj sobre la tabla de horarios de llegada, tenía diez minutos para tomar el tren a Hogwarts y no tenía idea de qué hacer, estaba en medio de la estación con un baúl que casi no podía levantar, un bolsillo lleno de monedas de mago y una jaula con una lechuza.

Hagrid debió olvidar de decirle algo que tenía que hacer, como golpear el tercer ladrillo de la izquierda para entrar en Diagon Alley. Se preguntó si debería sacer su varilla y comenzar a golpear la garita de pasajes, entre las plataformas nueve y diez.

En ese momento, un grupo de gente pasó por su lado y captó unas pocas palabras.

—...lleno de *muggles*, por supuesto...

Harry giró para verlos. La que hablaba era una mujer regordeta, que se dirigía a cuatro muchachos, todos con pelo de llameante color rojo. Cada uno empujaba un baúl, como Harry y tenía una *lechuza*.

Con el corazón palpitante, Harry empujo su carrito detrás de ellos. Se detuvieron y los imitó, lo bastante cerca como para oír lo que decían.

—¿Ahora, cuál es el número de la plataforma? —dijo la madre.

—¡Nueve y tres cuartos! —dijo la voz aguda de una niñita, también pelirroja, que iba de la mano de la madre—. ¿Mami, no puedo ir...?

—No tienes edad suficiente, Ginny, ahora quédate tranquila. Muy bien, Percy, tú primero.

El que parecía el mayor de los chicos, se dirigió hacia las plataformas nueve y diez. Harry observaba, tratando de no parpadear, para no perderse nada. Pero justo cuando el muchacho llegó a la división de las dos plataformas, una larga caravana de turistas pasó frente a él, y cuando se alejaron, el muchacho había desaparecido.

—Fred, eres el siguiente —dijo la mujer regordeta.

—No soy Fred, soy George —dijo el muchacho—. ¿De veras, mujer, puedes llamarte nuestra madre? ¿No te das cuenta de que yo soy George?

—Lo siento, George, querido.

—Estaba bromeando, soy Fred —dijo el muchacho y se alejó. Su mellizo fue trás él y debió pasar, porque un segundo más tarde, ya no estaba. ¿Pero cómo lo había hecho?

Ahora el tercer hermano estaba caminando rápidamente hacia la barrera de los pasajes —estaba casi allí— y luego, súbitamente, no estaba en ninguna parte.

No había nadie más.

—Discúlpeme —dijo Harry a la mujer regordeta.

—Hola, querido —dijo—. ¿Primera vez en Hogwarts, no? Ron también es nuevo.

Señaló al último y menor de sus hijos varones. Era alto, flacucho y pecoso, con manos y pies grandes y una larga nariz.

—Sí —dijo Harry—. Lo que pasa es que... es que no sé cómo...

—¿Cómo entrar en la plataforma? —preguntó bondadosamente y Harry asintió.

—No te preocupes —dijo—. Todo lo que tienes que hacer es caminar derecho hacia la barrera entre las dos plataformas. No te detengas y no tengas miedo de chocar, eso es muy importante. Lo mejor es ir ligero, si estás nervioso. Ve ahora, ve ahora antes que Ron.

—Eh... de acuerdo —dijo Harry.

Empujó su carrito y se dirigió hacia la barrera. Parecía muy sólida.

Comenzó a caminar. La gente a su alrededor iba a la plataforma nueve o a la diez. Caminó más rápido. Iba a chocar contra la garita de los pasajes y luego estaría en problemas. Se inclinó sobre el carrito y comenzó a correr —la barrera se acercaba cada vez más— ya no podía detenerse —el carrito estaba fuera de control— ya estaba allí... cerró los ojos preparado para el choque...

Pero no llegó... siguió rodando... abrió los ojos.

Una locomotora de vapor color escarlata esperaba en la plataforma llena de gente. Un cartel decía *Hogwarts Express, 11:00*. Harry miró hacia atrás y vio una arcada de hierro donde debía estar la garita de pasajes, con las palabras *Plataforma Nueve y Tres Cuartos*

Lo había logrado.

El humo de la locomotora se elevaba sobre las cabezas de la ruidosa multitud, mientras que gatos de todos los colores iban y venían entre las piernas de todos. Las lechuzas se llamaban unas a otras, con un malhumorado ulular, por encima del ruido de las charlas y el movimiento de los pesados baúles.

Los primeros vagones ya estaban repletos de estudiantes, algunos asomados por las ventanillas para hablar con sus familiares, otros discutiendo sobre los asientos que iban a ocupar. Harry empujó su carrito por la plataforma, buscando un asiento vacío. Pasó al lado de un chico de cara redonda que decía:

—Abue, volví a perder mi tortuga.

—Oh, *Neville* —oyó que suspiraba la anciana.

Un muchacho con los pelos parados estaba rodeado por un grupo.

—Déjanos mirar, Lee, vamos.

El muchacho levantó la tapa de la caja que llevaba en los brazos y los que lo rodeaban gritaron y aullaron, cuando del interior salió una larga cola peluda.

Harry se abrió paso hasta que encontró un compartimento vacío, cerca del final del tren. Primero colocó a Hedwig y luego comenzó a empujar el baúl hacia la puerta del vagón. Trató de subirlo por los escalones, pero apenas pudo levantarlo uno y se le cayó golpeándole un pie.

—¿Quieres una mano?—Era uno de los mellizos pelirrojos, a los que había seguido a través de la barrera de las plataformas.

—Sí, por favor —jadeó Harry.

—¡Eh, Fred! ¡Ven a ayudar!

Con la ayuda de los mellizos, el baúl de Harry finalmente quedó ubicado en un rincón del compartimento.

—Gracias —dijo Harry, quitándose de los ojos el pelo transpirado.

—¿Qué es eso? —dijo de pronto uno de los mellizos, señalando la brillante cicatriz de Harry.

—Caramba —dijo el otro mellizo—. ¿Eres tú...?

—Es él —dijo el primero—. ¿Eres tú, no? —se dirigió a Harry.

—¿Qué? —preguntó Harry.

—*Harry Potter*—respondieron a dúo.

—Oh, él —dijo Harry—. Quiero decir, sí, soy yo.

Los dos muchachos lo miraron boquiabiertos y Harry sintió que se ruborizaba. Entonces, para su alivio, una voz llegó a través de la puerta abierta del compartimento.

—¿Fred? ¿George? ¿Están allí?

—Ya vamos, mami.

Con una última mirada a Harry, los mellizos saltaron del vagón.

Harry se ubicó del lado de la ventanilla, desde allí, medio oculto, podía observar a la familia de pelirrojos en la plataforma y oír lo que decían. La madre acaba de sacar un pañuelo.

—Ron, tienes algo en tu nariz.

El menor de los varones trató de esquivarla, pero la madre lo sujetó y comenzó a frotarle la punta de la nariz.

—Mami... déjame —se liberó.

—¿Ah, el pequeñito Ronnie tiene algo en su naricita? —dijo uno de los mellizos.

—Cállate —dijo Ron.

—¿Dónde está Percy? —preguntó la madre.

—Allí viene.

El mayor de los muchachos se acercaba a ellos. Ya se había cambiado con la ondulante túnica negra de Hogwarts y Harry notó que tenía una insignia plateada en el pecho, con la letra P.

—No me puedo quedar mucho, madre —dijo—. Estoy adelante, los prefectos tenemos dos campartimentos para nosotros...

—¿Oh, tú eres un *prefecto*, Percy? —dijo uno de los mellizos, con aire de gran sorpresa—. Debiste decirnos algo, no teníamos idea.

—Espera, creo que recuerdo que él dijo algo —dijo el otro mellizo—. En una oportunidad...

—O en dos...

—Un minuto...

—Todo el verano...

—Oh, cállense —dijo Percy, el Prefecto.

—¿Y de todos modos, por qué Percy tiene túnica nueva? —dijo uno de los mellizos.

—Porque él es un *prefecto* —dijo afectuosamente la madre—. Muy bien, querido, que tengas un buen año, envíame una lechuza cuando llegues allá.

Besó a Percy en la mejilla y el muchacho se fue. Luego se volvió hacia los mellizos.

—Ahora, ustedes dos... este año, se tienen que portar bien. Si recibo una lechuza más diciéndome que ustedes... hicieron estallar un inodoro o...

—¿Hacer estallar un inodoro? Nosotros nunca hicimos eso.

—Pero es una gran idea; gracias, mami.

—No es *gracioso* . Y cuiden a Ron.

—No te preocupes, el pequeñito Roncito estará seguro con nosotros.

—Cállate —dijo otra vez Ron. Era casi tan alto como los mellizos y su nariz todavía estaba rosada, en donde su madre la había frotado.

—¿Eh, mami, adivina qué? Adivina a quién acabamos de encontrar en el tren.

Harry se agachó rápidamente para que no lo vieran.

—¿Se acuerdan de ese muchacho de pelo negro que estaba cerca de nosotros, en la estación? ¿Saben quién es?

—¿Quién?

—¡*Harry Potter!*

Harry oyo la voz de la niñita.

—Oh, mami, ¿puedo subir al tren para verlo? ¡Oh, mami, oh por favor...!

—Ya lo viste, Ginny, y el pobre chico no es algo para que lo mires como en el zoológico. ¿Es él realmente, Fred? ¿Cómo lo sabes?

—Le pregunté. Vi su cicatriz. Está realmente allí... como iluminada.

—Pobre *querido*... no es raro que esté solo. Fue tan amable cuando me preguntó cómo encontrar la plataforma.

—Eso no importa. ¿Crees que él recuerda cómo era Ya-Sabes-Quién?

La madre, súbitamente se puso muy seria.

—Te prohíbo que le preguntes, Fred. No, no te atrevas. Como si necesitara que le recuerden eso en su primer día de colegio.

—Está bien, quédate tranquila.

Se oyó un silbido.

—Apúrense —dijo la madre y los tres chicos subieron al tren. Se asomaron por la ventanilla para que los besara y la hermanita menor comenzó a llorar.

—No llores, Ginny, vamos a enviarte montones de lechuzas.

—Vamos a enviarte un inodoro de Hogwarts.

—¡*George!*

—Estaba bromeando, mamá.

El tren comenzó a moverse. Harry vio a la madre de los muchachos agitando la mano y a la hermanita, mitad llorando, mitad riendo, corriendo para seguir a la par del vagón, hasta que fue demasiado rápido y entonces se quedó saludando.

Harry observó a la madre y la hija hasta que desaparecieron, cuando el tren tomó una curva. Por la ventanilla veía pasar las casas. Harry sintió una ola de excitación. No sabía lo que iba a pasar... pero iba a ser mejor que lo que dejaba atrás.

La puerta del compartimento se abrió y entró el menor de los pelirrojos.

—¿Hay alguien sentado allí? —preguntó, señalando el asiento opuesto a Harry—. Todos los demás vagones están llenos.

Harry sacudió la cabeza y el muchacho se sentó. Echó una mirada a Harry y luego desvió la vista rápidamente hacia la ventanilla, como si no lo hubiera observado. Harry notó que todavía tenía una mancha negra en la nariz.

—Eh, Ron.

Los mellizos estaban de vuelta.

—Mira, nosotros nos vamos a la mitad del tren, porque Lee Jordan tiene una tarántula gigante y vamos a verla.

—De acuerdo —murmuró Ron.

—¿Harry —dijo el otro mellizo— nosotros nos presentamos? Fred y George Weasley. Y él es Ron, nuestro hermano. Te veremos después, entonces.

—Hasta luego —dijeron Harry y Ron. Los mellizos salieron y cerraron la puerta.

—¿Eres realmente Harry Potter? —dejó escapar Ron.

Harry asintió.

—Oh... bien, pensé que podía ser una de las bromas de Fred y George —dijo Ron—. ¿Y realmente tuviste eso... ya sabes...

Señaló la frente de Harry.

Harry se levantó el flequillo, para mostrarle la luminosa cicatriz. Ron la miró con atención.

—¿Así que eso es lo que Ya-Sabes-Quién...?

—Sí —dijo Harry— pero no puedo recordarlo.

—¿Nada? —dijo ansioso Ron.

—Bueno... recuerdo un montón de luz verde, pero nada más.

— Caramba —dijo Ron. Contempló a Harry durante unos instantes y luego, como si se diera cuenta de lo que estaba haciendo, con rapidez volvió a mirar por la ventanilla.

—¿Ustedes son una familia de magos? —preguntó Harry, ya que encontraba a Ron tan interesante como Ron lo encontraba a él.

—Eh, sí, eso creo —respondió Ron—. Me parece que mami tiene un primo segundo que es contador, pero nunca hablamos de él.

—Entonces ya debes de saber montones de magia.

Era evidente que los Weasleys era una de esas antiguas familias de magos de las que había hablado el pálido muchacho de Diagon Alley.

—Oí que habías ido a vivir con *muggles* —dijo Ron—. ¿Cómo son?

—Horribles... bueno, no todos ellos. Mi tía, mi tío y mi primo sí lo son, me hubiera gustado tener tres hermanos magos.

—Cinco —corrigió Ron. Por alguna razón, parecía deprimido.—Soy el sexto en nuestra familia que va a asistir a Hogwarts. Podrías decir que tengo mucho para lograr. Bill y Charlie ya terminaron; Bill era jefe de grupo y Charlie era capitán de Quidditch. Ahora Percy es prefecto. Fred y George hacen muchos líos, pero igual tienen muy buenas notas y todos los consideran muy divertidos. Tods esperan que me vaya tan bien como a los otros, pero si lo hago, no será gran cosa, porque ellos ya lo hicieron primero. Tampoco tienes nunca nada nuevo, con cinco hermanos. Me dieron la túnica vieja de Bill, la varilla vieja de Charles y la vieja rata de Percy.

Ron buscó en su chaqueta y sacó una gorda rata gris, que estaba dormida.

—Se llama Scabbers y es inservible, casi nunca se despierta. A Percy, papá le regaló una lechuza, porque lo hicieron prefecto, pero no podían comp... quiero decir, por eso me dieron a Scabbers.

Las orejas de Ron enrojecieron. Parecía pensar que había hablado demasiado, porque otra vez miró por la ventanilla.

Harry no creía que hubiera nada malo en no poder comprar una lechuza. Después de todo, él nunca había tenido dinero en toda su vida, hasta un mes atrás, así que le contó a Ron que tenía que usar la ropa vieja de Dudley y que nunca le daban regalos de cumpleaños. Eso pareció animar a Ron.

—... y hasta que Hagrid me contó, yo no sabía nada sobre que era mago, o sobre mis padres o Voldemort...

Ron jadeó.

—¿Qué? —dijo Harry.

—*Dijiste el nombre de Ya-Sabes-Quién* —dijo Ron, tan choqueado como impresionado—. Yo creí que tú, de entre todas las personas...

—No estoy tratando de hacerme el valiente, ni nada por el estilo, al decir el nombre —dijo Harry—. Es que no sabía que no debía decirlo. ¿Ves lo que te decía? Tengo muchísimas cosas que aprender... Apuesto —agregó, diciendo por primera vez en voz alta, algo que últimamente lo preocupaba mucho—, apuesto a que seré el peor de la clase.

—No será así. Hay mucha gente que viene de familias *muggle* y aprenden bien ligero.

Mientras conversaban, el tren había pasado por campos llenos de vacas y ovejas. Se quedaron mirando por un rato, en silencio, el paisaje.

A eso de las doce y media, en el corredor se produjo un alboroto y una mujer de cara sonriente y con hoyuelos, se asomó para decirles:

—¿Quieren algo del carrito, queridos?

Harry, que no había tomado desayuno, se levantó de un salto, pero las orejas de Ron se pusieron otra vez coloradas y murmuró que había traído sándwiches. Harry salió al corredor.

Nunca había tenido dinero para comprarse golosinas, con los Dursley, y ahora que tenía los bolsillos repletos de monedas de oro y plata, estaba listo para comprarse todas las barras de chocolate que pudiera cargar. Pero la mujer no tenía Mars Bars, en cambio tenía Grajeas Bertie Bott de todos los sabores, goma de mascar, ranas de chocolate, pasteles de calabaza, tortas caldero y varillas con regaliz y otra cantidad de otras extrañas cosas que Harry no había visto en su vida.. Como no deseaba perderse nada, compró un poco de todo y pagó a la mujer once sickles de plata y siete knuts de bronce.

Ron lo miraba asombrado, mientras Harry depositaba sus compras sobre un asiento vacío.

—¿Tenías hambre, no?

—Famélico —dijo Harry, dando un mordisco a un pastel de calabaza.

Ron había sacado un arrugado paquete, con cuatro sándwiches. Separó uno y dijo:

—Ella siempre se olvida de que no me gusta el corned beef.

—Te lo cambio por uno de éstos —dijo Harry, alcanzándole un pastel—. Sírvete...

—No te van a gustar, están secos —dijo Ron—. Ella no tiene mucho tiempo —agregó rápidamente— ya sabes, con nosotros cinco.

—Vamos, sírvete un pastel —dijo Harry, quien nunca había tenido antes algo para compartir, o, en realidad, nadie con quien compartir. Era una agradable sensación, estar sentado allí con Ron, comiendo pasteles y tortas (los sándwiches habían quedado olvidados).

—¿Qué son éstos? —preguntó Harry a Ron, levantando un envase de ranas de chocololate—. ¿No son ranas *de verdad*, no? —Comenzaba a sentir que nada podía sorprenderlo.

—No —dijo Ron—. Pero mira qué figurita tiene, a mí me falta Agripa.

—¿Qué?

—Oh, por supuesto, no debes de saber... las ranas de chocolate tienen adentro figuritas, ya sabes, para coleccionar, de brujas y magos famosos. Yo tengo como quinientas, pero no consigo ni a Agripa, ni a Ptolomeo.

Harry desenvolvió su rana de chocolate y sacó la figurita. Tenía el rostro de un hombre. Usaba anteojos media luna, tenía una nariz larga y encorvada y cabello plateado suelto, barba y bigotes. Debajo de la foto, estaba el nombre: *Albus Dumbledore*.

—¡Así que *este* es Dumbledore! —dijo Harry.

—¡No me digas que nunca oíste hablar de Dumbledore! —dijo Ron—. ¿Puedo servirme una rana? Podría encontrar a Agripa... gracias...

Harry dio vuelta la tarjeta y leyó:

Albus Dumbledore, actualmente Director de Hogwarts.
Considerado por la mayoría como el más grande mago del tiempo
presente, Dumbledore es particularmente famoso por su derrota del
mago tenebroso Grindelwald, en 1945;
por el descubrimiento de las doce aplicaciones de la sangre
de dragón y su trabajo en alquimia, con su compañero,

Nicolas Flamel. El profesor Dumbledore es amante de la música de cámara y del juego de bochas.

Harry dio vuelta otra vez la figurita y vio, para su asombro, que el rostro de Dumbledore había desaparecido.

—¡No está más!

—Bueno, no podías esperar que esté allí todo el día —dijo Ron—. Ya volverá. No, yo conseguí otra vez a Morgana y ya tengo seis de ella... ¿no la quieres? Puedes empezar a coleccionarlas.

Los ojos de Ron se perdieron en la pila de ranas de chocolate que esperaban que las desenvolvieran.

—Sírvete —dijo Harry—. Pero sabes, en el mundo de los *muggle*, la gente se queda en las fotos.

—¿Eso hacen? ¿Cómo, no se mueven para nada? —Ron parecía atónito. —*¡Qué raro!*

Harry miró asombrado, mientras Dumbledore regresaba a la figurita y le dedicaba una sonrisita. Ron estaba más interesado en comer las ranas de chocolate, que en buscar Magos y Brujas Famosos, pero Harry no podía apartar la vista de ellos. Muy pronto tuvo no sólo Dumbledore y Morgana, sino Hengist de Woodcroft, Alberico Grunnion, Circe, Paracelsus y Merlín. Hasta que finalmente apartó la vista de la druida Cliodna, que se rascaba la nariz, para abrir una bolsa de Grajeas de Todos los Sabores.

—Tienes que tener cuidado con esas —lo previno Ron—. Cuando dice todos los sabores, es lo que quieren decir. Ya sabes, tienes todos los comunes, como chocolate y menta y mermelada, pero también puedes encontrar espinaca, hígado y mondongo. George dice que una vez encontró un duende.

Ron eligió una verde, la observó con cuidado y mordió un pedacito.

—Puff...¿ves? Brotes.

Pasaron un buen rato comiendo las grajeas de todos los sabores. Harry encontró tostadas, coco, porotos cocidos, frutilla, curry, hierbas, café, sardinas y fue lo bastante valiente como para morder la punta de una gris, que Ron no quiso tocar y resultó ser pimienta.

Ahora el paisaje por la ventanilla se hacía más agreste. Habían desaparecido los campos cultivados. Ahora aparecían bosques, ríos serpenteantes y colinas vede oscuro.

Hubo un golpe en la puerta del compartimiento y el muchacho de cara redonda, que Harry había divisado al pasar la plataforma nueve y tres cuartos, entró. Se lo veía muy afligido.

—Perdón —dijo—. ¿Pero no habrán visto una tortuga?

Cuando los dos negaron con la cabeza, gimió.

—¡La he perdido! ¡Se me escapa todo el tiempo!

—Ya aparecerá —dijo Harry.

—Sí —dijo el muchacho apesadumbrado—. Bueno, si la ven...

Se fue.

—No sé por qué está tan afligido —comentó Ron—. Si yo hubiera traído una tortuga, la habría perdido lo más rápido posible. Aunque en realidad, traje a Scabbers, así que no puedo hablar.

La rata seguía durmiendo en el regazo de Ron.

—Podría estar muerta y no notarías la diferencia —dijo Ron con disgusto—. Ayer, traté de volverla amarilla, para hacerla más interesante, pero el hechizo no funcionó. Te voy a mostrar, mira...

Revolvió en su baúl y sacó una varilla muy gastada. En algunas partes estaba astillada y en la punta, algo blanco relumbraba.

—Los pelos de unicornio casi se salen. De todos modos...

Justo acababa de levantar su varilla, cuando la puerta del compartimiento se abrió otra vez. Había regresado el chico de la tortuga, pero traía a una niña con él. La jovencita ya llevaba la túnica de Hogwarts.

—¿Alguien ha visto una tortuga? Neville perdió una —dijo. Tenía voz de mandona, mucho pelo color castaño y los dientes de adelante bastante largos.

—Ya le dijimos que no la vimos —dijo Ron, pero la niña no lo escuchaba, estaba mirando la varilla que tenía en la mano.

—¿Oh, estás haciendo magia? Entonces vamos a verlo.

Se sentó. Ron pareció desconcertado.

—Eh... de acuerdo.

Se aclaró la garganta.

—"Rayo de sol, margaritas, vuelvan amarilla a esta tonta ratita."

Agitó la varilla, pero no sucedió nada. Scabbers siguió durmiendo, tan gris como siempre.

—¿Estás seguro de que es el hechizo adecuado? —preguntó la niña—. ¿Bueno, no es muy efectivo, no? Yo probé unos pocos simples, sólo para practicar y funcionaron. Nadie en mi familia es mago, fue toda una sorpresa cuando recibí mi carta, pero también estaba muy complacida, por supuesto, ya que esta es la mejor escuela de hechicería, por lo que sé. Ya me aprendí todos los libros de memoria, por supuesto; espero que eso sea suficiente... Yo soy Hermione Granger. ¿Y ustedes quiénes son?

Dijo todo eso muy rápidamente.

Harry miró a Ron y se calmó al ver en su rostro aturdido, que él tampoco se había aprendido todos los libros de memoria.

—Yo soy Ron Weasley —murmuró Ron.

—Harry Potter —dijo Harry.

—¿Eres tú realmente? —dijo Hermione—. Sé todo sobre ti, por supuesto, conseguí unos pocos libros extra para leer antecedentes y tú figuras en *Historia de la Magia Moderna*, y *Elevación y Caída de las Artes Tenebrosas y Grandes Eventos Mágicos del Siglo Veinte*.

—¿Estoy yo? —dijo Harry, sintiéndose mareado.

—Mi Dios, no lo sabes, si fuera yo, habría buscado todo lo que pudiera —dijo Hermione—. ¿Ustedes saben a qué casa van a ir? Estuve preguntando por allí y espero estar en Gryffindor, parece la mejor de lejos, oí que Dumbledore estuvo allí, pero supongo que Ravenclaw no será tan mala... De todos modos, es mejor que sigamos buscando la tortuga de Neville. Y ustedes dos deberían cambiarse ya, vamos a llegar pronto.

Y se marchó, llevándose al chico sin tortuga.

—Cualquiera que sea la casa que me toque, espero que ella no esté —dijo Ron. Arrojó su varilla en el baúl.—Qué hechizo más estúpido, me lo dijo George. Apuesto a que era falso.

—¿En qué casa están tus hermanos? —preguntó Harry.

—Gryffindor —dijo Ron. Otra vez parecía deprimido.

—Mami y papi también estuvieron allí. No sé qué van a decir si yo no estoy. No creo que Ravenclaw *sea* tan mala, pero imagina si me ponen en Slytherin.

—¿Esa es la casa en la que Vol... quiero decir Ya-Sabes-Quién estaba?

—Ajá —dijo Ron. Se echó hacia atrás en su asiento, con aspecto abrumado.

—Sabes que me parece que las puntas de los bigotes de Scabbers están un poco más claras —dijo Harry, tratando de apartar la mente de Ron del tema de las casas—. Y a propósito, ¿qué hacen ahora tus hermanos mayores?

Harry se preguntaba qué hacía un mago, una vez que terminaba el colegio.

—Charlie está en Rumania, estudiando dragones y Bill está en África, ocupándose de asuntos para Gringotts —explicó Ron—. ¿Te enteraste de lo que pasó en Gringotts? Salió en el *Profeta Diario*, pero no creo que recibas eso con los *muggles*, trataron de robar en una bóveda de alta seguridad.

Harry se sorprendió.

—¿Realmente? ¿Qué les sucedió?

—Nada, es por eso que son noticias tan importantes. No los atraparon. Mi papá dice que tiene que haber un poderoso mago tenebroso para entrar en Gringotte's, pero lo que es raro, es que parece que no se llevaron nada. Por supuesto, todos están asustados cuando sucede algo así, ante la posibilidad de que Ya-Sabes-Quién esté atrás de esto.

Harry repasó las noticias en su cabeza. Había comenzado a sentir una punzada de miedo cada vez que mencionaban a Ya-Sabes-Quién. Suponía que eso era parte de entrar en el mundo mágico, pero era mucho más agradable poder decir "Voldemorte" sin preocuparse.

—¿Cuál es tu equipo de Quidditch? —preguntó Ron.

—Eh... no conozco ninguno —confesó.

—¿Cómo? —Ron pareció atónito. —Oh, ya vas a ver, es el mejor juego del mundo...—Y se dedicó a explicarle todo sobre las cuatro pelotas y las posiciones de los siete jugadores, describiendo famosas jugadas que había visto con sus hermanos y la escoba que le gustaría comprar si tuviera el dinero. Le estaba explicando los mejores puntos del juego, cuando otra vez se abrió la puerta del compartimiento, pero en esta oportunidad no era ni Neville, el chico sin tortuga, ni Hermione Granger.

Entraron tres muchachos, y Harry reconoció de inmediato al del medio: era el chico pálido del negocio de túnicas de Madam Malkin. Miraba a Harry con mucho más interés del que había demostrado en Diagon Alley.

—¿Es verdad? —preguntó—. Por todo el tren están diciendo que Harry Potter está en este compartimiento. ¿Así que eres tú, no?

—Sí —respondió Harry. Observó a los otros muchachos. Ambos eran corpulentos y parecían muy vulgares. Colocados a los costados del chico pálido, parecían guardaespaldas.

—Oh, este es Crabbe y este Goyle —dijo el muchacho pálido con despreocupación, al darse cuenta de que Harry los miraba—. Y mi nombre es Malfoy, Draco Malfoy.

Ron dejó escapar una débil tos, que podía estar ocultando una risita. Draco (dragón) Malfoy lo miró.

—¿Te parece que mi nombre es divertido, no? No necesito preguntarte quién eres. Mi padre me dijo que todos los Weasleys son pelirrojos, con pecas y más hijos de los que pueden mantener.

Se volvió hacia Harry.

—Muy pronto vas a descubrir que algunas familias de magos son mucho mejores que otras, Potter. No querrás hacerte amigo de los de la clase incorrecta. Yo puedo ayudarte en eso.

Extendió la mano, para estrechar la de Harry, pero Harry no la tomó.

—Creo que puedo darme cuenta solo de cuáles son los incorrectos, gracias —dijo con frialdad.

Draco Malfoy no se ruborizó, pero un tono rosado apareció en sus pálidas mejillas.

—Yo tendría cuidado, si fuera tú, Potter —dijo con calma—. A menos que seas un poco más amable, vas a ir por el mismo camino que tus padres. Ellos tampoco sabían lo que era bueno para ellos. Tú sigue con gentuza como los Weasleys y ese Hagrid y terminarás como ellos

Harry y Ron se levantaron al mismo tiempo. El rostro de Ron estaba tan colorado como su pelo.

—Repite eso —dijo.

—Oh, ¿van a pelear con nosotros, eh? —se burló Malfoy.

—Si no se van ahora mismo... —dijo Harry, con más valor del que sentía, porque Crabbe y Goyle eran mucho más fuertes que él y Ron.

—Pero nosotros no tenemos ganas de irnos ¿no es cierto, muchachos? Nos comimos toda nuestra comida y ustedes parece que todavía tienen algo.

Goyle se inclinó para tomar una rana de chocolate del lado de Ron, y el pelirrojo saltó hacia él, pero antes de que pudiera tocar a Goyle, éste dejó escapar un aullido terrible.

Scabbers, la rata, colgaba del dedo de Goyle, con los agudos dientes clavados profundamente en sus nudillos. Crabbe y Malfoy retrocedieron, mientras Goyle hacia girar a la rata, mientras aullaba, hasta que finalmente, Scabbers salió volando y chocó contra la ventanilla y los tres muchachos desaparecieron. Tal vez pensaron que había más ratas entre las golosinas, o quizás oyeron los pasos, porque un segundo más tarde, Hermione Granger volvió a entrar.

—¿Qué sucedió? —preguntó, mirando las golosinas tiradas por el piso y a Ron recogiendo a Scabbers de la cola.

—Creo que se desmayó —dijo Ron a Harry. Miró más de cerca a la rata. —No, no puedo creerlo, ya se volvió a dormir.

Y era así.

—¿Habías conocido antes a Malfoy?

Harry le explicó el encuentro en Diagon Alley.

—Oí hablar sobre su familia —dijo Ron con tono lúgubre—. Son algunos de los primeros que volvieron a nuestro lado, después de que Ya-Sabes-Quién desapareció. Dijeron que los habían hechizado. Mi papá no cree eso. Dice que el padre de Malfoy no necesita una excusa para pasarse al Lado Oscuro. —Se volvió hacia Hermione.— ¿Podemos ayudarte en algo?

—Mejor que se apresuren y se cambien de ropa, recién estuve adelante y le pregunté al conductor y me dijo que ya casi estamos llegando. ¿No estuvieron peleando, no? ¡Se van a meter en problemas antes de que lleguemos!

—Scabbers estuvo peleando, no nosotros —dijo Ron, mirándola con rostro severo—. ¿Te importaría salir para que nos cambiemos?

—Muy bien... yo vine aquí porque afuera están haciendo chiquilinadas, corriendo por los pasillos —dijo Hermione con tono despectivo—. ¿A propósito, te diste cuenta de que tienes sucia la nariz?

Ron le lanzó una mirada de furia mientras salía. Harry escudriñó por la ventanilla. Estaba oscureciendo. Podía ver montañas y bosques, bajo un cielo de un profundo color púrpura. El tren parecía aminorar la marcha.

Él y Ron se quitaron las chaquetas y se pusieron las largas túnicas negras. La de Ron era un poco corta para él, se le podían ver los pantalones de gimnasia.

Una voz retumbó por el tren.

—Vamos a llegar a Hogwarts en cinco minutos. Por favor dejen su equipaje en el tren, se lo llevarán por separado al colegio.

El estómago de Harry se retorcía de nervios y Ron, podía verlo, estaba pálido debajo de sus pecas. Llenaron sus bolsillos con el resto de las golosinas y se unieron al resto del grupo que llenaba los pasillos.

El tren aminoró la marcha, hasta que finalmente se detuvo. Todos se empujaban para salir a la pequeña y oscura plataforma. Harry se estremeció por el frío aire de la noche. Entonces apareció una lámpara meneándose sobre las cabezas de los alumnos y Harry oyó una voz conocida:

—¡Primer año! ¡Los de primer año por aquí! ¿Todo bien por allí, Harry?

La gran cara peluda de Hagrid rebosaba alegría sobre el mar de cabezas.

—Vengan, síganme... ¿Hay más de primer año? Cuidado al caminar. ¡Los de primer año, síganme!

Resbalando y a los tropezones, siguieron a Hagrid por lo que parecía un angosto sendero. Estaba tan oscuro de ambos lados, que Harry pensó que debía haber árboles muy tupidos. Nadie hablaba mucho. Neville, el chico que había perdido su tortuga, lloriqueaba de tanto en tanto.

—En un segundo, tendrán la primera visión de Hogwarts —gritó Hagrid por sobre el hombro—, justo al doblar esta curva.

Se produjo un fuerte ¡Ooooooh!

El sendero angosto se abría súbitamente al borde de un gran lago negro. Colocado en la punta de una alta montaña, en el otro costado, con sus ventanas brillando en el cielo estrellado, había un enorme castillo con muchas torres y torrecillas.

—¡No más de cuatro por bote! —gritó Hagrid, señalando a una flota de botecitos, ubicados en el agua, al lado de la costa. Harry y Ron subieron al bote, seguidos por Neville y Hermione.

—¿Todos subieron? —gritó Hagrid, quien tenía un bote para él solo—. ¡Ahora mismo... ADELANTE!

Y la pequeña flota de botes se movió al mismo tiempo, deslizándose por el lago, que era tan liso como el vidrio. Todos estaban en silencio, contemplando el gran castillo sobre sus cabezas. Se elevaba ante ellos, mientras se acercaban cada vez más al risco en donde estaba.

—¡Bajen las cabezas! —gritó Hagrid, mientras los primeros botes alcanzaban el peñasco, todos agacharon la cabeza y los botecitos los llevaron a través de una cortina de hiedra, que escondía una ancha abertura en el frente del risco. Los llevaron por un túnel oscuro, que parecía conducirlos justo por debajo del castillo, hasta que llegaron a un especie de muelle subterráneo, donde treparon por entre las rocas y los guijarros.

—¡Eh, tú, allí! ¿Esta es tu tortuga? —dijo Hagrid, mientras controlaba los botes y la gente que bajaba.

—¡Trevor! —gritó Neville, dichoso, extendiendo las manos. Luego subieron por un pasadizo en la roca, detrás de la lámpara de Hagrid, saliendo finalmente a un césped suave y húmedo, a la sombra del castillo.

Subieron por unos escalones de piedra y se juntaron ante la gran puerta de roble.

—¿Están todos aquí? ¿Tú, allí, todavía tienes tu tortuga?

Hagrid levantó un gigantesco puño y golpeó tres veces en la puerta del castillo.

Capítulo siete

El sombrero seleccionador

La puerta se abrió de inmediato. Una bruja alta, de cabello negro con túnica verde esmeralda, esperaba allí. Tenía un rostro muy severo y el primer pensamiento de Harry fue que era alguien con quien era mejor no tener problemas.

—Los de primer año, profesora McGonagall —dijo Hagrid.

—Muchas gracias, Hagrid. Yo los llevaré desde aquí.

Abrió bien la puerta. El hall de entrada era tan grande, que hubieran podido meter toda la casa de los Dursley en él. Las paredes de piedra estaban iluminadas con resplandecientes antorchas como las de Gringotts, el cielo raso era tan alto que no se veía y una magnífica escalera de mármol frente a ellos, conducía a los pisos superiores.

Siguieron a la profesora McGonagall a través del piso de piedra señalado. Harry podía oír el ruido de cientos de voces desde un portal de la derecha —el resto del colegio debía de estar allí— pero la profesora McGonagall llevó a los de primer año a una pequeña cámara vacía, fuera del hall. Se juntaron allí, más cerca unos de otros de lo que habitualmente hubieran hecho, mirando con nerviosidad.

—Bienvenidos a Hogwarts —dijo la profesora McGonagall—. El banquete de comienzo de año se realizará dentro de poco, pero antes de que ustedes ocupen sus lugares en el Gran Hall, deberán ser seleccionados para sus casas. La Selección es una muy importante ceremonia porque, mientras estén aquí, sus casas serán como su familia en Hogwarts. Tendrán clases con el resto de la casa que les toque, dormirán en los dormitorios de sus casas y pasarán el tiempo libre en la sala común de la casa.

"Las cuatro casas se llaman Gryffindor, Hufflepuff, Ravenclaw y Slytherin. Cada casa tiene su propia noble historia y cada una ha producido notables brujas y magos. Mientras estén en Hogwarts, sus triunfos harán que sus casas ganen puntos, mientras que cualquier quebranto a las reglas, les hará perder puntos. Al finalizar el año, la casa con más puntos es premiada con la copa de la casa, un gran honor. Espero que cada uno de ustedes sea un crédito para la casa que les toque.

"La Ceremonia de Selección tendrá lugar en pocos minutos, frente al resto del colegio. Les sugiero que se arreglen todo lo que puedan, mientras esperan.

Los ojos de la profesora se detuvieron. un momento en la capa de Neville, que estaba atada bajo su oreja izquierda y en la nariz manchada de Ron. Con nerviosidad, Harry trató de aplastar su cabello.

—Voy a regresar cuando estemos listos para ustedes —dijo la profesora McGonagall—. Por favor, esperen con calma.

Se retiró de la cámara. Harry tragó con dificultad.

—¿Cómo hacen exactamente para seleccionarnos en las casas? —preguntó a Ron.

—Creo que es una especie de test. Fred dice que duele mucho, pero creo que era una broma.

El corazón de Harry dio un terrible salto. ¿Un test? ¿En frente de todo el colegio? Pero él no sabía nada de magia todavía... ¿cómo iba a hacer? No esperaba algo así, justo en el momento en que acababan de llegar. Miro con ansiedad alrededor y vio que los demás también parecían aterrorizados. Nadie hablaba mucho, salvo Hermione Granger, quien susurraba muy ligero todos los hechizos que había aprendido y se preguntaba cuál necesitaría. Harry intentó no oírla. Nunca había estado tan nervioso, nunca, ni siquiera cuando tuvo que llevar un informe del colegio para los Dursley, diciendo que de alguna manera él había vuelto azul la peluca de su maestro. Mantuvo los ojos fijos en la puerta. En cualquier momento, la profesora McGonagall regresaría y lo llevaría a su juicio final.

Entonces sucedió algo que lo hizo dar un salto en el aire... muchos de los que estaban atrás, gritaron.

—¿Qué...?

Jadeó. Lo mismo los que estaban alrededor. Unos veinte fantasmas acababan de pasar a través de la pared de atrás. De un color blanco perla y ligeramente transparentes, se deslizaban por la habitación, hablando unos con otros, casi sin mirar a los de primer año. Parecía que estaban discutiendo. El que parecía un monje gordo y petizo, decía:

—Perdonar y olvidar. Yo digo que deberíamos darle una segunda oportunidad...

—¿Mi querido Fraile, no le hemos dado a Peeves todas las oportunidades que merece? Nos dio mala fama a todos y usted lo sabe, ni siquiera es un fantasma... me pregunto qué están haciendo todos ustedes aquí.

Un fantasma tieso y con gola, de pronto se había dado cuenta de la presencia de los de primer año.

Nadie respondió.

—¡Alumnos nuevos! —dijo el Fraile Gordo, sonriendo a todos—. ¿Están por seleccionarlos, supongo?

Algunos asintieron.

—¡Espero verlos en Hufflepuff —dijo el Fraile—. Mi antigua casa, ya saben.

—A moverse ahora —dijo una voz aguda—. La ceremonia de Selección va a comenzar.

La profesora McGonagall había regresado. Uno a uno, los fantasmas flotaron a través de la pared opuesta.

—Ahora, formen una fila —dijo la profesora a los de primer año— y síganme.

Con la extraña sensación de que sus piernas eran de plomo, Harry se puso en fila detrás de un chico de pelo claro, con Ron tras él, y salieron de la cámara, volvieron a cruzar el hall y pasaron por un par de puertas dobles y entraron en el Gran Hall.

Harry nunca hubiera imaginado un lugar tan extraño y espléndido. Estaba iluminado por miles y miles de velas, que flotaban en el aire sobre cuatro grandes mesas, en donde el resto de los estudiantes ya estaban sentados. Esas mesas estaban tendidas con platos, cubiertos y copas de oro. En una tarima, en la cabecera del hall, había otra gran mesa, donde se sentaban los profesores. La profesora McGonagall condujo a los alumnos de primer año y los hizo detener, enfrentando a los otros alumnos y con los profesores detrás de ellos. Los cientos de rostros que los miraban parecían pálidas linternas bajo la luz brillante de las velas. Colocados entre los estudiantes, los fantasmas tenían un neblinoso brillo plateado. Para evitar todas las miradas, Harry levantó la vista y vio un techo de terciopelo negro, salpicado de estrellas. Oyó susurrar a Hermione: "Es un hechizo para que parezca como el cielo de afuera, lo leí en la historia de Hogwarts".

Era difícil de creer que allí hubiera un cielo raso y no que el Gran Hall se abriera directamente a los cielos.

Harry bajó la vista rápidamente, mientras la profesora McGonagall colocaba silenciosamente un taburete de cuatro patas frente a los de primer año. Encima del taburete colocó un sombrero puntiagudo de mago. El sombrero estaba remendado y raído y muy sucio. Tía Petunia no lo habría admitido en su casa.

Tal vez tenían que intentar sacar un conejo del sombrero, pensó Harry alocadamente, eso parecía la clase de cosas... al darse cuenta de que todos en el hall contemplaban el sombrero, Harry también lo hizo. Por unos pocos segundos, hubo un silencio completo. Entonces el sombrero se sacudió. Una rasgadura cerca del borde se abrió, ancha como una boca y el sombrero comenzó a cantar:

Oh, podrás pensar que no soy lindo
Pero no juzgues por lo que ves
Me comeré a mí mismo si puedes encontrar
Un sombrero más inteligente que yo
Puedes tener bombines negros
galeras altas y elegantes
Pero yo soy el Sombrero Seleccionador de Hogwarts
Y puedo superar a todos
No hay nada escondido en tu cabeza
Que el Sombrero Seleccionador no pueda ver
Así que pruébame y te diré
Dónde debes estar
Puedes pertenecer a Gryffindor,

Donde habitan los valientes de espíritu
Su osadía, temple y caballerosidad
Colocan aparte a los de Gryffindor.
Puedes pertenecer a Hufflepuff,
Donde son justos y leales
Esos perseverantes Hufflepuff
De verdad no temen al trabajo pesado.
O tal vez en la antigua sabiduría de Ravenclaw,
Si tienes una mente dispuesta
Porque aquellos de inteligencia y erudición
Siempre encontrarán a sus semejantes.
O tal vez en Slytherin,
Harás tus verdaderos amigos,
Esa gente astuta utiliza cualquier medio
Para lograr sus fines
¡Así que pruébame! ¡No tengas miedo!
¡Y no recibirás una bofetada!
Estás en buenas manos (aunque yo no las tenga)
Porque yo soy el Sombrero Pensante.

Todo el hall estalló en aplausos, cuando el sombrero terminó su canción. Se inclinó hacia las cuatro mesas y luego se quedó rígido otra vez.

—¡Entonces sólo hay que probarse el sombrero! —susurró Ron a Harry—. Voy a matar a Fred.

Harry sonrió débilmente. Sí, probarse el sombrero era mucho mejor que tener que hacer un encantamiento, pero habría deseado tener que hacerlo sin todos mirando. El sombrero parecía preguntar mucho, Harry no se sentía valiente o ingenioso o nada de eso por el momento. Si el sombrero mencionaba una casa para la gente que se sentía un poco descompuesta, esa debía ser para él.

Ahora la profesora McGonagall se adelantaba con un gran rollo de pergamino.

—Cuando yo los llame, deberán ponerse el sombrero y sentarse en el taburete para que los seleccionen —dijo—. ¡Abbott, Hannah!

Una niña de rostro rosado con trenzas rubias salió de la fila, se colocó el sombrero, que le tapó hasta los ojos y se sentó. Un momento de pausa.

—¡HUFFLEPUFF! —gritó el sombrero.

La mesa de la derecha aplaudió mientras Hannah iba a sentarse a la mesa de Hufflepuff. Harry vio al fantasma del Fraile Gordo saludando con alegría a la niña.

—¡Bones, Susan!

—¡HUFFLEPUFF! —gritó otra vez el sombrero y Susan se apresuró a sentarse al lado de Hannah.

—¡Boot, Terry!

—¡RAVENCLAW!

La segunda mesa desde la izquierda aplaudió esta vez; varios Ravenclaws se levantaron para estrechar manos con Terry, mientras se unía a ellos.

Brocklehurst, Mandy también fue a Ravenclaw, pero Brown, Lavender resultó el primer nuevo Glyffindor en la mesa más alejada de la izquierda, que estalló en vivas; Harry pudo ver a los hermanos mellizos de Ron, silbando.

Bulstrode, Millicent fue a Slytherin. Tal vez era la imaginación de Harry, después de todo lo que había oído sobre Slytherin, pero le pareció que era un grupo desagradable.

Comenzaba a sentirse decididamente descompuesto. Recordó cuando lo elegían para los equipos durante las clases de gimnasia de su antiguo colegio. Siempre había sido el último elegido, no porque fuera malo, sino porque nadie quería que Dudley pensara que lo querían.

—¡Finch-Fletchley, Justin!

—¡HUFFLEPUFF!

Harry notó que, algunas veces, el sombrero gritaba la casa de inmediato, pero otras, tardaba un poco en decidirse.

—Finnigan, Seamos —el muchacho de cabello arenoso, delante de Harry en la fila, estuvo sentado un minuto entero, antes de que el sombrero lo declarara un Gryffindor.

—Granger, Hermione.

Hermione casi corrió hasta el taburete y se colocó el sombrero con ansiedad.

—¡GRYFFINDOR! —gritó el sombrero. Ron gruñó.

Un horrible pensamiento atacó a Harry, esos horribles pensamientos que aparecen cuando uno está muy nervioso. ¿Y si a él no lo elegían para ninguna casa? ¿Y si se quedaba sentado con el sombrero sobre los ojos, durante horas, hasta que la profesora McGonagall se lo sacara de la cabeza, para decirle que era evidente que se habían equivocado y que era mejor que regresara en el tren?

Cuando Neville Longbottom, el chico que perdía a su tortuga, fue llamado, tropezó con el taburete. El sombrero se tomó un largo rato para decidirse. Cuando finalmente gritó: ¡GRYFFINDOR!, Neville salió corriendo, todavía con el sombrero puesto y tuvo que devolverlo, entre las risas de todos, a MacDougal, Morag.

Malfoy se adelantó al oír su nombre y de inmediato obtuvo su deseo, el sombrero apenas tocó su cabeza y gritó: ¡SLYTHERIN!

Malfoy fue a reunirse con sus amigos Crabbe y Goyle, con aire de satisfacción.

Ya no quedaba mucha gente.

Moon... Nott... Parkinson... luego un par de mellizas, Patil y Patil... luego Perks, Sally-Anne... y luego, finalmente:

—¡Potter, Harry!

Mientras Harry se adelantaba, los murmullos se extendieron súbitamente como fuegos artificiales.

—¿Ella dijo *Potter* ?

—¿*El* Harry Potter?

Lo último que Harry vio, antes de que el sombrero le tapara los ojos, fue el hall lleno de gente que trataba de verlo bien. Al siguiente momento, miraba el oscuro interior del sombrero. Esperó.

—Mmmm —dijo una vocecita en su oreja—. Difícil. Muy difícil. Lleno de valor, lo veo. Tampoco la mente es mala. Hay talento, oh caramba, sí, y una buena disposición para probarse a sí mismo, esto es muy interesante... ¿Entonces, dónde te pondré?

Harry se aferró a los bordes del taburete y pensó:"En Slytherin, no, en Slytherin, no."

—¿En Slytherin, no, eh? —dijo la vocecita—. ¿Estás seguro? Podrías ser grandioso, sabes, lo tienes todo en tu cabeza y Slytherin te ayudaría en el camino a la grandeza, ¿no hay dudas, no? Bueno, si estás seguro, mejor que seas ¡GRYFFINDOR!

Harry oyó gritar la última palabra a todo el hall. Se quitó el sombrero y caminó algo mareado hacia la mesa de Gryffindor. Estaba tan aliviado de que lo hubiera elegido y no lo hubiera puesto en Slytherin, que casi no se dio cuenta de que recibía los saludos más calurosos hasta ahora. Percy el Prefecto se puso de pie y le estrechó la mano vigorosamente, mientras los mellizos

Weasleys aullaban: "¡Tenemos a Potter! ¡Tenemos a Potter!" Harry se sentó en el lado opuesto al fantasma que había visto antes. El fantasma le palmeó el brazo, dándole la horrible sensación de haberlo metido en un balde de agua helada.

Ahora podía ver bien a la Mesa Alta. En la punta, cerca de él, estaba Hagrid, quien lo miró y levantó los pulgares Harry le sonrió. Y allí, en el centro de la Mesa Alta, en una gran silla de oro, estaba sentado Albus Dumbledore. Harry lo reconoció de inmediato, por la figurita de las ranas de chocolate.El cabello plateado de Dumbledore era lo único que brillaba tanto como los fantasmas. Harry también vio al profesor Quirrell, el nervioso joven de Leaky Cauldron. Se lo veía muy peculiar con un gran turbante púrpura.

Y ahora quedaban solamente tres alumnos para seleccionar. Turpin, Lisa, resultó para Ravenclaw y luego fue el turno de Ron. Tenía una palidez verdosa y Harry cruzó los dedos debajo de la mesa y un segundo más tarde, el sombrero gritó: ¡GRYFFINDOR!

Harry aplaudió con fuerza, junto con los demás, mientras que Ron se desplomaba en la silla más próxima.

—Bien hecho, Ron, excelente —dijo pomposamente Percy Weasley, por encima de Harry, mientras que Zabini, Blaise era seleccionado para Slytherin. La profesora McGonagall enrolló el pergamino y se llevó el Sombrero Seleccionador.

Harry miró su plato de oro vacío. Recién se daba cuenta de lo hambriento que estaba. Los pasteles parecían algo del pasado.

Albus Dumbledore se había puesto de pie. Miraba radiante a los alumnos, con los brazos bien abiertos, como si nada pudiera gustarle más que verlos allí.

—¡Bienvenidos! —dijo—. ¡Bienvenidos a un año nuevo en Hogwarts! Antes de comenzar nuestro banquete, quiero decirles unas pocas palabras. Y aquí están: ¡Papanatas! ¡Llorones! ¡Baratijas! ¡ Pellizcón!

—¡Muchas gracias!

Se volvió a sentar. Todos aplaudieron y vivaron. Harry no sabía si reír o no.

—¿Él es... un poquito loco? —preguntó inseguro a Percy.

—¿Loco? —dijo Percy con frivolidad— ¡Es un genio! ¡El mejor mago del mundo! Pero es un poco loco, sí. ¿Papas, Harry?

Harry se quedó con la boca abierta. Los platos frente a él ahora estaban llenos de comida. Nunca había visto tantas cosas que le gustaría comer sobre una mesa: carne asada, pollo asado, chuletas de cerdo y de ternera, salchichas, tocino y filetes, papas hervidas y papas asadas, y papas fritas, pastel de Yorkshire, arvejas, zanahorias, jugo de carne, salsa de tomate y, por alguna extraña razón, bombones de menta.

Los Dursley nunca habían matado de hambre a Harry, pero nunca le habían permitido comer todo lo que tenía ganas. Dudley siempre se servía lo que Harry deseaba, aunque no le gustara. Harry llenó su plato con un poco de todo, salvo los bombones de menta y comenzó a comer. Todo era delicioso.

—Eso tiene muy buen aspecto —dijo con tristeza el fantasma con gola, observando cómo Harry cortaba su filete.

—¿No puede...?

—No he comido desde hace unos cuatrocientos años —dijo el fantasma—. No lo necesito, por supuesto, pero uno lo extraña. Creo que no me presenté, ¿no? Sir Nicholas de Mimsy-Porpington a su servicio. Fantasma Residente de la Torre de Glyffindor.

—¡Yo sé quién es usted! —dijo súbitamente Ron—. Mi hermano me contó sobre usted... ¡Usted es Nick Casi Sin Cabeza!

—Yo *preferiría* que me llamaran Sir Nicholas de Mimsy... —comenzó a decir el fantasma con severidad, pero lo interrumpió Seamus Finnigan, el de pelo color arena.

—¿Casi Sin Cabeza? ¿Cómo se puede ser casi sin cabeza?

Sir Nicholas pareció muy molesto, como si su conversación no resultara como lo había planeado.

—Así —dijo enojado. Se agarró la oreja izquierda y tiró. Toda su cabeza se separó del cuello y cayó sobre su hombro, como si tuviera una bisagra. Era evidente que alguien había tratado de decapitarlo, pero no lo había hecho bien. Pareció complacido ante las caras de asombro y volvió a colcarse la cabeza en su sitió, tosió y dijo:— ¡Así que... nuevos Gryffindors! Espero que este año nos ayuden a ganar el campeonato para la casa. Gryffindor nunca estuvo tanto tiempo sin ganar. ¡Slytherin ha ganado la copa seis veces seguidas! El Barón Sangriento se ha vuelto insoportable... él es el fantasma de Slytherin.

Harry miró hacia la mesa de Slytherin y vio un fantasma horrible sentado allí, con ojos fijos sin expresión, un rostro demacrado y las ropas manchadas de sangre plateada. Estaba justo al lado de Malfoy, quien, Harry tuvo mucho gusto en ver, no parecía muy contento con su presencia.

—¿Cómo es que se cubrió de sangre? —preguntó Seamus con gran interés.

—Nunca se lo pregunté —dijo con delicadeza Nick Casi Sin Cabeza.

Una vez que todos comieron todo lo que querían, los restos de comida desaparecieron de los platos, dejándolos tan limpios como antes. Un momento más tarde aparecieron los postres. Trozos de helados de todos los gustos que uno pudiera pensar; tortas de manzana, tartas de melaza, bombitas de chocolate y pasteles con dulce, frutillas, bizcochos borrachos con fruta y crema, arroz con leche...

Mientras Harry se servía una tarta, la conversación se centró en las familias.

—Yo soy mitad y mitad —dijo Seamus—. Mi papá es *muggle*. Mamá no le dijo que era una bruja hasta que se casaron. Fue una sorpresa algo desagradable para él.

Los demás rieron.

—¿Y qué pasa contigo, Neville? —dijo Ron.

—Bueno, mi abuela me crió y ella es una bruja —dijo Neville—, pero la familia creyó que yo era todo un *muggle*, durante años. Mi tío abuelo Algie trataba de encontrarme descuidado y forzarme a que saliera algo de magia de mí. Una vez casi me ahoga, empujándome del muelle del Blackpool, pero no pasó nada hasta que no cumplí ocho años. Tío abuelo Algie había venido a tomar el té y me estaba colgando de los tobillos por una ventana del piso de arriba, cuando mi tía abuela Enid le ofreció un merengue y él, accidentalmente, me soltó. Pero yo reboté todo el camino por el jardín y la calle; estaban todos muy complacidos. Abuela estaba tan feliz que lloraba. Y tendrían que haber visto sus caras, cuando vine para aquí. Creían que no iba a ser tan mágico como para venir. Tío abuelo Algie estaba tan contento que me compró mi tortuga.

Del otro lado de Harry, Percy Weasley y Hermione estaban hablando de las clases. ("Espero que empiecen enseguida, hay mucho que aprender, yo estoy particularmente interesada en Transformaciones; ya sabes, convertir algo en otra cosa, por supuesto, se supone que es muy difícil" "Hay que empezar con cosas pequeñas, como fósforos en agujas y esa clase de cosas...")

Harry, que comenzaba a sentirse reconfortado y soñoliento, miró otra vez hacia la Mesa Alta. Hagrid bebía copiosamente de su copa. La profesora McGonagall hablaba con el profesor Dumbledore. El profesor Quirrell, con su absurdo turbante, conversaba con un profesor de grasiento pelo negro, nariz ganchuda y piel cetrina.

Todo sucedió muy rápidamente. El profesor de nariz ganchuda miró por encima del turbante de Quirrell, directamente a los ojos de Harry... y un dolor agudo golpeó a Harry en su cicatriz en la frente.

—¡Ay! —Harry se llevó una mano a la cabeza.

—¿Qué sucedió? —preguntó Percy.

—N-nada.

El dolor desapareció tan súbitamente como había aparecido. Era difícil olvidar la sensación que Harry recibió de la mirada del profesor, una sensación que no le gustó para nada.

—¿Quién es el profesor que está hablando con el profesor Quirrell? —preguntó a Percy.

—¿Oh, ya conociste a Quirrell, entonces? No es raro que parezca tan nervioso, ese es el profesor Snape. Su materia es Pociones, pero no le gusta... todo el mundo sabe que quiere el puesto de Quirrell. Snape sabe muchísimo sobre las Artes Oscuras.

Harry vigiló a Snape durante un rato, pero el profesor no volvió a mirarlo.

Por último, también desaparecieron los postres y el profesor Dumbledore se puso nuevamente de pie. Todo el salón permaneció en silencio.

—Ejem... sólo unas pocas palabras más, ahora que todos comimos y bebimos. Tengo unos pocos anuncios que hacerles para el comienzo del año.

"Los de primer año deben tener en cuenta que los bosques en el área del castillo están prohibidos para todos los alumnos. Y unos pocos de nuestros antiguos alumnos, también deberán recordarlo.

Los ojos relucientes de Dumbledore apuntaron en dirección a los mellizos Weasley.

—También tengo el pedido del señor Filch, el celador,

para que les recuerde que no deben usar magia en los recreos, en los pasillos.

"Las pruebas para Quidditch tendrán lugar en la segunda semana del curso. Los que estén interesados en jugar para los equipos de sus casas deben ponerse en contacto con Madam Hooch.

"Y por último, quiero decirles que este año, el corredor del tercer piso, del lado derecho, está fuera de los límites para todos los que no deseen morir con una muerte muy dolorosa.

Harry rió, pero fue uno de los pocos que lo hizo.

—¿Lo decía en serio? —murmuró a Percy.

—Debe ser —dijo Percy, mirando ceñudo a Dumbledore—. Es raro, porque habitualmente nos da el motivo por el que no podemos ir a algún lugar. Por ejemplo, el bosque está lleno de animales peligrosos, todos saben eso. Creo que al menos, debió avisarnos a los prefectos.

—¡Y ahora, antes de que vayamos a acostarnos, vamos a cantar la canción del colegio! —gritó Dumbledore. Harry notó que las sonrisas de los otros profesores se habían vuelto algo forzadas.

Dumbledore agitó su varilla, como si tratara de atrapar una mosca y una larga tira dorada apareció y se elevó sobre las mesas y se agitó como una víbora y se transformó en palabras.

—¡Cada uno elija su melodía favorita! —dijo Dumbledore— ¡Y allá vamos!

Y todo el colegio vociferó:

Hogwarts, Hogwarts, Hoggy Warty Hogwarts,
Enséñennos algo, por favor,
Ya sea que seamos viejos y pelados
O jóvenes con rodillas roñosas,
Nuestras mentes pueden ser llenadas
Con algunas materias interesantes,
Porque ahora están vacías y llenas de aire,
Pulgas muertas y un poco de pelusa,
Así que enséñennos cosas que valga la pena saber,
Hagan que recordemos lo que olvidamos,
Simplemente hagan lo mejor, nosotros haremos el resto,
Y aprenderemos hasta que nuestros cerebros se consuman.

Cada uno terminó la canción en tiempos diferentes. Al final, sólo los mellizos Weasley seguían cantando, con la melodía de una lenta marcha fúnebre. Dumbledore los dirigió hasta las últimas palabras, con su varilla y cuando terminaron, fue uno de los que aplaudió con más entusiasmo.

—¡Ah, la música —dijo, enjugándose los ojos—, una magia más allá de todo lo que hacemos aquí! Y ahora, tiempo de ir a la cama. ¡Salgan al trote!

Los de primer año de Gryffindor siguieron a Percy a través de grupos bulliciosos, salieron del Gran Hall y subieron por la escalera de mármol. Las piernas de Harry otra vez parecían de plomo, pero sólo por exceso de cansancio y comida. Estaba tan dormido que ni se sorprendió al ver que la gente de los retratos, a lo largo de los corredores, susurraba y los señalaba al pasar, o porque Percy en dos oportunidades los hiciera pasar por portales ocultos detrás de paneles corredizos y tapices que colgaban de las paredes. Subieron más escaleras, bostezando y arrastrando los pies y cuando Harry comenzaba a preguntarse cuánto más deberían seguir, se detuvieron de súbito.

Un montón de bastones flotaba en el aire, por encima de ellos y cuando Percy se acercó, comenzaron a tirarse contra él.

—Peeves —susurró Percy a los de primer año—. Es un poltergeist, un duende. —Levantó la voz:— Peeves, muéstrate.

La respuesta fue un ruido fuerte y grosero, como si se desinflara un globo.

—¿Quieres que vaya a buscar al Barón Sangriento?

Se produjo un chasquido y un hombrecito, con ojos oscuros y malignos y una boca ancha, apareció, flotando en el aire con las piernas cruzadas, empuñando los bastones.

—¡Oooooh! —dijo, con un maligno cacareo—. ¡Los horribles novatos!¡Qué divertido!

De pronto se abalanzó sobre ellos. Todos se agacharon.

—Vete, Peeves, o el Barón se enterará de esto.¡Lo digo en serio! —gritó enojado Percy.

Peeves hizo sonar su lengua y desapareció, dejando caer los bastones en la cabeza de Neville. Lo oyeron alejarse con un zumbido, haciendo resonar las armaduras al pasar.

—Tienen que cuidarse de Peeves —dijo Percy, mientras

seguían avanzando—. El Barón Sangriento es el único que puede controlarlo, ni siquiera nos escucha a los prefectos. Aquí llegamos.

Al final del corredor, colgaba un retrato de una mujer muy gorda, con un vestido de seda rosa.

—¿Santo y seña? —preguntó.

—Caput Draconis (muerte a los dragones) —dijo Percy y el retrato se balanceó hacia adelante para revelar un agujero redondo en la pared. Todos se amontonaron para pasar —Neville necesitó ayuda— y se encontraron en la sala común de Gryffindor, una habitación redonda y acogedora, llena de cómodos sillones.

Percy condujo a las chicas a través de una puerta, hacia sus dormitorios, y a los chicos por otra puerta. Al final de una escalera de caracol —era evidente que estaban en una de las torres— encontraron, por fin, sus camas: cinco camas con cuatro postes y cortinas de terciopelo rojo oscuro. Sus baúles ya estaban allí. Demasiado cansados para conversar, sacaron sus pijamas y se metieron a la cama.

—¿Una comida grandiosa, no? —murmuró Ron a Harry, a través de las colgaduras—. ¡*Suelta*, Scabbers! Está masticando mis sábanas.

Harry estaba por preguntar a Ron si le quedaba alguna tarta de melaza, pero se quedó dormido de inmediato.

Tal vez Harry había comido demasiado, porque tuvo un sueño muy extraño. Tenía puesto el turbante del profesor Quirrell, que le hablaba y le decía que debía pasarse a Slytherin de inmediato, porque ese era su destino. Harry contestó al turbante que no quería estar en Slytherin y el turbante se volvió cada vez más pesado, Harry intentó quitárselo, pero lo apretaba dolorosamente —y entonces apareció Malfoy, riéndose de él, mientras luchaba para sacarse el turbante— luego Malfoy se convirtió en el profesor de nariz ganchuda, Snape, cuya risa se volvió cada vez más alta y fría... se produjo un estallido de luz verde y Harry se despertó, temblando y transpirado.

Se dio vuelta y se volvió a dormir, y cuando despertó al día siguiente, no recordaba nada de ese sueño.

Capítulo ocho

El profesor de pociones

—Allá, mira.

　—¿Dónde?

　—Al lado del chico alto, pelirrojo.

　—¿El que tiene anteojos?

　—¿Viste su cara?

　—¿Viste su cicatriz?

Los murmullos siguieron a Harry desde el momento en que, al día siguiente, salió del dormitorio. Los alumnos que hacían fila fuera de los salones de clase, se ponían en puntas de pie para mirarlo, o se daban vuelta en los corredores, mirándolo con atención. Harry deseaba que no lo hicieran, porque intentaba concentrarse para encontrar su camino a clase.

En Hogwarts había ciento cuarenta y dos escaleras, amplias y extensas; angostas y destartaladas; algunas llevaban a un lugar diferente los viernes; otras con un escalón que desaparecía a mitad de camino y había que recordar para saltar. Luego, había puertas que no se abrían, a menos que uno lo pidiera con amabilidad, o les hiciera cosquillas en el lugar exacto, y puertas que, en realidad, no eran sino sólidas paredes, que simulaban ser puertas. También era muy difícil recordar dónde estaba todo, ya que parecía que se cambiaban de lugar todo el tiempo. La gente de los retratos seguía visitándose unos a otros y Harry estaba seguro de que las armaduras podían caminar.

Los fantasmas tampoco ayudaban. Siempre era una desagradable sorpresa cuando uno de ellos se deslizaba súbitamente a través de la puerta que uno trataba de abrir. Nick Casi Sin Cabeza siempre se sentía feliz de señalar el camino indicado a los nuevos Gryffindors; pero Peeves, el duende, se ocupaba de poner puertas cerradas y escaleras con trampas, si uno estaba llegando tarde a clase. También les tiraba canastos de papeles sobre la cabeza, corría las alfombras debajo de los pies del que pasaba; les tiraba pedazos de tiza, o invisible, se deslizaba por detrás, lo tomaba a uno de la nariz y chillaba: ¡TENGO TU NARIZ!

Pero aun peor que Peeves, si eso era posible, era el celador, Argus Filch. Harry y Ron se las arreglaron para chocar con él, en la primera mañana. Filch los encontró tratando de pasar por una puerta que, desgraciadamente, resultó ser la entrada al corredor prohibido del tercer piso. No les creyó que estaban perdidos, se convenció de que querían entrar a propósito y los amenazó con encerrarlos en los calabozos, hasta que el profesor Quirrell, que pasaba por allí, los rescató.

Filch tenía una gata llamada señora Norris, una criatura flacucha y de color polvoriento, con ojos saltones, como linternas, iguales a los de Filch. Patrullaba sola los corredores. Si uno faltaba a una regla ante ella, o ponía un pie fuera de la línea permitida, se escabullía para buscar a Filch, quien aparecía dos segundos más tarde. Filch conocía todos los pasadizos secretos del colegio, mejor que nadie (excepto tal vez los mellizos Weasley) y podía aparecer tan súbitamente como cualquiera de los fantasmas. Todos los estudiantes la detestaban y la más soñada ambición de muchos era darle una buena patada a la señora Norris

Y luego, una vez que uno se las ingeniaba para encontrar las aulas, estaban las clases. Había mucho más que magia, como Harry descubrió muy pronto, mucho más que agitar la varilla y decir unas palabras graciosas.

Tenían que estudiar los cielos nocturnos con sus telescopios, cada miércoles a medianoche, y aprender los nombres de las diferentes estrellas y los movimientos de los planetas. Tres veces por semana. iban a los invernaderos, detrás del castillo, para estudiar Herbología, con una bruja pequeña y regordeta, llamada profesora Sprout, y aprendían a cuidar de todas las plantas extrañas y hongos y descubrir para qué debían usarlas.

De lejos, la materia más aburrida era Historia de la Magia, la única clase dictada por un fantasma. El profesor Binns era realmente muy anciano cuando se quedó dormido frente a la chimenea del cuarto de profesores y se levantó a la mañana siguiente, para dar clase, dejando atrás su cuerpo. Binns hablaba monótonamente, mientras escribía nombres y fechas y hacía que Emeric el Malvado y Uric el Chiflado se confundieran.

El profesor Flitwick, el de la clase de Encantamientos, era un brujo diminuto, que tenía que subirse a una pila de libros para ver por arriba de su escritorio. Al comenzar la primera clase, sacó el registro y cuando llegó al nombre de Harry, dio un chillido de excitación y desapareció de la vista.

La profesora era siempre diferente. Harry había tenido razón al pensar que no era una profesora para tener problemas. Estricta e inteligente, les habló en el primer momento en que se sentaron en su primera clase.

—Transformaciones es una de las magias más complejas y peligrosas que ustedes aprenderán en Hogwarts —dijo—. Cualquiera que pierda el tiempo en mi clase tendrá que irse y no podrá volver. Ya están prevenidos.

Entonces transformó un escritorio en un cerdo y luego otra vez a su forma original. Todos estaban muy impresionados y no aguantaban las ganas de empezar, pero muy pronto se dieron cuenta de que iba a pasar mucho tiempo, antes de que pudieran transformar muebles en animales. Después de hacer una cantidad de complicadas anotaciones, les dio a cada uno un fósforo, para que intentaran convertirlo en una aguja. Al final de la clase, sólo Hermione Granger había hecho algún cambio en el fósforo; la profesora McGonagall mostró a la clase como estaba plateado y puntudo y dedicó a la niña una excepcional sonrisa.

La clase que todos esperaban era Defensa Contra las Artes Oscuras, pero las lecciones de Quirrell resultaron ser casi una broma. Su aula tenía un fuerte olor a ajo y todos decían que era para protegerse de un vampiro que había conocido en Rumania, y tenía miedo de que volviera a buscarlo. Su turbante, les dijo, era un regalo de un príncipe africano, como agradecimiento por haberlo liberado de un molesto zombie, pero ninguno estaba seguro de creer su historia. Por un lado, porque cuando Seamus Finnigan se mostró ansioso por saber cómo había derrotado al zombie el profesor Quirrell, éste se ruborizó y comenzó a hablar del tiempo y por el otro, porque habían notado el curioso olor que salía del turbante y los mellizos Weasley insistían en que estaba lleno de ajo, para proteger a Quirrell, cuando aquel apareciera.

Harry se sintió muy aliviado, al descubrir que no estaba tanto más atrasado que los demás. Muchos provenían de familias *muggle* y, como él, no tenían idea de que eran brujas y magos. Había tantas cosas para aprender, que hasta gente como Ron no tenía mucha ventaja.

El viernes fue un día importante para Harry y Ron. Por fin encontraron el camino hacia el Gran Hall, para el desayuno, sin perderse ni una vez.

—¿Qué tenemos hoy? —preguntó Harry a Ron, mientras echaba azúcar en su avena.

—Pociones Dobles con los de Slytherin —respondió Ron—. Snape es el Jefe de la Casa Slytherin. Dicen que siempre los favorece a ellos... Ahora vamos a ver si es verdad.

—Ojalá McGonagall nos favoreciera a nosotros —dijo Harry. La profesora McGonagall era la Jefa de la Casa Gryffindor, pero eso no la detuvo para darles una cantidad de deberes el día anterior.

Justo en ese momento, llegó el correo. Harry ya se había acostumbrado, pero la primera mañana se impresionó un poco, cuando unas cien lechuzas súbitamente entraron en el Gran Hall, durante el desayuno, volando sobre las mesas, hasta encontrar a sus dueños, para dejar caer cartas y paquetes sobre sus faldas.

Hedwig no le había traído nada hasta ahora. Algunas veces volaba para mordisquearle una oreja y conseguir una tostada, antes de regresar a dormir en la lechucería, con las otras lechuzas del colegio. Sin embargo, esa mañana, pasó volando entre la mermelada y la azucarera y dejó caer una nota en el plato de Harry. Éste la abrió de inmediato.

Querido Harry , decía con letra desprolija,

Sé que tienes las tardes del viernes libres, así que ¿te gustaría venir y tomar una taza de té conmigo, a eso de las tres? Quiero que me cuentes todo sobre tu primera semana. Envíame la respuesta con Hedwig.

Hagrid

Harry tomó prestada la pluma de Ron y contestó:"*Sí, gracias, te veré más tarde*" en la parte de atrás de la nota y la envió con Hedwig.

Fue una suerte que Harry tuviera la invitación de Hagrid para tomar el té, porque la clase de Pociones resultó ser la peor cosa que le había ocurrido allí, hasta entonces.

Al comenzar el banquete de la primera noche, Harry habían pensado que él no le caía bien al profesor Snape. Pero al final de la primera clase de Pociones, supo que se había equivocado. No es que a Snape no le gustara Harry, lo *detestaba*.

Las clases de Pociones se daban abajo, en uno de los calabozos. Era mucho más frío allí que arriba, en la parte principal del castillo y hubiera sido igualmente tétrico, sin todos esos animales conservados, flotando en frascos de vidrio, por todas las paredes.

Snape, como Flitwick, comenzó la clase pasando lista, y como Flitwick, se detuvo ante el nombre de Harry.

—Ah, sí —dijo suavemente—. Harry Potter. Nuestra nueva... *celebridad.*

Draco Malfoy y sus amigos Crabbe y Goyle rieron tapándose la boca. Snape terminó de pasar lista y miró a la clase. Sus ojos eran tan negros como los de Hagrid, pero no tenían nada de su calidez. Eran fríos y vacíos y hacían pensar en túneles oscuros.

—Ustedes están aquí para aprender la sutil ciencia y arte exacto de hacer pociones —comenzó. Hablaba casi en un susurro, pero le entendían todo. Como la profesora McGonagall, Snape tenía el don de mantener a la clase en silencio, sin ningún esfuerzo. —Habrá muy poco de tontos movimentos de varilla aquí, muchos de ustedes van a dudar de que esto sea magia. No espero que realmente entiendan la belleza de un caldero hirviendo suavemente, con sus vapores brillantes, el delicado poder de los líquidos que se deslizan a través de las venas humanas, hechizando la mente, engañando los sentidos... Puedo enseñarles cómo embotellar la fama, preparar gloria, hasta detener la muerte... si son algo más que el montón de alcornoques a los que habitualmente tengo que enseñar.

Más silencio siguió a ese pequeño discurso. Harry y Ron intercambiaron miradas con las cejas levantadas. Hermione Granger estaba sentada en el borde de la silla, y parecía desesperada por empezar a demostrar que ella no era una alcornoque.

—¡Potter! —dijo de pronto Snape—. ¿Qué voy a obtener si agrego polvo de raíces de asfódelo a una infusión de ajenjo?

¿Raíz en polvo de qué a una infusión de qué? Harry miró de reojo a Ron, que parecía tan desconcertado como él; la mano de Hermione se agitaba en el aire.

—No lo sé, señor —contestó Harry.

Los labios de Snape se curvaron en un gesto burlón.

—Bah, bah... es evidente que la fama no es todo.

Ignoró la mano de Hermione.

—Vamos a intentar de nuevo, Potter. ¿Dónde buscaría si le digo que me encuentre un bezoar?

Hermione agitaba la mano tan alta en el aire, que no necesitaba levantarse del asiento para que la vieran, pero Harry no tenía la más mínima idea de lo que era un bezoar. Trató de no mirar a Malfoy y sus amigos, que se sacudían de risa.

—No lo sé, señor.

—¿Parece que no habrió ni un libro antes de venir, eh, Potter?

Harry se obligó a seguir mirando directamente a esos ojos fríos. Sí había mirado sus libros en casa de los Dursley, pero ¿cómo esperaba Snape que se acordara todo de *Mil Hierbas Mágicas y Hongos?*

Snape seguía ignorando la mano temblorosa de Hermione.

—¿Cuál es la diferencia, Potter, entre acónito y luparia?

Ante eso, Hermione se puso de pie, con el brazo extendido hacia el techo de la mazmorra.

—No lo sé —dijo Harry con calma—. Pero creo que Hermione lo sabe. ¿Por qué no se lo pregunta a ella?

Unos pocos rieron, Harry captó la mirada de Seamus, quien le guiñó un ojo. Snape, sin embargo, no estaba complacido.

— Siéntese —gritó a Hermione—. Para su información, Potter, asfódelo y ajenjo producen una poción para dormir tan poderosa, que es conocida como Filtro de Muertos en Vida. Un bezoar es una piedra sacada del estómago de una cabra y sirve para salvarlo de la mayoría de los venenos. En cuanto a acónito y luparia, es la misma planta. ¿Bueno? ¿Por qué no están anotando todo?

Hubo un súbito movimiento de plumas y pergaminos. Por encima del ruido, Snape dijo:

—Y se sacará un punto de la Casa Gryffindor, por su descaro, Potter.

Las cosas no mejoraron para los Gryffindors, a medida que continuaba la clase de Pociones. Snape los puso en parejas, para que mezclaran una simple poción para curar forúnculos. Se paseó con su larga capa negra, observando cómo pesaban ortiga seca y aplastaban colmillos de serpiente, criticando a todos, salvo a Malfoy, que parecía gustarle. Justo le estaba diciendo a todos que miraran la forma perfecta en que Malfoy había cocinado a fuego lento los pedazos de cuernos, cuando nubes de un ácido humo verde y un fuerte silbido llenaron la mazmorra. De alguna forma, Neville se había ingeniado para convertir el caldero de Seamus en un engrudo hirviente que se derramaba sobre el suelo, quemando agujeros en los zapatos de los alumnos. En segundos, toda la clase estaba subida a sus taburetes, mientras que Neville, empapado en la poción, al volcarse el caldero, gemía de dolor, mientras ampollas rojas aparecían por sus brazos y piernas.

—¡Chico idiota! —dijo Snape con enojo, haciendo desaparecer la poción con un movimiento de su varilla—. Supongo que agregó las púas de puercoespín antes de sacar el caldero del fuego.

Neville lloriqueaba, mientras las ampollas comenzaban a aparecer en su nariz.

—Llévelo al ala del hospital —ordenó Snape a Seamus.

119

Luego se a acercó a Harry y Ron, que habían estado trabajando cerca de Neville.

—Usted, Potter... ¿por qué no le dijo que no agregara las púas? ¿Pensó que si él se equivocaba, usted iba a quedar bien, no es cierto? Este es otro punto que pierde para Gryffindor.

Esto era tan injusto, que Harry abrió la boca para discutir, pero Ron lo pateó por debajo del caldero.

—No lo provoques —murmuró—. He oído que Snape puede ser muy desagradable.

Una hora más tarde, cuando trepaban las escaleras para salir de las mazamorras, la mente de Harry era un torbellino y su ánimo estaba por el piso. Había perdido dos puntos para Gryffindor en su primera semana... *¿por qué* Snape lo odiaba tanto?

—Anímate —dijo Ron—. Snapes siempre les sacaba puntos a Fred y a George. ¿Puedo ir a ver a Hagrid contigo?

Cinco minutos antes de las tres, salieron del castillo y cruzaron los terrenos. Hagrid vivía en una pequeña casa de madera, en el borde del bosque prohibido. Una ballesta y un par de botas de goma estaban afuera de la puerta del frente.

Cuando Harry golpeó la puerta, oyeron unos frenéticos rasguños y varios ladridos. Luego se oyo la voz de Hagrid, diciendo:

—*Abajo*, Fang, abajo.

La gran cara peluda de Hagrid apareció al abrirse la puerta.

—Entren —dijo—. Atrás, Fang.

Los dejó entrar, luchando para sujetar del collar a un enorme dogo negro.

Había un solo ambiente. Del techo colgaban jamones y faisanes, una pava de cobre hervía en el fuego y en un rincón había una cama enorme con una manta hecha de retazos.

—Siéntanse como en casa —dijo Hagrid, soltando a Fang, que se tiró contra Ron y comenzó a lamerle las orejas. Como Hagrid, Fang era evidentemente mucho menos feroz de lo que parecía.

—Este es Ron —dijo Harry a Hagrid, que estaba volcando el agua hirviendo en una gran tetera y sirviendo pedazos de torta.

—¿Otro Weasley, eh? —dijo Hagrid, mirando de reojo

120

a las pecas de Ron—. Me he pasado la mitad de mi vida espantando a tus hermanos mellizos del bosque.

La torta casi les rompe los dientes, pero Harry y Ron simulaban que les gustaba, mientras contaban a Hagrid todo lo referente a sus primeras clases. Fang tenía la cabeza apoyada sobre la rodilla de Harry y le babeaba la toga.

Harry y Ron se fascinaron al oír que Hagrid llamaba a Filch "ese viejo bobo".

—Y en cuanto a esa gata, la señora Norris, me gustaría presentársela un día a Fang. ¿Saben que cada vez que voy al colegio, esa gata me sigue todo el tiempo? No me puedo liberar de ella... Filch la manda a seguirme.

Harry le contó a Hagrid sobre la clase de Snape. Hagrid, como Ron, le dijo a Harry que no se preocupara, que a Snape no le gustaba ninguno de sus alumnos.

—Pero él parece realmente *odiarme* .

—¡Tonterías! —dijo Hagrid—. ¿Por qué iba a hacerlo?

Sin embargo, Harry no podía dejar de pensar en que Hagrid había mirado hacia otro lado, cuando dijo eso.

—¿Y cómo está tu hermano Charlie? —preguntó Hagrid a Ron—. Me gustaba mucho, era muy bueno con los animales.

Harry se preguntó si Hagrid no estaba cambiando de tema a propósito. Mientras Ron le contaba a Hagrid sobre el trabajo de Charles con los dragones, Harry tomó el recorte del periódico que estaba sobre la mesa. Era del *Profeta Diario*.

RECIENTE IRRUPCIÓN EN GRINGOTTS

Continúan las investigaciones por la irrupción en Gringotts, el 31 de julio, se cree que se debe al trabajo de Oscuros magos y brujas desconocidos.

Los gnomos de Gringotts hoy insisten en que no se han llevado nada. La bóveda que se registró, de hecho había sido vaciada ese mismo día.

"Pero no vamos a decirles qué había allí, así que mantengan las narices fuera de esto, si saben lo que les conviene" dijo esta tarde un gnomo vocero de Gringotts.

Harry recordó que Ron le había contado en el tren que alguien había tratado de robar en Gringotts, pero su amigo no había mencionado la fecha.

—¡Hagrid! —dijo Harry—. ¡Ese robo en Gringotts sucedió el día de mi cumpleaños!

¡Pudo haber sucedido mientras estábamos allí!

Esta vez no tuvo dudas, Hagrid decididamente evitó su mirada. Gruñó y le ofreció más torta. Harry volvió a leer la nota. *La bóveda que se registró, de hecho había sido vaciada ese mismo día*. Hagrid había vaciado la bóveda setecientos trece, si puede llamarse vaciarla a sacar un paquetito arrugado. ¿Sería eso lo que estaban buscando los ladrones?

Mientras Harry y Ron regresaban al castillo para cenar, con los bolsillos llenos de la pétrea torta que fueron demasiado amables para rechazar, Harry pensaba que ninguna de las clases le había dado tanto para pensar, como ese té con Hagrid. ¿Hagrid habría sacado el paquete justo a tiempo? ¿Dónde estaba ahora? ¿Y Hagrid sabría algo sobre Snape que no quería decirle a Harry?

— CAPÍTULO NUEVE —

El duelo de medianoche

Harry nunca había creído que iba a conocer a un chico al que detestara más que a Dudley, pero eso era antes de haber conocido a Draco Malfoy. Sin embargo, los de primer año de Gryffindor sólo compartían la clase de Pociones con los de Slytherins, así que no tenía que encontrarse mucho con Malfoy. O al menos, no era así hasta que apareció una noticia en la sala común de Gryffindor, que los hizo gruñir a todos. Las lecciones de vuelo comenzarían el jueves... y Gryffindor y Slytherin aprenderían juntos.

—Típico —dijo sombrío Harry—. Justo lo que siempre quise. Hacer el papel de tonto en una escoba, delante de Malfoy.

Esperaba aprender a volar más que ninguna otra cosa.

—No sabes si vas a hacer un papelón —dijo razonablemente Ron—. De todos modos, sé que Malfoy siempre habla de lo bueno que es en Quidditch, pero apuesto que es pura charla.

Por cierto que Malfoy hablaba mucho sobre volar. Se quejaba en voz alta porque los de primer año nunca estaban en los equipos de Quidditch y contaba largas historias jactanciosas, que siempre parecían terminar con él, escapando de *muggles* en helicópteros. Pero no era el único; por la forma en que Seamus Finnigan lo contaba, parecía haber pasado toda su infancia volando por la campiña con su escoba. Hasta Ron podía contar a quien quisiera oírlo, sobre la vez en que casi chocó contra un planeador, con la vieja escoba de Charles.

Todos los que provenían de familias de magos hablaban constantemente sobre Quidditch. Ron ya había tenido una gran discusión con Dean Thomas, que compartía el dormitorio con ellos, sobre fútbol. Ron no podía ver qué tenía de excitante un juego con una sola pelota, donde nadie podía volar. Harry había pescado a Ron tratando de estimular un afiche de Dean, con el equipo de fútbol West Ham, para hacer que los jugadores se movieran.

Neville nunca había tenido una escoba en su vida, porque su abuela no se lo permitió. Harry pensó, para sus adentros, que ella tenía razón, dado que Neville se las ingeniaba para tener un número extraordinario de accidentes, aun con los dos pies en tierra.

Hermione Granger estaba casi tan nerviosa como Neville con el tema de volar. Eso era algo que no se podía aprender de memoria en los libros, aunque lo había intentado. En el desayuno del jueves, los aburrió con estúpidas notas sobre volar que había encontrado en un libro de la biblioteca, llamado: *Quidditch a través de los tiempos*. Neville estaba pendiente de cada palabra, desesperado por encontrar algo que lo ayudara más tarde con su escoba, pero todos los demás se alegraron mucho cuando la lectura de Hermione fue interrumpida por la llegada del correo.

Harry no había recibido una sola carta desde la nota de Hagrid, algo que Malfoy ya había notado, por supuesto. La lechuza de Malfoy siempre le traía, de su casa, paquetes con golosinas, que el muchacho abría con perversa satisfacción, en la mesa de Slytherin.

Un lechuzón entregó a Neville un paquetito de parte de su abuela. Lo abrió excitado y les mostró una bola de cristal, del tamaño de una gran canica, que parecía llena de humo blanco.

—¡Es una Recordadora! —explicó—. Abue sabe que olvido cosas y esto te dice si hay algo que te olvidaste de hacer. Miren, uno la sujeta así, con fuerza, y si se vuelve roja... oh... —se demudó, porque la Recordadora súbitamente tuvo un brillo escarlata— ...es que te has olvidado algo...

Neville estaba tratando de recordar qué era lo que se había olvidado, cuando Draco Malfoy, que pasaba al lado de la mesa de Gryffindor, le quitó la Recordadora de las manos.

Harry y Ron saltaron de sus asientos. En realidad, deseaban tener un motivo para pelear con Malfoy, pero la profesora McGonagall, que detectaba problemas más rápido que ningún otro profesor del colegio, ya estaba allí.

—¿Qué sucede?

—Malfoy me sacó mi Recordadora, profesora.

Con aire ceñudo, Malfoy dejó rápidamente la Recordadora sobre la mesa.

—Sólo la miraba —dijo y se alejó, seguido por Crabbe y Goyle.

Esa tarde, a las tres y media, Harry, Ron y los otros Gryffindors se apresuraron a bajar los escalones del frente, hacia el parque, para la primera clase de vuelo. Era un día claro, con brisas, y la hierba se agitaba bajo sus pies, mientras marchaban por el terreno ondulante, en dirección a un terreno llano, del lado opuesto al bosque prohibido, cuyos árboles se agitaban tenebrosamente a la distancia.

Los Slytherins ya estaban allí, y también las veinte escobas, prolijamente alineadas en el suelo. Harry había oído a Fred y George Weasley, quejándose sobre las escobas del colegio, diciendo que algunas comenzaban a vibrar si uno volaba muy alto, o siempre volaban ligeramente torcidas hacia la izquierda.

Entonces llegó la profesora, Madam Hooch. Era baja, de pelo canoso y ojos amarillos como los de un halcón.

—¿Bueno, qué están esperando? —ladró—. Cada uno al lado de una escoba. Vamos, apúrense.

Harry miró a su escoba. Era vieja y algunas de las varillas de paja se extendían en ángulos extraños.

—Extiendan la mano derecha sobre la escoba —gritó Madam Hooch desde el frente— y digan "Arriba".

—¡ARRIBA! —gritaron todos.

La escoba de Harry saltó de inmediato en sus manos, pero fue uno de los pocos que lo consiguió. La de Hermione Granger simplemente rodó por el suelo y la de Neville no se movió para nada. Tal vez las escobas, como los caballos, sabían cuando uno tenía miedo, pensó Harry; había un temblor en la voz de Neville que indicaba, demasiado claramente, que deseaba mantener sus pies en la tierra.

Luego, Madam Hooch les mostró cómo montarse en la escoba sin deslizarse hasta la punta, y recorrió la fila, corrigiendo la forma de sujetarla. Harry y Ron estuvieron encantados cuando la profesora dijo a Malfoy que lo había estado haciendo mal durante todos esos años.

—Ahora, cuando haga sonar mi silbato, darán una patada fuerte —dijo Madam Hooch—. Mantengan sus escobas firmes, elévense unos pocos pies y luego bajen inclinándose suavemente. Preparados... tres... dos...

Pero Neville, nervioso y temeroso de quedarse en tierra, pateó antes de que sonara el silbato.

—¡Regresa, muchacho! —gritó, pero Neville subía en linea recta, como el corcho de una botella... cuatro metros... seis metros. Harry le vio la cara pálida y asustada, mirando hacia el terreno que se alejaba, lo vio jadear, deslizarse para un costado de la escoba y...

BUM... un ruido horrible y Neville quedó tirado en la hierba. Su escoba seguía subiendo, cada vez más alto y comenzó a torcer hacia el bosque prohibido y desapareció de la vista.

Madam Hooch se inclinó sobre Neville, con el rostro tan blanco como el del muchacho.

—La muñeca fracturada —la oyó murmurar Harry—. Vamos, muchacho... está bien... a levantarse.

Se volvió al resto de la clase.

—Ninguno de ustedes debe moverse mientras voy a llevar a este chico a la sala del hospital. Dejen las escobas donde están o estarán fuera de Hogwarts más rápido de lo que tarden en decir "Quidditch". Vamos, querido.

No se habían terminado de ir, que Molfoy ya estaba a las carcajadas.

—¿Vieron su cara, la del gran bodoque?

Los otros Slytherins le hicieron coro.

—¡Cierra la boca, Malfoy! — dijo cortante Parvati Patil.

—Ooh, ¿estás enamorada de Longbottom? —dijo Pansy Parkinson, una chica de Slytherin de rostro duro—. Nunca pensé que te podían gustar los gorditos llorones, Parvati.

—¡Miren! —dijo Malfoy, agachándose y levantando algo del pasto—. Es esa cosa estúpida que le mandó la abuela a Longbottom.

La Recordadora brillaba al sol cuando la levantó.

—Trae eso para acá, Malfoy —dijo Harry con calma. Todos dejaron de hablar para observarlos.

Malfoy sonrió con malignidad.

—Creo que voy a dejarla en algún lugar, para que Longbottom lo busque... ¿Qué les parece... arriba de un árbol?

—¡Tráela *aquí*! —aulló Harry, pero Malfoy había trepado a su escoba y se alejaba. No había mentido, *podía* volar, desde las ramas más altas de un roble, lo llamó:

—¡Ven a buscarla, Potter!

Harry tomó su escoba.

—¡No! —gritó Hermione Granger—. Madam Hooch dijo que no nos moviéramos, nos vas a meter a todos en problemas.

Harry la ignoró. Le ardían las orejas. Se montó en su escoba y pegó una fuerte patada y subió, el aire pasaba por su pelo y su túnica, silbando trás él, y en un relámpago de feroz alegría, se dio cuenta de que había descubierto algo que podía hacer, sin que se lo enseñaran. Esto era fácil, esto era *maravilloso*. Empujó su escoba un poquito más, para volar más alto y oyó los gritos y gemidos de las chicas que lo miraban desde abajo y un grito de admiración de Ron.

Dirigió su escoba para enfrentar a Malfoy en el aire. Éste lo miró asombrado.

—¡Déjala —gritó Harry— o te voy a bajar de esa escoba!

—¿Oh, sí? —dijo Malfoy, tratando de burlarse, pero con tono preocupado.

Harry sabía, de alguna manera, lo que tenía que hacer. Se inclinó hacia adelante, tomó la escoba con las dos manos y se lanzó sobre Malfoy como una jabalina. Malfoy pudo apartarse justo a tiempo, Harry dio una vuelta cerrada y mantuvo firme la escoba. Abajo, algunos aplaudían.

—Aquí no están Crabbe y Goyle para salvarte, Malfoy —gritó Harry.

Pareció que Malfoy también lo había pensado.

—¡Atrápala si puedes, entonces! —gritó y tiró la bola de cristal bien arriba y bajó a tierra con su escoba.

Harry vio, como si fuera en cámara lenta, a la bola que se elevaba en el aire y luego comenzaba a caer. Se inclinó hacia adelante y apuntó el mango de la escoba hacia abajo. Al siguiente momento, estaba ganando velocidad en una zambullida, persiguiendo a la bola, con el viento silbando en sus orejas, que se mezclaba con los gritos de los que miraban, extendió la mano, y a unos centímetros del piso, la atrapó, justo a tiempo para enderezar su escoba y descender suavemente en la hierba, con la Recordadora a salvo.

—¡HARRY POTTER!

Su corazón latió más ligero que nunca. La profesora McGonagall corría hacia ellos. Se puso de pie, temblando.

—*Nunca*... en todo mi tiempo en Hogwarts...

La profesora McGonagall estaba casi enmudecida por la impresión y sus anteojos centelleaban de furia.

—¿Cómo se atreve?... pudo romperse el cuello...

—No fue culpa de él, profesora...

—Silencio, señorita Patil.

—Pero Malfoy...

—Ya es suficiente, señor Weasley. Potter, sígame, ahora.

Harry pudo ver el aire triunfal de Malfoy, Crabbe y Goyles, mientras caminaba inseguro tras la profesora McGonagall, por el camino de regreso al castillo. Lo iban a expulsar, lo sabía. Quería decir algo para defenderse, pero no podía controlar su voz. La profesora McGonagall caminaba muy ligero, sin siquiera mirarlo, tuvo que correr para alcanzarla. Ahora sí lo había hecho. No había durado ni dos semanas. En diez minutos estaría haciendo su valija. ¿Qué dirían los Dursley cuando lo vieran llegar a la puerta de su casa?

Subieron por las escaleras del frente, por la escalera de mármol y la profesora McGonagall seguía sin hablar. Abría puertas y marchaba por los corredores, con Harry trotando miserablemente tras ella. Tal vez lo llevaba hacia Dumbledore. Pensó en Hagrid, echado, pero con permiso para quedarse como guardabosque. Quizá podría ser el ayudante de Hagrid. Se le revolvió el estómago al imaginarse observando a Ron y los otros convirtiéndose en magos, mientras él andaba por el lugar, llevando el bolso de Hagrid.

La profesora McGonagall se detuvo ante un aula. Abrió la puerta y asomó la cabeza.

—Discúlpeme, profesor Flitwick ¿puedo sacar a Wood por un momento?

¿Wood? pensó Harry aterrado.¿Wood sería alguna vara que iba a usar con él?

Pero Wood, además de significar madera, era el apellido de una persona, un muchacho corpulento de quinto año, que salió de la clase de Flitwick con aire confundido.

—Síganme los dos —dijo la profesora McGonagall y avanzaron por el corredor, Wood mirando a Harry con curiosidad.

—Aquí.

La profesora McGonagall señaló un aula vacía, salvo por Peeves, que estaba ocupado escribiendo groserías en el pizarrón.

—¡Fuera, Peeves! —dijo furiosa la profesora. Peeves tiró la tiza en un tacho y se marchó maldiciendo. La profesora McGonagall cerró la puerta y se volvió para enfrentar a los muchachos.

—Potter, este es Oliver Wood. Wood, le encontré un Buscador.

La expresión de intriga de Wood se convirtió en deleite.

—¿Está segura, profesora?

—Totalmente —dijo la profesora con vigor—. Este muchacho tiene un talento natural. Nunca vi nada parecido. ¿Esta fue su primera vez con la escoba, Potter?

Harry asintió silenciosamente. No tenía una explicación para lo que estaba sucediendo, pero le parecía que no lo iban a expulsar y comenzaba a sentirse más seguro.

—Atrapó esa cosa con la mano, después de una zambullida de quince metros —explicó la profesora a Wood—. Ni se rasguñó. Charlie Weasley no lo hubiera hecho mejor.

Wood parecía pensar que todos sus sueños se habían hecho realidad.

—¿Alguna vez viste un partido de Quidditch, Potter? —preguntó excitado.

—Wood es el capitán del equipo de Gryffindor, Potter —aclaró la profesora McGonagall.

—Y tiene el cuerpo para ser Buscador —dijo Wood, caminando alrededor de Harry y observándolo con atención—. Liviano, veloz... vamos a tener que darle una escoba decente, profesora, una Nimbus Dos Mil o una Cleansweep Siete.

—Hablaré con el profesor Dumbledore para ver si podemos suspender la regla del primer año. Los Cielos saben que necesitamos un equipo mejor que el del año pasado. Fuimos *aplastados* por Slytherin, en ese último partido, no pude mirar a la cara a Severus Snape por varias semanas...

La profesora McGonagall observó con severidad a Harry, por encima de sus anteojos.

—Quiero oír que se entrena mucho, Potter, o cambiaré de idea sobre su castigo.

Luego, súbitamente, sonrió.

—Su padre habría estado orgulloso —dijo—. Era un excelente jugador de Quidditch.

—Estás bromeando.

Era la hora de la cena. Harry había terminado de contarle a Ron todo lo sucedido cuando dejó el parque con la profesora McGonagall. Ron tenía un trozo de carne y pastel en el tenedor, pero se olvidó de llevárselo a la boca.

—¿*Buscador*?—dijo—. Pero los de primer año *nunca* ... serías el jugador más joven en...

—Un siglo —terminó Harry, metiéndose un trozo de pastel en la boca. Se sentía particularmente hambriento, después de toda la excitación de la tarde.— Wood me lo dijo.

Ron estaba tan sorprendido e impresionado que se quedó mirándolo boquiabierto.

—Tengo que empezar a entrenarme la semana que viene —dijo Harry—. Pero no se lo digas a nadie, Wood quiere mantenerlo en secreto.

Fred y George Weasley aparecieron en el hall, detectaron a Harry y se acercaron apresuradamente.

—Bien hecho —dijo George en voz baja—. Wood nos contó. Nosotros también estamos en el equipo. Somos Batidores.

—Te lo digo, vamos a ganar la copa de Quidditch este año —dijo Fred—. No la ganamos desde que Charlie se fue, pero el equipo de este año será brillante. Tienes que ser bueno, Harry. Wood casi saltaba cuando nos lo contó.

—Bueno, tenemos que irnos, Lee Jordan considera que

ha descubierto un nuevo pasadizo secreto, fuera del colegio.

—Apuesto a que es ese detrás de la estatua de Gregory Smarmy, que nosotros encontramos en nuestra primera semana.

Fred y George acababan de desaparecer, cuando se presentaron unos mucho menos agradables: Malfoy, flanqueado por Crabbe y Goyle.

—¿Comiendo la última cena, Potter? ¿Cuándo tomas el tren para regresar con los *muggles*?

—Eres mucho más valiente ahora que estás de vuelta en tierra firme y tienes a tus amiguitos contigo —dijo fríamente Harry. Por supuesto que Crabbe y Goyle no tenían nada de chiquitos, pero como la Mesa Alta estaba llena de profesores, ninguno podía hacer más que crujir los nudillos y mirarlo ceñudos.

—Te encontraré cuando quieras —dijo Malfoy—. Esta noche, si quieres. Un duelo de magos. Sólo varillas, nada de contacto. ¿Qué sucede, nunca oíste hablar de duelos de magos, no?

—Por supuesto que sí —dijo Ron, interviniendo—. Yo soy su segundo. ¿Cuál es el tuyo?

Malfoy miró a Crabbe y Goyle, valorándolos.

—Crabbe —respondió—. ¿A medianoche, está bien? Nos encontraremos en el salón de trofeos, está siempre sin llave.

Una vez que Malfoy se fue, Ron y Harry se miraron.

—¿Qué es un duelo de magos? —preguntó Harry— ¿Y qué quiere decir que seas mi segundo?

—Bueno, un segundo es el que se hace cargo, si te matan —dijo Ron sin darle importancia. Al ver la expresión de Harry, agregó rápidamente: —Pero la gente sólo muere en los duelos reales, ya sabes, con magos de verdad. Lo más que pueden hacer Malfoy y tú es mandarse chispas uno al otro. Ninguno sabe suficiente magia para hacer verdadero daño. De todos modos, apuesto a que él esperaba que te negaras.

—¿Y si levanto mi varilla y no sucede nada?

—La tiras y le das un puñetazo en la nariz —sugirió Ron.

—Disculpen.

Los dos miraron. Era Hermione Granger.

—¿No se puede comer en paz en este lugar? —dijo Ron.

Hermione lo ignoró y habló con Harry.

—No pude dejar de oír lo que tú y Malfoy estaban diciendo...

—Por supuesto —murmuró Ron.

—... y *no* debes andar por el colegio de noche, piensa en los puntos que perderás para Gryffindor si te atrapan, y lo harán. Es realmente muy egoísta de tu parte.

—Y realmente no es asunto tuyo —respondió Harry.

—Adiós —agregó Ron.

De todos modos, pensó Harry, eso no era lo que llamaría un perfecto fin de ese día. Estaba acostado, despierto, oyendo dormir a Seamus y a Dean (Neville no había regresado del ala del hospital). Ron había pasado toda la velada dándole consejos del tipo de: "Si trata de maldecirte, mejor te escapas, porque no recuerdo cómo se hace para pararlo". Tenían grandes probabilidades de que los atrapara Filch o la señora Norris, y Harry sintió que estaba abusando de su suerte, al transgredir otra regla del colegio en un mismo día. Por otra parte, el rostro burlón de Malfoy se le aparecía en la oscuridad y esa era la gran oportunidad de vencer a Malfoy frente a frente. No podía perdérsela.

—Once y media —murmuró finalmente Ron— mejor vamos.

Se pusieron las batas, tomaron sus varillas y se lanzaron a través del dormitorio de la torre, bajaron la escalera de caracol y entraron en la sala común de Gryffindor. Todavía brillaban algunas brasas en la chimenea, haciendo que todos los sillones parecieran sombras negras. Ya casi habían llegado al retrato, cuando una voz habló desde un sillón cercano.

—No puedo creer que vayas a hacer eso, Harry.

Una luz brilló. Era Hermione Granger, con el rostro ceñudo y una bata rosada.

—¡*Tú*! —dijo Ron furioso——. ¡Vuelve a la cama!

—Casi se lo digo a tu hermano —contestó enojada Hermione—. Percy, él es el prefecto, puede detener esto.

Harry no podía creer que alguien fuera tan entrometido.

—Vamos —dijo a Ron. Empujó el retrato de la Dama Gorda y se metió por el agujero.

Hermione no iba a rendirse tan facilmente. Siguió a Ron a través del agujero, siseando como una gansa enojada.

—¿No les *importa* Gryffindor, *sólo* les importa lo de ustedes? Yo no quiero que Slytherin gane la copa de las casas y ustedes van a perder todos los puntos que yo conseguí de la profesora McGonagall por saber sobre Encantamientos para Cambios.

—Vete.

—Muy bien, pero les aviso, recuerden todo lo que les dije, cuando estén en el tren regresando a casa mañana, son tan...

Pero eso nunca lo supieron. Hermione había vuelto hasta el retrato de la Dama Gorda, para regresar y descubrió que la tela estaba vacía. La Dama Gorda se había ido a una visita nocturna y Hermione estaba encerrada, fuera de la torre de Gryffindor.

—¿Y ahora qué voy a hacer? —preguntó con tono agudo.

—Ese es tu problema —dijo Ron—. Nosotros tenemos que irnos o llegaremos tarde.

No habían llegado al final del corredor, cuando Hermione los alcanzó.

—Voy con ustedes —dijo.

—No lo harás.

—¿No creerán que me voy a quedar aquí, esperando a que Filch me atrape? Si nos encuentra a los tres, yo le diré la verdad, que estaba tratando de detenerlos y ustedes me apoyarán.

—Eres bastante caradura —dijo Ron en voz alta.

—Cállense, los dos —dijo Harry cortante—. Oí algo.

Era una especie de respiración.

—¿La señora Norris? —jadeó Ron, tratando de ver en la oscuridad.

No era la señora Norris. Era Neville. Estaba enroscado en el piso, medio dormido, pero se despertó súbitamente al oírlos.

—¡Gracias a Dios que me encontraron! Hace horas que estoy aquí, no podía recordar el nuevo santo y seña para irme a la cama.

—No hables fuertes, Neville. El santo y seña es "hocico

de chancho" pero ahora no te servirá, porque la Dama Gorda se fue a algún lado.

—¿Cómo está tu brazo? —preguntó Harry.

—Bien —contestó, mostrándoles—. Madam Pomfrey me lo arregló en un minuto.

—Bien, bueno, mira, Neville, tenemos que ir a otro lugar, te veremos más tarde...

—¡No me dejen! —dijo Neville, tambaléandose—. No quiero quedarme aquí solo, el Barón Sangriento ya pasó dos veces.

Ron miró su reloj y luego echó una mirada furiosa a Hermione y Neville.

—Si nos atrapan por culpa de ustedes, no descansaré hasta aprender esa Maldición de los Demonios que nos dijo Quirrell y la usaré con ustedes.

Hermione abrió la boca, tal vez para decir a Ron cómo usar la Maldición de los Demonios, pero Harry susurró que se callara y les hizo señas para que avanzaran.

Se deslizaron por corredores iluminados por la luz de la luna que pasaba por los altos ventanales. En cada vuelta, Harry esperaba chocar con Filch o la señora Norris, pero tuvieron suerte. Subieron rápidamente por una escalera hasta el tercer piso y entraron en puntas de pie en el salón de los trofeos.

Malfoy y Crabbe todavía no habían llegado. Las vitrinas con trofeos brillaban cuando las iluminaba la luz de la luna. Copas, escudos, bandejas y estatuas, oro y plata reluciendo en la oscuridad. Fueron bordeando las paredes, vigilando las puertas en cada extremo del salón. Harry empuñó su varilla, por si Malfoy aparecía de golpe. Los minutos pasaban.

—Está retrasado, tal vez se acobardó —susurró Ron.

Entonces un ruido en la habitación de al lado los hizo saltar. Harry había levantado su varilla, cuando oyeron hablar y no era Malfoy.

—Olfatea por allí, mi tesoro, pueden estar escondidos en un rincón.

Era Filch, hablando con la señora Norris. Aterrorizado, Harry gesticuló enloquecido para que los demás lo siguieran lo más rápido posible. Se escurrieron silenciosamente hacia la puerta más alejada de la voz de Filch. Neville acababa de pasar, cuando oyeron que Filch entraba en el salón de los trofeos.

—Tienen que estar en algún lado —lo oyeron murmurar— probablemente escondidos.

—¡Por aquí! —indicó Harry a los otros y, aterrados, comenzaron a pasar por una larga galería, llena de armaduras. Podían oír que Filch se acercaba. Súbitamente, Neville dejó escapar un chillido de miedo y empezó a correr, tropezó, se aferró de la muñeca de Ron y golpearon contra una armadura.

Los ruidos eran suficentes como para despertar a todo el castillo.

—¡CORRAN! —aulló Harry y los cuatro se lazaron por la galería, sin darse vuelta para ver si Filch los seguía. Pasaron por el quicio de la puerta y corrieron de un corredor a otro, Harry adelante, sin tener idea de dónde estaban o adónde iban.. Se metieron a través de un tapiz y se encontraron en un pasadizo oculto, lo siguieron y llegaron cerca del aula de Encantamientos, que sabían que estaba a kilómetros del salón de trofeos.

—Creo que lo perdimos —jadeó Harry, apoyándose contra la pared fría y secándose la frente. Neville estaba doblado en dos, respirando con dificultad.

—Te... lo...*dije* —jadeaba Hermione, apretándose el pecho—. Te... lo... dije.

—Tenemos que regresar a la torre Gryffindor —dijo Ron— lo más rápido posible.

—Malfoy te engañó —dijo Hermione a Harry—. ¿Te diste cuenta, no? No iba a venir a encontrarse contigo. Fich sabía que iba a haber gente en el salón de los trofeos, Malfoy debió de avisarle.

Harry pensó que probablemente tenía razón, pero no iba a decírselo.

—Vamos.

No iba a ser tan simple. No habían dado más de una docena de pasos, cuando se movió un pestillo y alguien salió de un aula frente a ellos.

Era Peeves. Los vio y dejó escapar un grito de alegría.

—Cállate Peeves, por favor... nos vas a delatar.

Peeves cacareó.

—¿Vagabundeando a la medianoche, novatos? No, no, no. Malitos, malitos, los agarrarán del cuellito.

—No, si no nos delatas, Peeves, por favor.

—Debo decírselo a Filch, debo hacerlo —dijo Peeves, con voz de santurrón, pero sus ojos brillaban malévolos—. Es por el bien de ustedes, ya lo saben.

—Sal del camino —ordenó Ron y le tiró un manotón a Peeves. Ese fue un gran error.

—¡ALUMNOS, FUERA DE LA CAMA! —aulló Peeves—.¡ESTUDIANTES FUERA DE LA CAMA, EN EL CORREDOR DE LOS ENCANTAMIENTOS!

Pasaron debajo de Peeves y corrieron por sus vidas, derecho hasta el final del corredor, donde chocaron contra una puerta... y estaba cerrada.

—¡Estamos listos! —gimió Ron, mientras empujaban inutilmente la puerta—. ¡Este es el final!

Podían oír las pisadas, Filch corriendo lo más rápidp que podía, hacia los gritos de Peeves.

—Oh, muévete —ordenó Hermione. Tomó la varilla de Harry, golpeó la cerradura y susurró:— ¡*Alohomora*!

El pestillo hizo un clic y la puerta se abrió, pasaron todos, la cerraron rápidamente y se quedaron escuchando.

—¿A dónde fueron, Peeves? —decía Filch—. Rápido, dime.

—Di "por favor".

—No me fastidies, Peeves. Dime adónde fueron.

—No diré nada, si no me dices por favor —dijo Peeves, con su molesta vocecita.

—Muy bien... *por favor*.

—¡NADA! Ja, ja. Te dije que no diría nada, ai no me decías por favor. ¡Ja, ja!.—Y oyeron que Peeves se alejaba y a Filch maldeciendo enfurecido.

—Él cree que esta puerta está cerrada —susurró Harry—. Creo que vamos a estar bien. ¡Suéltame, Neville! —Porque Neville le tiraba de la manga desde hacía un minuto. —¿*Qué pasa?*

Harry se dio vuelta y vio, claramente, lo que pasaba. Por un momento, pensó que estaba en una pesadilla, esto era demasiado, después de todo lo que había sucedido.

No estaban en una habitación, como él suponía. Era un

corredor. El corredor prohibido del tercer piso. Y ahora sabían por qué estaba prohibido.

Estaban mirando directamente a los ojos de un perro monstruoso, un perro que llenaba todo el espacio entre el piso y el techo. Tenía tres cabezas. Tres pares de ojos enloquecidos, tres narices, que olfateaban en dirección a ellos y tres bocas, chorreando saliva de los amarillentos colmillos.

Estaba casi inmóvil, los seis ojos fijos en ellos y Harry supo que la única razón por la que no los había matado, era porque la súbita aparición lo había tomado por sorpresa. Pero se recuperaba rápidamente, sus profundos gruñidos eran inconfundibles.

Harry abrió la puerta, entre Filch y la muerte, elegía a Filch.

Retrocedieron y una vez que pasaron, Harry cerró la puerta y corrieron, casi volaron por el corredor. Filch debía de haber ido a buscarlos a otro lado, porque no lo vieron, pero no les importaba, todo lo que querían era alejarse del monstruo. No dejaron de correr hasta que alcanzaron el retrato de la Dama Gorda en el séptimo piso.

—¿Dónde se habían metido? —les preguntó, mirando sus rostros transpirados y rojos y sus batas sueltas.

—No importa... hocico de chancho, hocico de chancho —jadeó Harry y el retrato se movió para dejarlos pasar. Se atropellaron para entrar en la sala común y se desplomaron en los sillones.

Pasó un rato antes de que nadie hablara. Neville, por otra parte, parecía que nunca más podría decir una palabra.

—¿Qué creen que hacen, teniendo una cosa así, encerrada en el colegio? —dijo finalmente Ron—. Si algún perro necesita ejercicio, ese lo necesita.

Hermione había recuperado el aliento y el mal carácter.

—¿Ustedes no usan los ojos, no? —dijo enojada—. ¿No vieron dónde estaba parado?

—¿El piso? —sugirió Harry—. No miraba sus patas, estaba demasiado ocupado observando sus cabezas.

—No, no el piso. Estaba parado sobre una puerta trampa. Es evidente que está vigilando algo.

Se puso de pie, mirándolos indignada.

—Espero que estén complacidos con ustedes mismos. Nos

podrían haber matado. O peor, expulsado. Ahora, si no les importa, me voy a la cama.

Ron la contempló boquiabierto.

—No, no nos importa —dijo—. Nosotros no la arrastramos, ¿no?

Pero Hermione le había dado a Harry algo más para pensar, mientras se trepaba a la cama. El perro vigilaba algo... ¿Qué había dicho Hagrid? Gringotts era el lugar más seguro del mundo, para algo que uno quisiera ocultar... excepto tal vez Hogwarts.

Parecía que Harry había encontrado dónde estaba el paquetito arrugado de la bóveda setecientos trece.

Capítulo diez

Halloween

Malfoy no podía creer a sus ojos, cuando vio que Harry y Ron todavía estaban en Hogwarts al día siguiente, con aspecto de cansados, pero perfectamente alegres. En realidad, a la mañana siguiente, Harry y Ron pensaron que el encuentro con el perro de tres cabezas era una excelente aventura y ya estaban preparados para tener otra. Entre tanto, Harry informó a Ron sobre el paquete que había sido llevado de Gringotts a Hogwarts y pasaron largo rato preguntándose qué podría necesitar esa protección.

—O es algo muy valioso o muy peligroso —dijo Ron.

—O las dos cosas —opinó Harry

Pero como lo único que sabían con seguridad sobre el misterioso objeto era que tenía unos cinco centímetros de largo, no tenían muchas posibilidades de adivinar sin otras claves.

Ni Neville ni Hermione demostraron el más mínimo interés en lo que había debajo del perro y la puerta trampa. Todo lo que le importaba a Neville era no volver a acercarse nunca más al perro.

Hermione se negaba a hablar con Harry y Ron, pero como era una mandona sabelotodo, los chicos lo consideraron como un premio. Lo que realmente deseaban ahora, era una forma de vengarse de Malfoy y, para su gran satisfacción, esa posibilidad llegó una semana más tarde, por correo.

Mientras las lechuzas volaban por el Gran Hall, como de

costumbre, la atención de todos se fijó de inmediato en un paquete largo y delgado, llevado por seis lechuzas blancas. Harry estaba tan interesado como los demás, por ver qué contenía el paquete y se sintió sorprendido, cuando las lechuzas bajaron y dejaron el paquete frente a él, tirando al suelo su tocino. Se estaban alejando, cuando otra lechuza dejó caer una carta sobre el paquete.

Harry abrió el sobre, para leer primero la carta, y fue una suerte, porque decía:

> No ABRA EL PAQUETE EN LA MESA
> Contiene su nueva Limbus Dos Mil,
> pero no quiero que todos sepan que usted
> recibió una escoba, porque también querrán una.
> Oliver Wood lo encontrará esta noche en la
> cancha de Quidditch a las siete, para su
> primera sesión de entrenamiento.
> Profesora McGonagall

Harry tuvo dificultades para ocultar su alegría, mientras le alcanzaba la nota a Ron.

—¡Una Nimbus Dos Mil! —gimió Ron con envidia—. Yo nunca toqué ninguna.

Salieron rápidamente del hall, para abrir el paquete en privado, antes de la primera clase, pero a mitad de camino, encontraron que Crabble y Goyle les cerraban el camino. Malfoy le sacó el paquete a Harry y lo examinó.

—Es una escoba —dijo, tirándoselo de vuelta, con una mezcla de celos y rencor en su cara—. Esta vez lo hiciste, Potter, los de primer año no tienen permiso para tenerla.

Ron no pudo resistirse.

—No es ninguna escoba vieja —dijo—, es una Nimbus Dos Mil. ¿Cuál dijiste que tenías en casa, Malfoy, una Comet Dos Sesenta? —Ron rió burlón. —Las Comet parecen veloces, pero no tienen nada que hacer con las Nimbus.

—¿Qué sabes, tú, Weasley, si no puedes comprar ni la mitad del palo? —replicó Malfoy—. Supongo que tú y tus hermanos tienen que juntar varilla por varilla.

Antes de que Ron pudiera contestarle, el profesor Flitwick apareció detrás de Malfoy.

—¿No estarán peleando, no muchachos? —preguntó con voz chillona.

—A Potter le enviaron una escoba, profesor —dijo rápidamente Malfoy.

—Sí, sí, está muy bien —dijo el profesor Flitwick, mirando radiante a Harry—. La profesora McGonagall me contó todo sobre las circunstancias especiales, Potter. ¿Y qué modelo es?

—Una Nimbus Dos Mil, señor —dijo Harry, tratando de no reír ante la cara de horror de Malfoy—, y realmente, es gracias a Malfoy que la tengo.

Harry y Ron subieron por la escalera conteniendo la risa ante la evidente furia y confusión de Malfoy.

—Bueno, es verdad —continuó Harry cuando llegaron al final de la escalera de mármol—. Si él no hubiera robado la Recordadora de Neville, yo no estaría en el equipo...

—¿Así que supongo que crees que es un premio por quebrantar las reglas? —se oyó una voz irritada, que provenía desde atrás. Hermione subía las escaleras, con aire de desaprobación hacia el paquete de Harry.

—¿No era que no nos hablabas? —dijo Harry.

—Sí, no dejes de hacerlo —dijo Ron—, es mucho mejor para nosotros.

Hermione se alejó con la nariz hacia arriba.

Durante ese día, Harry tuvo que esforzarse por atender a las clases. Su mente regresaba al dormitorio, donde su escoba nueva estaba debajo de la cama o se iba a la cancha de Quidditch, donde esa noche aprendería a jugar. Esa noche comió, sin darse cuenta de lo que tragaba y luego se apresuró a subir con Ron, para sacar, por fin, a la Nimbus Dos Mil de su paquete.

—Oh —suspiró Ron, cuando la escoba rodó sobre la colcha de la cama de Harry.

Hasta Harry, que no sabía nada sobre las diferencias en las escobas, pensó que era maravillosa. Pulida y brillante, con el mango de caoba, tenía una larga cola de varillas rectas y, escrito en letras doradas: *Nimbus Dos Mil*.

Cerca de las siete, Harry salió del castillo y se encaminó hacia la cancha de Quidditch. Nunca había estado antes en el estadio. Había cientos de asientos elevados en tribunas alrededor de la cancha, para que los espectadores estuvieran a suficiente altura para ver el juego. En cada extremo de la cancha había tres postes dorados con aros en la punta. Le hicieron acordar a esos palitos de plástico con los que los niños *muggles* hacían salir burbujas, excepto que estos eran de quince metros de alto.

Demasiado ansioso por volver a volar antes de que llegara Wood, Harry montó su escoba y pateó el suelo. Qué sensación, subió hasta los postes dorados y luego bajó con rapidez hasta la cancha. La Nimbus Dos Mil iba a donde él quería con apenas tocarla.

—¡Eh, Potter, baja!

Había llegado Oliver Wood. Traía una larga canasta de madera debajo del brazo. Harry aterrizó cerca de él.

—Muy lindo —dijo Wood, con los ojos brillantes—. Ya veo lo que quería decir McGonagall, realmente tienes talento natural. Voy a enseñarte las reglas esta noche, luego te unirás al equipo, para el entrenamiento, tres veces por semana.

Abrió la canasta. Adentro había cuatro pelotas de tamaño diferente.

—Bueno —dijo Wood—. Ahora, Quidditch es bastante fácil de entender, aunque no es tan fácil de jugar. Hay siete jugadores de cada lado. Tres se llaman Cazadores.

—Tres Cazadores —repitió Harry, mientras Wood sacaba una pelota rojo brillante, del tamaño de una de fútbol.

—Esta pelota se llama Quaffle —dijo Wood—. Los Cazadores se tiran la Quaffle unos a otros y tratan de pasarla por uno de los canastos para marcar un gol. Diez puntos cada vez que la Quaffle pasa por el canasto. ¿Me sigues?

—Los Cazadores tiran la Quaffle y la pasan por los canastos para marcar tantos —recitó Harry—. ¿Entonces, es una especie de básquet en escobas, con seis canastos, no?

—¿Qué es el básquet? —preguntó con curiosidad Wood.

—No tiene importancia —respondió rápidamente Harry.

—Ahora, hay otro jugador en cada costado, que se llama Guardián, yo soy Guardián de Gryffindor. Yo tengo que volar alrededor de nuestros canastos y detener los tiros del otro equipo.

—Tres Cazadores, un Guardián —dijo Harry, decidido

a recordar todo—. Y juegan con la Quaffle. O.K. ya lo tengo. ¿Y para qué son esas? —Señaló a las tres pelotas restantes.

—Ahora te mostraré —dijo Wood—. Toma esto.

Le alcanzó a Harry un pequeño palo, parecido a un bate de béisbol.

—Voy a enseñarte para que son las Bludgers —dijo Wood—. Esas dos son las Bludgers. (Pegadoras.)

Le mostró a Harry dos pelotas idénticas, pero negras y un poco más chicas que la roja Quaffle. Harry notó que parecían tratar de escapar de las tiras que las mantenían dentro de la canasta.

—Quédate atrás —previno Wood a Harry. Se inclinó y liberó a una de las Bludgers.

De inmediato, la pelota negra se elevó en el aire y luego se lanzó contra la cara de Harry. Harry la rechazó con el bate, para impedir que le rompiera la nariz y la mandó volando por el aire... pasó zumbando alrededor de ellos y luego se tiró contra Wood, quien se las arregló para sujetarla en el suelo.

—¿Ves? —jadeó Wood, forzando a la pelota negra a ocupar su lugar en la canasta y asegurándola—. Las Bludgers andan por allí, tratando de voltear a los jugadores de sus escobas. Es por eso que hay dos Batidores en cada equipo, los mellizos Weasley son los nuestros, su trabajo es proteger su equipo de las Bludgers y tratar de tirarlas contra el otro equipo. ¿Entonces, te parece que entendiste todo esto?

—Tres Cazadores tratan de hacer puntos con la Quaffle, el Guardián vigila los lugares para hacer gol, los Batidores mantienen alejadas las Bludgers de su equipo —resumió Harry.

—Muy bien —dijo Wood.

—¿Eh... las Bludgers alguna vez mataron a alguien? —preguntó Harry, deseando que no se le notara la preocupación.

—Nunca en Hogwarts. Hemos tenido un par de mandíbulas rotas, pero nada peor hasta ahora. Bueno, el último miembro del equipo es el Buscador. Ese eres tú. Y no tienes que preocuparte por la Quaffle o las Bludgers...

—A menos que me rompan la cabeza.

—No te preocupes, los Weasley son más que oponentes para las Bludgers. Quiero decir que ellos son como una pareja de Bludgers humanos.

Wood buscó en la canasta y sacó la última pelota. Comparada con las otras, era pequeñita, del tamaño de una nuez grande. Era de un dorado brillante y con pequeñs alas plateadas.

—*Esta* —continuó Wood— es la Snitch (escamotear) Dorada y es la pelota más importante de todas. Es muy difícil de atajar por lo rápida y difícil de ver. El trabajo del Buscador es atraparla. Vas a tener que ir y venir entre los Cazadores, Bateadores, la Quaffle y las Bludgers, antes de que la agarre el otro Buscador, porque cada vez que un Buscador la atrapa, su equipo gana ciento cincuenta puntos extra, así que prácticamente gana. Es por eso que a los Buscadores los molestan tanto. Un partido de Quidditch sólo termina cuando se atrapa a la Snitch, así que puede durar muchísimo, creo que el record fue tres meses, tenían que traer reemplazantes, para que los jugadores pudieran dormir.

"Bueno, eso es todo. ¿Alguna pregunta?

Harry sacudió la cabeza. Entendía muy bien lo que tenía que hacer, el problema era hacerlo.

—Todavía no vamos a practicar con la Snitch —dijo Wood, cerrando con cuidado la canasta—. Esta demasiado oscuro y podríamos perderla. Vamos a probar con unas pocas de estas.

Sacó una bolsa con pelotas de golf de su bolsillo y, unos pocos minutos más tarde, Wood y Harry estaban en el aire. Wood tiraba las pelotas de golf lo más fuerte que podía en todas las direcciones, para que Harry las atrapara.

Harry no perdió una y Wood estaba encantado. Después de media hora, ya era de noche y no pudieron continuar.

—La copa de Quidditch tendrá nuestro nombre este año —dijo Wood lleno de alegría, mientras regresaban al castillo—. No me sorprendería si resultaras mejor que Charles Weasley, y él podría jugar por Inglaterra, si no se hubiera ido a cazar dragones.

* * *

Tal vez porque ahora estaba tan ocupado con las prácticas de Quidditch tres noches a la semana, además de toda la tarea del colegio, pero Harry casi no podía creer que ya hacía dos meses que estaba en Hogwarts. El castillo era mucho más su casa de lo que nunca había sido Privet Drive. Sus clases, también, cada vez eran más interesantes, ahora que ya sabía los principios básicos.

En la mañana de Halloween, se despertaron con el delicioso aroma de calabaza asada por todos los corredores. Aun mejor, el profesor Flitwick anunció en su clase de Encantamientos, que pensaba que ya estaban listos para empezar a hacer volar objetos, algo que todos morían por hacer, desde que vieron que hacía volar la tortuga de Neville. El profesor Flitwick puso a la clase por parejas para que practicaran. La pareja de Harry era Seamus Finnigan (lo que fue un alivio, porque Neville había tratado de llamarle la atención). Ron, sin embargo, tuvo que trabajar con Hermione Granger. Era difícil decir quién estaba más enojado de los dos. La jovencita no les hablaba desde el día en que Harry recibió su escoba.

—Ahora, no se olviden de ese buen movimiento de muñeca que hemos estado practicando —dijo con voz aguda el profesor, subido a su pila de libros, como de costumbre—. Agitar y golpear, recuerden, agitar y golpear. Y decir las palabras mágicas en forma adecuada es muy importante también, no se olviden nunca del mago Baruffio, quien dijo "s" en lugar de "f" y se encontró tirado en el piso con un búfalo en el pecho.

Era muy difícil. Harry y Seamus agitaron y golpearon, pero la pluma que se suponía debía volar hasta el techo no se movía del pupitre. Seamus se puso tan impaciente que la pinchó con su varilla y le prendió fuego y Harry tuvo que apagarlo con su sombrero.

Ron, en la mesa próxima, no estaba teniendo mucha más suerte.

—¡*Wingardium Leviosa!* —gritó, agitando sus largos brazos como un molino.

—Lo estás diciendo mal —Harry oyó que Hermione lo retaba—. Es Win-gar-dium Levi-o-sa, prouncia *gar* más claro y más largo.

—Dilo, tú, entonces, si eres tan inteligente —dijo enojado Ron.

Hermione se arremangó las mangas de su túnica, agitó la varilla y dijo las palabras mágicas.

La pluma se elevó del pupitre y llegó hasta más de un metro arriba de sus cabezas.

—¡Oh, bien hecho! —gritó el profesor Flitwick, aplaudiendo—. ¡Todos, miren, la señorita Granger lo hizo!

Al finalizar la clase, Ron estaba de muy mal humor.

—No es raro que nadie la aguante —dijo a Harry, cuando se abrían paso en el corredor— es una pesadilla, te lo digo en serio.

Alguien chocó contra Harry. Era Hermione. Harry pudo ver su cara y le sorprendió al ver que estaba llorando.

—Creo que ella te oyó.

—¿Y? —dijo Ron, aunque parecía un poco incómodo—. Ya se debe de haber dado cuenta de que no tiene amigos.

Hermione no apareció en la clase siguiente y no la vieron en toda la tarde. En camino al Gran Hall, para la fiesta de Halloween, Harry y Ron oyeron que Parvati Patil le decía a su amiga Lavender que Hermione estaba llorando en el cuarto de baño de las niñas y deseaba que la dejaran sola. Ron pareció más molesto aún, pero un momento más tarde habían entrado en el Gran Hall, donde las decoraciones de Halloween los hicieron olvidar a Hermione.

Mil murciélagos aleteaban desde las paredes y el techo, mientras que otro millar más pasaba entre las mesas, como nubes negras, haciendo temblar las velas de las calabazas. El festín apareció de pronto en los platos dorados, como había ocurrido en el banquete de principio de año.

Harry se estaba sirviendo una papa con cáscara, cuando el profesor Quirrell llegó rápidamente al hall, con el turbante torcido y cara de terror. Todos lo contemplaron, mientras llegaba hasta el profesor Dumbledore, se apoyaba sobre la mesa y jadeaba:

—Un trasgo... en las mazmorras... pensé que debía saberlo.

Y se desplomó en el piso.

Se produjo un tumulto. Para conseguir silencio, el profesor Dumbledore tuvo que hacer salir varios fuegos artificiales de su varilla.

—Prefectos —rugió— conduzcan a sus casas de vuelta a los dormitorios, de inmediato.

Percy estaba en su elemento.

—¡Síganme! ¡Manténgase juntos, los de primer año! ¡No necesitan temer al trasgo si siguen mis órdenes! Ahora, vengan conmigo. Déjennos pasar, tienen que pasar los de primer año. ¡Perdón, soy un prefecto!

—¿Cómo pudo entrar un trasgo? —preguntó Harry, mientras subían por las escaleras.

—No me preguntes, se supone que son realmente estúpidos —dijo Ron—. Tal vez Peeves lo dejó entrar, como broma de Halloween.

Pasaron entre varios grupos de alumnos que corrían en distintas diercciones. Mientras se abrían camino entre un tumulto de confundidos Hufflepuffs, Harry súbitamente se aferró al brazo de Ron.

—¡Acabo de acordarme... Hermione!

—¿Qué pasa con ella?

—No sabe nada sobre el trasgo.

Ron se mordió el labio.

—Oh, bueno —dijo enojado—. Pero que Percy no nos vea.

Se agacharon y se mezclaron con los Hufflepuffs que iban hacia el otro lado, se deslizaron por un corredor desierto y corrieron hacia el cuarto de baño de las niñas. Justo había doblado por una esquina, cuando oyeron pasos rápidos a sus espaldas.

—¡Percy! —susurró Ron, empujando a Harry detrás de una gran buitre de piedra.

Sin embargo, al espiar, no vieron a Percy, sino a Snape. Cruzó el corredor y desapareció de la vista.

—¿Qué es lo que está haciendo? —murmuró Harry— ¿Por qué no está en las mazmorras, con el resto de los profesores?

—No tengo la menor idea.

Lo más silenciosamente posible, se arrastraron por el otro corredor, detrás de los pasos apagados del profesor.

147

—Se dirige al tercer piso —dijo Harry, pero Ron levantó la mano.

—¿No sientes un olor raro?

Harry olfateó y un aroma especial llegó a su nariz, una mezcla de medias sucias y baño público que nadie limpia.

Y lo oyeron, un gruñido y las pisadas inseguras de unos pies gigantescos. Ron señaló, en el fondo del pasillo, a la izquierda, algo enorme se movía hacia ellos. Se ocultaron en las sombras y lo observaron surgir a la luz de la luna.

Era una visión horrible. Dé más de tres metros y medio de alto, con la piel de color gris piedra, un enorme cuerpo deforme y una pequeña cabeza pelada. Tenía piernas cortas, gruesas como troncos de árbol y pies achatados y deformes. El olor que despedía era increíble. Llevaba un enorme bastón de madera, que arrastraba por el piso, porque sus brazos eran muy largos.

El monstruo se detuvo en una puerta y espió hacia el interior. Agitó sus largas orejas, decidiendo con su minúsculo cerebro y luego entró lentamente en la habitación.

—La llave está en la cerradura —susurró Harry—. Podemos encerrarlo allí.

—Buena idea —respondió nervioso Ron.

Se acercaron hacia la puerta abierta, con la boca seca y rezando para que el trasgo no decidiera salir. De un gran salto, Harry pudo empujar la puerta y echarle llave.

—¡Sí!

Animados con la victoria, comenzaron a correr de regreso por el pasillo, pero al llegar a la esquina, oyeron algo que les hizo detener el corazón —un grito agudo y aterrorizado— y provenía del lugar que acababan de cerrar con llave.

—Oh, no —dijo Ron, tan pálido como el Barón Sangrante.

—¡Es el cuarto de baño de las chicas! —jadeó Harry.

—¡*Hermione!* —dijeron al unísono.

Era lo último que querían hacer, ¿pero qué opción les quedaba? Giraron a toda velocidad hasta la puerta, dieron vuelta la llave, resoplando de miedo —Harry empujó la puerta— y entraron corriendo.

Hermione Granger estaba agazapada contra la pared opuesta, con aspecto de estar a punto de desmayarse. El personaje deforme avanzaba hacia ella, chocando contra los lavabos.

—¡Distráelo! —gritó Harry desesperado y tirando de un grifo, lo arrojó con toda su fuerza contra la pared.

El trasgo se detuvo a pocos pasos de Hermione. Se balanceó, parpadeando con aire estúpido, para ver quién había hecho ese ruido. Sus ojitos malignos detectaron a Harry. Vaciló y luego se abalanzó sobre Harry, levantando su bastón.

—¡Eh, cerebro de guisante! —aulló Ron desde el otro extremo y le tiró un caño de metal. El ser deforme no pareció notar que el caño lo golpeaba en la espalda, pero sí oyo el aullido y se detuvo otra vez, volviendo su horrible hocico hacia Ron, dando tiempo a Harry para correr.

—¡Vamos, corre, *corre*! —Harry gritó a Hermione, tratando de empujarla hacia la puerta, pero la niña no se podía mover, seguía achatada contra la pared, con la boca abierta de miedo.

Los gritos y los golpes parecían haber enloquecido al trasgo. Giró y enfrentó a Ron, quien estaba más cerca y no tenía forma de escapar.

Entonces, Harry hizo algo muy valiente y muy estúpido: corrió, dando un gran salto y se colgó, por detrás, del cuello del monstruo. La enorme criatura no se daba cuenta de que Harry colgaba de su espalda, pero hasta un ser así, se daba cuenta si uno le clavaba una vara de madera en la nariz, y la varilla de Harry, todavía estaba en su mano cuando saltó, y se había clavado directamente en uno de los orificios de la nariz del trasgo.

Aullando de dolor, el trasgo se sacudió y agitó su bastón, con Harry colgado luchando por su vida, en cualquier momento el monstruo lo iba a destrozar o darle un golpe terrible con el bastón.

Hermione estaba tirada en el piso, aterrorizada. Ron empuñó su propia varilla, sin saber qué iba a hacer, se oyo gritar el primer hechizo que le vino a la mente:*¡Wingardium Leviosa!*

El bastón salió volando de las manos del trasgo, se elevó, bien arriba y luego dio vuelta y se dejó caer con fuerza sobre la cabeza de su dueño. El trasgo se balanceó y cayó de boca sobre el piso, con un ruido que hizo temblar la habitación.

Harry se puso de pie. Jadeaba y le faltaba el aire. Ron estaba allí, con la varilla todavía levantada, contemplando su obra.

Hermione fue la que habló primero.

—¿Está... muerto?

—No lo creo —dijo Harry—. Supongo que está desmayado.

Se inclinó y retiró su varilla de la nariz del trasgo. Estaba cubierta por una gelatina gris.

—Puf... qué asco.

La limpió en la ropa del trasgo.

Un súbito portazo y fuertes pisadas hicieron que los tres se sobresaltaran. No se habían dado cuenta de todo el ruido que habían hecho, pero, por supuesto, abajo debían haber oído los golpes y los gruñidos del trasgo. Un momento después, la profesora McGonagall entraba apresuradamente en la habitación, seguida por Snape y Quirrelll cerrando la marcha. Quirrell dirigió una mirada al monstruo, dejó escapar un gemido y se dejó caer en un inodoro, apretándose el pecho.

Snape se inclinó sobre el trasgo. La profesora McGonagall miraba a Ron y Harry. Nunca la habían visto tan enojada. Tenía los labios blancos. Las esperanzas de ganar cincuenta puntos para Gryffindor se desvanecieron rápidamente de la mente de Harry.

—¿En qué estaban pensando por todos los cielos? —dijo la profesora McGonaggall, con una furia helada. Harry miró a Ron, todavía con la varilla levantada. —Tienen suerte de que no los haya matado. ¿Por qué no estaban en los dormitorios?

Snape dirgió a Harry una mirada aguda e inquisidora. Harry clavó la vista en el piso. Deseó que Ron pudiera esconder la varilla.

Entonces, una vocecita surgió de las sombras.

—Por favor, profesora McGonagall... me estaban buscando a mí.

—¡Señorita Granger!

Hermione finalmente se había puesto de pie.

—Yo vine a buscar al trasgo porque yo... yo pensé que

150

podía vencerlo, porque, ya sabe, había leído mucho sobre eso.

Ron dejó caer su varilla. ¿Hermione Granger diciendo una mentira a su profesora?

—Si ellos no me hubieran encontrado, yo ahora estaría muerta. Harry le clavó su varilla en la nariz y Ron lo hizo golpearse con su propio bastón. No tuvieron tiempo de ir a buscar ayuda. Me estaba por matar, cuando ellos llegaron.

Harry y Ron trataron de no poner cara de asombro.

—Bueno... en ese caso... —dijo la profesora McGonagall, contemplando a los tres niños—. Señorita Granger, usted es una tonta. ¿Cómo creía que iba a derrotar a un trasgo gigante usted sola?

Hermione bajó la cabeza. Harry estaba mudo. Hermione era la última persona que haría algo contra las reglas, y allí estaba, fingiendo que lo había hecho, para librarlos a ellos del problema. Era como si Snape empezara a repartir golosinas.

—Señorita Granger, por esto, Gryffindor perderá cinco puntos —dijo la profesora McGonagall—. Estoy muy desilusionada con su conducta. Si no está lastimada, mejor que vuelva a la torre Gryffindor. Los alumnos están terminando la fiesta en sus casas.

Hermione se marchó.

La profesora McGonagall se volvió hacia Harry y Ron.

—Bueno, sigo pensando que tuvieron suerte, pero no muchos de primer año podrían derrumbar a esta montaña. Ganaron cinco puntos cada uno, para Gryffindor. El profesor Dumbledore será informado de esto. Pueden irse.

Salieron rápidamente y no hablaron hasta subir dos pisos. Era un alivio estar fuera del alcance del olor del trasgo, además de todo lo otro.

—Tendríamos que haber obtenido más de diez puntos —se quejó Ron.

—Cinco, querrás decir, una vez que descuente los de Hermione.

—Estuvo muy bien al sacarnos de este lío —admitió Ron—. Claro que, nosotros la salvamos.

—No habría necesitado que la salváramos, de no haber encerrado esa cosa con ella —le recordó Harry.

Habían llegado al retrato de la Dama Gorda.

—Hocico de chancho —dijeron y entraron.

La sala común estaba llena de gente y ruidos. Todos comían lo que les habían subido. Hermione, sin embargo, estaba sola, cerca de la puerta, esperándolos. Se produjo una pausa muy incómoda. Luego, sin mirarse, todos dijeron :"Gracias" y corrieron a buscar platos para comer.

Pero desde ese momento, Hermione Granger se convirtió en su amiga. Hay algunas cosas que uno no puede compartir sin terminar unido, y derrumbar un trasgo de tres metros y medio era una de esas cosas.

Capítulo once

Quidditch

Cuando empezó el mes de noviembre, el tiempo se volvió muy frío. Las montañas cerca del colegio se volvieron de un gris helado y el lago parecía de acero congelado. Cada mañana, el parque estaba cubierto de escarcha. Desde las ventanas de arriba, podían ver a Hagrid descongelando las escobas en la cancha de Quidditch, envuelto en un enorme abrigo de piel de topo, guantes de pelo de conejo y enormes botas de piel de castor.

Iba a comenzar la temporada de Quidditch. Ese sábado, Harry iba a jugar su primer partido, después de semanas de entrenamiento: Gryffindor contra Slytherin. Si Gryffindor ganara, pasarían a ser segundos en el campeonato de la casa.

Casi nadie había visto jugar a Harry, porque Wood lo había decidido, como su arma secreta, Harry también debía mantenerse en secreto. Pero la noticia de que iba a jugar como Buscador, se había filtrado y Harry no sabía qué era peor... que le dijeran que sería brillante o que iban a estar abajo, sosteniendo una manta.

Era realmente una suerte que Harry tuviera ahora a Hermione como amiga. No sabía cómo hubiera hecho con todas sus tareas escolares sin la ayuda de ella, por todo el entrenamiento de Quidditch que Wood le exigía. La niña también le había prestado *Quidditch a través de los tiempos,* que resultó ser un libro muy interesante.

Harry se enteró de que había setecientas formas de cometer un foul y que todos habían sucedido durante una copa del

Mundo, en 1473; que los Buscadores eran habitualmente los más pequeños y veloces jugadores, y que los más serios accidentes parecían sucederles a ellos; que aunque la gente no moría jugando Quidditch, se sabía de arbitros que habían desaparecido, para reaparecer meses después en el desierto de Sahara.

Hermione se había vuelto un poco más flexible en lo referido a las reglas, desde que Harry y Ron la salvaron del monstruo y ahora era mucho más agradable. El día antes del primer partido de Harry, los tres estaban afuera, en el patio helado, durante un recreo y la jovencita había hecho aparecer un brillante fuego azul que podían llevar con ellos, en un frasco de dulce. Estaban de pie, de espaldas al fuego para calentarse, cuando Snape cruzó el patio. De inmediato, Harry se dio cuenta de que Snape cojeaba. Los tres chicos se juntaron, para tapar el fuego, no estaban seguros de si eso estaba permitido. Por desgracia, algo en sus rostros culpables hizo detener a Snape. Se dio vuelta, arrastrando la pierna. No había visto el fuego, pero parecía buscar una razón para retarlos.

—¿Qué tiene allí, Potter?

Era el libro sobre Quidditch. Harry se lo mostró.

—Los libros de la biblioteca no pueden sacarse fuera del colegio —dijo Snape—. Démelo. Cinco puntos menos para Gryffindor.

—Seguro que inventó esa regla —murmuró Harry con furia, mientras Snape se alejaba cojeando—. Me pregunto qué le pasa en la pierna.

—No sé, pero espero que le duela mucho —dijo Ron con amargura.

La sala común de Gryffindor estaba muy ruidosa esa noche. Harry, Ron y Hermione estaban sentados juntos, cerca de la ventana. Hermione estaba controlando las tareas de Harry y Ron, sobre Encantamientos. Nunca los dejaba copiar ("¿Cómo van a aprender?") pero al pedirle que leyera los trabajos, conseguían las respuestas correctas.

Harry se sentía inquieto. Quería recuperar su libro sobre Quidditch, para mantener la mente ocupada y no estar nervioso por el partido del día siguiente. ¿Por qué debía temer a

Snape? Se puso de pie y dijo a Ron y Hermione que iba a preguntarle a Snape si podía devolverle el libro.

—Mejor tú, que yo —dijeron al mismo tiempo, pero Harry pensaba que Snape no se iba a negar, si había otros profesores presentes.

Bajó a la sala de profesores y golpeó. No hubo respuesta. Golpeó otra vez. Nada.

¿Tal vez Snape había dejado el libro allí? Valía la pena intentarlo. Empujó un poco la puerta y espió antes de entrar... y sus ojos captaron una escena horrible.

Snape y Filch estaba allí, solos. Snape tenía la túnica levantada por encima de las rodillas. Una de sus piernas estaba magullada y con sangre. Filch le estaba alcanzando unas vendas.

—Qué cosa maldita —decía Snape—. ¿Cómo se supone que uno pueda vigilar a tres cabezas al mismo tiempo?

Harry intentó cerrar la puerta sin hacer ruido, pero...

—¡POTTER!

El rostro de Snape estaba crispado de furia y dejó caer su túnica rápidamente, para ocultar la pierna herida. Harry tragó saliva.

—Me preguntaba si me podía devolver mi libro —dijo.

—¡FUERA! ¡FUERA DE AQUÍ!

Harry se fue, antes de que Snape pudiera sacarle puntos para Gryffindor. Subió corriendo las escaleras.

—¿Lo conseguiste? —preguntó Ron, cuando se reunió con ellos—. ¿Qué sucedió?

Entre susurrós, Harry les contó lo que había visto.

—¿Saben lo que quiere decir? —terminó sin aliento—. ¡Que trató de pasar por donde estaba el perro de tres cabezas, en Halloween! Allí iba cuando lo vimos pasar... ¡Iba a buscar lo que sea que tengan guardado allí! ¡Y apuesto mi escoba a que él dejó entrar al monstruo, para distraer la atención!

Hermione tenía los ojos muy abiertos.

—No, no puede ser —dijo—. Sé que no es muy bueno, pero no iba a tratar de robar algo que Dumbledore está cuidando.

—De verdad, Hermione, tú crees que todos los profesores son santos o algo parecido —dijo enojado Ron—. Yo es-

155

toy con Harry. Creo que Snape es capaz de cualquier cosa. ¿Pero qué busca? ¿Qué es lo que custodia el perro?

Harry se fue a la cama con esas preguntas dando vuelta por su cabeza. Neville roncaba con fuerza, pero Harry no podía dormir. Trató de no pensar en nada —necesitaba dormir, debía hacerlo, tenía su primer partido de Quidditch en pocas horas— pero la expresión de la cara de Snape cuando Harry vio su pierna, era difícil de olvidar.

A la mañana siguiente, amaneció muy brillante y frío. El Gran Hall estaba inundado por el delicioso aroma de las salchichas fritas y las alegres charlas de todos, que esperaban un buen partido de Quidditch.

—Tienes que comer algo para el desayuno.

—No quiero nada.

—Aunque sea un pedazo de tostada — suplicó Hermione.

—No tengo hambre.

Harry se sentía muy mal. En cualquier momento estaría caminando hacia la cancha.

—Harry, necesitas de tu fuerza —dijo Seamus Finnigan—. Los Buscadores son siempre los que son inhabilitados por el otro equipo.

—Gracias, Seamus —respondió Harry, observando cómo llenaba de salsa de tomate a sus salchichas.

A las once de la mañana, todo el colegio parecía estar reunido alrededor de la cancha de Quidditch. Muchos alumnos tenían binoculares. Los asientos podían elevarse, pero aun así, a veces era difícil ver lo que estaba sucediendo.

Ron y Hermione se reunieron con Seamus y Dean en la grada más alta. Como una sorpresa para Harry, habían pintado un gran estandarte en una de las sábanas que Scabbers arruinó. Decía *Potter para Presidente* y Dean, que dibujaba bien, había hecho un gran león de Gryffindor. Luego Hermione había realizado un pequeño hechizo y la pintura brillaba cambiando de color.

Entre tanto, en los vestuarios, Harry y el resto del equipo se estaban cambiando para ponerse las túnicas color escarlata de Quidditch (Slytherin jugaba de verde)

Wood se aclaró la garganta para pedir silencio.

—Bueno, hombres —dijo.

—Y mujeres —agregó la Cazadora Angelina Johnson.

—Y mujeres —aprobó Wood—. Este es.

—El grande —dijo Fred Weasley.

—El que estábamos esperando —dijo George.

—Nos sabemos de memoria el discurso de Oliver —dijo Fred a Harry—, estábamos en el equipo el año pasado.

—Cállense, ustedes dos —ordenó Wood—. Este es el mejor equipo que Gryffindor ha tenido en años. Y vamos a ganar. Lo sé.

Les lanzó una mirada que parecía decir "o de otro modo..."

—Bien. Ya es la hora. Buena suerte a todos.

Harry siguió a Fred y George fuera del vestuario y, esperando que las rodillas no le temblaran, caminó por la cancha, entre los fuertes vivas.

Madam Hooch era el árbitro. Estaba en el medio de la cancha, esperando a los dos equipos, con su escoba en la mano.

—Bien, quiero un partido limpio y sin problemas, por parte de todos —dijo, una vez que se juntaron alrededor. Harry notó que parecía dirigirse especialmente al capitán de Slytherin, Marcus Flint, un muchacho de sexto año. Flint le pareció con un cierto parentesco con el trasgo gigante. Con el rabillo del ojo, vio el estandarte brillando sobre la muchedumbre: *Potter para Presidente*. Se le aceleró el corazón. Se sintió más valiente.

—Monten sus escobas, por favor.

Harry subió a su Nimbus Dos Mil.

Madam Hooch dio un largo silbido con su silbato de plata.

Quince escobas se elevaron, alto, muy alto en el aire. Y estaban muy lejos.

—Y la Quaffle es tomada de inmediato por Angelina Johnson de Gryffindor... qué excelente Cazadora es esta joven y por cierto, también muy atractiva...

—¡JORDAN!

—Lo siento, profesora.

El amigo de los mellizos Weasley, Lee Jordan, era el comentarista del partido, vigilado bien de cerca por la profesora McGonagall.

—Y realmente golpea bien, un buen pase a Alicia Spinnet, un buen descubrimiento de Oliver Wood, ya que el año pasado estaba en reserva... de vuelta a Johnson y... no, Slytherin ha tomado la Quaffle, el capitán de Slytherin, Marcys Flint se apodera de la Quaffle y allá va... Flint vuela como un águila... está por... no, lo detiene una excelente jugada del Guardián Wood de Gryffindor y Gryffindor tiene la Quaffle... aquí está la Cazadora Katie Bell de Gryffindor, buena zambulllida rodeando a Flint, vuelve a subir de la cancha y, OOH, eso debió doler, un golpe de una Bludger en la parte de atrás de la cabeza... La Quaffle en poder de Slytherin... ese es Adrian Pucey tomando velocidad hacia los postes para hacer un gol, pero lo bloquea una segunda Bludger, enviada por Fred o Geoge Weasley, no puedo saber cuál de los dos... linda jugada del Batidor de Gryffindor, y Johnson otra vez en posesión de la Quaffle, el campo libre y allá va, realmente vuela, evita una veloz Bludger, el canasto para el gol está allí... vamos, ahora Angelina... el Guardián Bletchley se zambulle... no llega... ¡TANTO PARA GRYFFINDOR!

Los gritos de los de Gryffindor llenaron el aire frío, junto con los chiflidos y aullidos de Slytherin.

—Muévanse, háganme un lugar.

—¡Hagrid!

Ron y Hermione se juntaron para dejarle espacio a Hagrid.

—Estaba mirando desde mi cabaña —dijo Hagrid, mostrando el largo par de binoculares que le colgaban del cuello—. Pero no es lo mismo que estar con toda la gente. ¿Todavía no hubo señales de la Snitch, no?

—No —dijo Ron—. Harry todavía no tiene mucho que hacer.

—Mantenerse fuera de problemas ya es algo —dijo Hagrid, levantando sus binoculares y fijándolos en la manchita que era Harry.

Por encima de ellos, Harry volaba sobre el juego, esperando alguna señal de la Snitch. Eso era parte del plan que tenían con Wood.

—Mantente fuera del camino hasta que veas la Snitch —le había dicho Wood—. No queremos que ataques antes de que tengas que hacerlo.

Cuando Angelina anotó un tanto, Harry realizó un par de rizos, para aflojar la tensión. Y regresó a vigilar la llegada de la Snitch. En un momento vio un resplandor dorado, pero era el reflejo del reloj de uno de los mellizos Weasley; en otro, una Bludger decidió perseguirlo, como si fuera una bala de cañón, pero Harry la esquivó y Fred Weasley salió a atraparla.

—¿Está todo bien, Harry? —tuvo tiempo de gritarle, mientras lanzaba la Bludger con furia hacia Marcus Flint.

—Slytherin toma posesión —decía Lee Jordan—. El Cazador Pucey esquiva dos Bludger, a los dos Weasley y al Cazador Bell, y acelera... —esperen un momento— ¿no es la Snitch?

Un murmullo recorrió la multitud, mientras Adrian Pucey dejaba caer la Quaffle, demasiado ocupado en mirar por sobre el hombro el relámpago dorado que había pasado por su oreja izquierda.

Harry la vio. En una acometida de excitación se zambulló hacia abajo, después del destello dorado. El Buscador de Slytherin, Terence Higgs, también la había visto. Nariz a nariz, se lanzaron hacia la Snitch... todos los Cazadores parecían haber olvidado lo que se suponía que debían hacer y estaban colgados en el aire para observar.

Harry era más veloz que Higgs —podía ver la pequeña pelota, agitando sus alas, volando hacia adelante— aumentó su velocidad y

¡PUM! Un rugido de furia resonó desde los Gryffindors de las tribunas... Marcus Flint había cerrado el paso de Harry, para desviarle el curso de la escoba, y ahora éste se aferraba para no perder la vida.

—¡Foul! —gritaron los Gryffindors.

Madame Hooch gritó enojada a Flint y luego ordenó tiro libre en el poste, para Gryffindor. Pero en toda la confusión, por supuesto, la Snitch Dorada había vuelto a desaparecer.

Abajo en las tribunas, Dean Thomas aullaba.

—¡Sáquelo afuera, referí! ¡Tarjeta roja!

—Esto no es fútbol, Dean —le recordó Ron—. No se puede sacar afuera a los jugadores en Quidditch... ¿y qué es tarjeta roja?

Pero Hagrid estaba del lado de Dean.

—Deberían cambiar las reglas, Flint pudo derribar a Harry en el aire.

Lee Jordan tenía dificultad en ser imparcial.

—Entonces... después de esa obvia y desagradable trampa...

—¡Jordan! —lo retó la profesora McGonagall.

—Quiero decir, después de ese evidente y asqueroso foul...

—*Jordan, le estoy avisando...*

—Muy bien, muy bien. Flint casi mata al Buscador de Gryffindor, cosa que le podría suceder a cualquiera, estoy seguro, así es penal para Gryffindor, la toma Spinnet, quien tira, no hay problema, y continuamos jugando, Gryffindor todavía en posesión de la pelota.

Cuando Harry esquivó otra Bludger, que pasó peligrosamente cerca de su cabeza, fue cuando ocurrió. Su escoba dio un súbito y aterrador sacudón. Por un segundo, pensó que iba a caer. Se aferró con fuerza a la escoba con ambas manos y con las rodillas. Nunca había experimentado algo semejante.

Sucedió de nuevo. Era como si la escoba intentara voltearlo. Pero las Nimbus Dos Mil no decidían súbitamente tirar a sus jinetes. Harry trató de dirigirse hacia los postes de Gryffindor; pensó en decirle a Wood que pidiera una suspensión del partido y entonces se dio cuenta de que su escoba estaba completamente fuera de su control. No podía dar vuelta. No podía dirigirla de ninguna manera. Iba en zigzag por el aire y cada tanto daba violentas sacudidas que casi lo sacaban de encima.

Lee seguía comentando el partido.

—Slytherin en posesión... Flint con la Quaffle... pasa a Spinnet, pasa a Bell... una Bludger lo golpea con fuerza en la cara, espero que le rompa la nariz, era una broma, profesora, Slytherin anota un tanto... oh, no...

Los Slytherins vivaban. Nadie parecía haberse dado cuenta de la conducta extraña de la escoba de Harry. Lo llevaba cada vez más alto, lejos del juego, sacudiéndose y retorciéndose.

—No sé qué está haciendo Harry —murmuró Hagrid. Miró con los binoculares.—Si no lo conociera mejor, diría que perdió el control de su escoba... pero no puede ser...

De pronto, la gente señalaba hacia Harry por encima de las gradas. Su escoba había comenzado a dar vueltas y él apenas podía sostenerse. Entonces la multitud jadeó. La escoba de Harry dio un salto feroz y Harry quedó colgando, sujeto solo con una mano.

—¿Le sucedió algo cuando Flint le cerró el paso? —susurró Seamus.

—No puede ser —dijo Hagrid, con voz temblorosa—. Nada puede interferir con una escoba, excepto la poderosa magia Tenebrosa... ningún chico le puede hacer eso a una Nimbus Dos Mil.

Ante esas palabras, Hermione tomó los binoculares de Hagrid, pero en lugar de enfocar a Harry, comenzó a buscar frenéticamente entre la multitud.

—¿Qué estás haciendo? —gimió Ron, con el rostro grisaceo.

—Lo sabía —jadeó Hermione—. Snape... mira.

Ron tomó los binoculares. Snape estaba en el medio de las tribunas frente a ellos. Tenía los ojos clavados en Harry y murmuraba sin detenerse.

—Está haciendo algo... mal de ojo a la escoba —dijo Hermione.

—¿Qué podemos hacer?

—Déjamelo a mí.

Antes de que Ron pudiera decir nada más, Hermione había desaparecido. Ron volvió a enfocar a Harry. La escoba vibraba tanto que era casi imposible que pudiera seguir colgado por mucho más tiempo. Todos estaban de pie, observando aterrorizados, mientras los Weasleys volaban tratando de poner a salvo a Harry en una de sus escobas, pero eso fue peor, cada vez que se le acercaban, la escoba saltaba más alto. Se dejaron caer y comenzaron a volar en círculos, con el evidente propósito de atraparlo si caía. Marcus Flint tomó la Quaffle y marcó cinco tantos sin que nadie lo advirtiera.

—Vamos, Hermione —murmuraba desesperado Ron.

Hermione había cruzado las gradas hacia donde se encontraba Snape y ahora corría por la fila de abajo, ni se detuvo para disculparse cuando atropelló al profesor Quirrell, y cuando llegó a donde estaba Snape, se agachó, sacó su varilla y susurró unas pocas y bien elegidas palabras. Unas llamas azules salieron de su varilla y saltaron a la túnica de Snape.

El profesor tardó unos treinta segundos en darse cuenta

de que se incendiaba. Un súbito aullido le indicó a Hermione que había hecho su trabajo. Atrajo el fuego, lo guardó en un frasco en su bolsillo y se alejó gateando por la tribuna. Snape nunca sabría lo que le había sucedido.

Fue suficiente. Allá arriba, súbitamente Harry pudo subir de nuevo a su escoba.

—¡Neville, ya puedes mirar! —dijo Ron. Neville había estado llorando adentro de la chaqueta de Hagrid en esos últimos cinco minutos.

Harry iba a toda velocidad hacia la cancha, cuando vieron que se llevaba la mano a la boca, como si fuera a descomponerse —tosió— y algo dorado cayó en su mano.

—¡Tengo la Snitch! —gritó, agitándola sobre su cabeza y el partido terminó en una confusión total.

—El no la *atrapó*, casi se la *tragó* —todavía gritaba Flint veinte minutos más tarde, pero eso no cambió nada. Harry no había faltado a ninguna regla y Lee Jordan seguía gritando feliz el resultado: Gryffindor había ganado por ciento setenta puntos a sesenta. Pero Harry no oyó nada de eso. Tomaba una taza de té fuerte, en la cabaña de Hagrid, con Ron y Hermione.

—Era Snape —explicaba Ron—. Hermione y yo lo vimos. Estaba maldiciendo tu escoba, murmuraba, y no te sacaba los ojos de encima.

—Tonterías —dijo Hagrid, quien no había oído una palabra de lo que había sucedido—.¿Por qué iba a hacer algo así Snape?

Harry, Ron y Hermione se miraron, preguntándose qué le iban a decir. Harry decidió contarle la verdad.

—Descubrí algo sobre él —dijo a Hagrid—. Trató de pasar a ese perro de tres cabezas, en Halloween. Y lo mordió. Nosotros pensamos que trataba de robar lo que ese perro está cuidando.

Hagrid dejó caer la tetera.

—¿Qué saben ustedes sobre Fluffy? —dijo.

—¿Fluffy?

—Ajá... es mío... se lo compré a un griego que conocí en el pub el año pasado... se lo presté a Dumbledore para guardar...

—¿Sí? —dijo ansioso Harry.

—Bueno, no me pregunten más —dijo con rudeza Hagrid—. Eso es secreto, es así.

—Pero Snape trató de robarlo.

—Tonterías —repitió Hagrid—. Snape es un profesor de Hogwarts, nunca haría algo así.

—¿Entonces por qué trató de matar a Harry? —gritó Hermione.

Los hechos de ese día parecían haber cambiado su idea sobre Snape.

—Yo conozco un maleficio cuando lo veo, Hagrid, leí todo sobre ellos.¡ Hay que mantener la vista fija y Snape ni pestañeaba, yo lo vi!

—Les digo que están equivocados —dijo ofuscado Hagrid—. No sé por qué la escoba de Harry actuó de esa manera... ¡Pero Snape no iba a tratar de matar a un alumno! Ahora escúchenme los tres, se están metiendo en cosas que no les conciernen. Eso es peligroso. Olvídense de ese perro y olviden lo que está vigilando, eso es entre el profesor Dumbledore y Nicolas Flamel...

—¡Ah! —dijo Harry— ¿Entonces hay alguien llamado Nicolas Flamel que está involucrado en eso, no?

Hagrid pareció enfurecerse con él mismo.

Capítulo doce

El espejo de Erised

Se acercaba la Navidad. Una mañana de mediados de diciembre, Hogwarts se despertó para descubrirse cubierto con varios pies de nieve. El lago estaba sólidamente congelado y los mellizos Weasley fueron castigados por hechizar varias pelotas de nieve para que siguieran a Quirrell, golpeando en la parte de atrás de su turbante. Las pocas lechuzas que habían podido llegar, a través del cielo tormentoso, para dejar el correo, tuvieron que quedar al cuidado de Hagrid, hasta recuperarse, antes de volar otra vez.

Todos esperaban ansiosos que empezaran las vacaciones. Mientras que la sala común de Gryffindor y el Gran Hall tenían las chimeneas encendidas, los corredores llenos de corrientes de aire se habían vuelto helados y un viento cruel golpeaba las ventanas de las aulas. Lo peor de todo eran las clases del profesor Snape, abajo en las mazmorras, en donde la respiración subía como niebla y los hacía mantenerse lo más cerca posible de sus calderos calientes.

—Me da mucha lástima —dijo Draco Malfoy, en una de las clases de Pociones— toda esa gente que deberá quedarse en Hogwarts para Navidad, porque no la quieren en sus hogares.

Mientras hablaba, miraba en dirección a Harry. Crabbe y Goyle lanzaron risitas burlonas. Harry, que estaba pesando polvo de espinas de pez-león, los ignoró. Malfoy se había vuelto más desagradable que nunca, desde el partido de Quidditch. Disgustado por la derrota de Slytherin, había tratado de que todos se rieran, diciendo que un sapo con una gran boca podía reemplazar a Harry como Buscador. Pero entonces se dio cuenta de que nadie lo encontraba gracioso, porque estaban muy impresionados por la forma en que Harry se había mantenido en su escoba. Así que Malfoy, celoso y enojado, había vuelto a fastidiar a Harry por no tener una familia adecuada.

Era verdad que Harry no iba a regresar a Privet Drive para las fiestas. La profesora McGonagall había pasado la semana antes haciendo una lista de los alumnos que iban a quedarse allí para Navidad y Harry puso su nombre de inmediato. Y no se sentía triste, ya que esa probablemente iba a ser la mejor Navidad de su vida. Ron y sus hermanos también se quedaban, porque el señor y la señora Weasley viajaban a Rumania, a visitar a Charles.

Cuando abandonaron los calabozos, al finalizar la clase de Pociones, encontraron un gran pino que ocupaba el extremo del corredor. Dos enormes pies aparecían por debajo del árbol y un gran resoplido les indicó que Hagrid estaba detrás del pino.

—Hola, Hagrid, ¿quieres ayuda? —preguntó Ron, metiendo la cabeza entre las ramas.

—No, está todo bien, gracias, Ron.

—¿Te importaría salir del camino? —la voz fría y gangosa de Malfoy llegó desde atrás—. ¿Estás tratando de ganar algún dinero extra, Weasley? Supongo que deseas ser guardabosques cuando salgas de Hogwarts... esa choza de Hagrid debe parecerte un palacio, comparada con la casa de tu familia.

Ron se lanzó contra Malfoy justo cuando aparecía Snape subiendo las escaleras.

—¡WEASLEY!

Ron soltó el cuello de la túnica de Malfoy.

—Lo provocaron, profesor Snape —dijo Hagrid, sacando su gran cabeza peluda por encima del árbol—. Malfoy estaba insultando a su familia.

—Lo que sea, pero pelear está contra las reglas de Hogwarts, Hagrid —dijo Snape con voz suave—. Cinco puntos menos para Gryffindor, Weasley, y agradezca que no sean más. Muévanse, todos ustedes.

Makfoy, Crabbe y Goyle pasaron con brusquedad, con sonrisas presuntuosas,

—Ya lo voy a agarrar —dijo Ron, sacando los dientes ante la espalda de Malfoy— uno de estos días, lo voy a atrapar...

—Los detesto a los dos —agregó Harry—. A Malfoy y a Snape.

—Vamos, arriba el ánimo, ya es casi Navidad —dijo Hagrid—. Les voy a decir qué haremos, vengan conmigo al Gran Hall, está lindísimo.

Así que los tres siguieron a Hagrid y su pino hasta el Gran Hall, donde la profesora McGonagall y el profesor Flitwick estaban ocupados en la decoración.

El salón se veía espectacular. Guirnaldas de muérdago y acebo colgaban por las paredes y no menos de doce árboles de Navidad estaban distribuidos por el lugar, algunos brillando con pequeños carámbanos, otros con cientos de velas.

—¿Cuántos días les quedan antes de las vacaciones?—preguntó Hagrid.

—Sólo uno —respondió Hermione—. Y eso me recuerda... Harry, Ron, nos queda media hora antes del almuerzo, deberíamos ir a la biblioteca.

—Oh, sí, claro, tienes razón —dijo Ron, obligándose a apartar la vista del profesor Flitwick, quien estaba sacando burbujas doradas de su varilla para ponerlas en las ramas del árbol nuevo.

—¿La biblioteca? —preguntó Hagrid, acompañándolos hasta la puerta—. ¿Justo antes de las fiestas? Un poco triste, ¿no les parece?

—Oh, no es una tarea —explicó alegremente Harry—. Desde que mencionaste a Nicolas Flamel, estamos tratando de averiguar quién es.

—¿Ustedes *qué* ? —Hagrid parecía impresionado. —Escúchenme... ya se lo dije... no se metan. No tiene nada que ver con ustedes lo que custodia ese perro.

—Nosotros queremos saber quién es Nicolas Flamel, eso es todo —dijo Hermione.

—Salvo que quieras ahorrarnos el trabajo —agregó Harry—. Ya buscamos en miles de libros y no pudimos encontrar nada... si nos das una pista... yo sé que leí su nombre en algún lado.

—No voy a decirles nada —dijo Hagrid con firmeza.

—Entonces tendremos que descubrirlo nosotros —dijo Ron y dejaron a Hagrid malhumorado y se apresuraron camino a la biblioteca.

Habían estado buscando el nombre de Flamel desde que a Hagrid se le escapó ¿porque de qué otra manera podían averiguar lo que quería robar Snape? El problema era la dificultad de buscar, sin saber qué podía haber hecho Flamel para figurar en un libro. No estaba en *Grandes magos del siglo veinte*, ni en *Notables nombres de la magia de nuestro tiempo* ; tampoco figuraba en *Importantes descubrimientos en la magia moderna* ni en *Un estudio del reciente desarrollo de la hechicería*. Y además, por supuesto, estaba el tamaño de la biblioteca, miles y miles de libros, miles de estantes, cientos de angostas filas.

Hermione sacó una lista de títulos y temas que había decidido investigar, mientras Ron se paseaba entre una hilera de libros y los sacaba al azar. Harry se acercó a la Sección Prohibida. Se había preguntado si Flamel no estaría allí. Pero, por desgracia, hacía falta un permiso especial, firmado por un profesor, para mirar alguno de los libros de esa sección, y sabía que no iba a conseguirlo. Allí estaban los libros con poderosa Magia del Lado Oscuro, que nunca se enseñaba en Hogwarts y que sólo leían los alumnos mayores, que estudiaban cursos avanzados de Defensa Contra las Artes Tenebrosas.

—¿Qué estás buscando, muchacho?

—Nada —respondió Harry.

Madam Pince, la bibliotecaria, empuñó un plumero ante su cara.

—Entonces, mejor te retiras. ¡Vamos, fuera!

Harry salió de la biblioteca, deseando haber sido más rápido para inventar algo. Él, Ron y Hermione se habían puesto de acuerdo en que era mejor no consultar a Madam Pince sobre Flamel. Estaban seguros de que ella podría decirles, pero no podían arriesgarse a que Snape se enterara de lo que estaban buscando.

Harry los esperó en el corredor, para ver si los otros habían encontrado algo, pero no tenía muchas esperanzas. Después de todo, buscaban sólo desde hacía quince días y en los pocos momentos libres, así que no era raro que no encontraran nada. Lo que realmente necesitaban era una buena investigación, sin Madam Pince pegada a sus nucas.

Cinco minutos más tarde, Ron y Hermione se reunieron con él, sacudiendo la cabeza. Se marcharon a almorzar.

—¿Van a seguir buscando cuando yo no esté, no? —dijo Hermione—. Y si encuentran algo, envíenme una lechuza.

—Y tú podrás preguntarles a tus padres si saben quién es Flamel —dijo Ron—. Preguntarles a ellos no tendrá riesgos.

—Ningún riesgo, ya que ambos son dentistas —respondió Hermione.

Una vez que comenzaron las vacaciones, Ron y Harry tuvieron mucho tiempo para pensar en Flamel. Tenían el dormitorio para ellos y la sala común estaba mucho más vacía que de costumbre, así que podían elegir los mejores sillones frente al fuego. Se quedaban comiendo todo lo que podían pinchar en un tenedor de tostar —pan, buñuelos, malvaviscos— y planeaban formas de hacer que expulsaran a Malfoy, que eran muy divertidas, aunque no pudieran llevarlas a cabo.

Ron también comenzó a enseñar a Harry a jugar al ajedrez mágico. Era igual que el de los *muggle*, salvo que las piezas estaban vivas, lo que lo hacía muy parecido a dirigir un ejército en una batalla. El juego de Ron era muy antiguo y estaba gastado. Como todo lo que tenía, había pertenecido a alguien de su familia; en este caso a su abuelo. Sin embargo, las piezas de ajedrez viejas no eran una desventaja. Ron las conocía tan bien, que nunca tenía problemas en hacerles hacer lo que quería.

Harry jugó con el ajedrez que Seamus Finnigan le había prestado y las piezas no confiaron en él para nada. Él todavía no era muy buen jugador y las piezas le daban distintos consejos y lo confundían, diciendo por ejemplo: "No me mandes a mí, ¿no ves su caballo? Muévelo a *él*, podemos perderlo *a él*".

En la víspera de Navidad, Harry se fue a la cama, ansioso por el día siguiente, pensando en toda la diversión y comida que lo esperaban, pero sin esperar ningún regalo. Cuando al día siguiente se despertó temprano, lo primero que vio fue una pequeña pila de paquetes a los pies de su cama.

—¡Feliz Navidad! —lo saludó medio dormido Ron, mientras Harry saltaba de la cama y se ponía la bata.

—Para ti también —contestó Harry— ¿Quieres mirar esto? ¡Recibí regalos!

—¿Qué esperabas, nabos? —dijo Ron, volviéndose a su propia pila, que era más grande que la de Harry.

Harry tomó el paquete de más arriba. Estaba envuelto en papel madera y tenía escrito: *Para Harry, de Hagrid.* Contenía una flauta de madera, toscamente trabajada. Era evidente que Hagrid la había hecho. Harry sopló y sonó parecido al canto de la lechuza.

El segundo, muy pequeño, contenía una nota.

Recibimos tu mensaje y te mandamos tu regalo de Navidad. De tío Vernon y tía Petunia. Pegada a la nota estaba una moneda de cincuenta peniques.

—Esto fue muy amistoso —comentó Harry.

Ron estaba fascinado con los cincuenta peniques.

—¡*Qué raro!* —dijo— ¡Qué forma! ¿Esto es *dinero*?

—Puedes quedártela —dijo Harry, riendo ante el placer de Ron—. Hagrid, mis tíos... ¿Quién me envió este?

—Creo que sé de quién es ese —dijo Ron, algo colorado y señalando un paquete deforme—. Mi mamá. Le dije que tú no esperabas regalos y... oh, no —gruñó—, te hizo un chaleco Weasley.

Harry abrió el paquete y encontró un suéter tejido a mano, grueso y color verde esmeralda y una gran caja de caramelos de chocolate casero.

—Cada año, ella nos teje un suéter —dijo Ron, desenvolviendo su paquete— y el mío *siempre* es rojo oscuro.

—Es muy amable de parte de tu mamá —dijo Harry, probando los caramelos, que era muy sabroso.

El siguiente regalo también tenía golosinas, una gran caja de Ranas de Chocolate, de parte de Hermione.

Le quedaba el último. Harry lo levantó y notó que era muy liviano. Lo desenvolvió.

Algo fluido y color gris plateado se deslizó al piso y quedó brillando. Ron jadeó.

—Había oído hablar de eso —dijo, con voz ronca y dejando caer la caja de Grajeas de Todos los Sabores, regalo de Hermione—. Si es lo que pienso... es algo verdaderamente raro y *realmente* valioso.

—¿Qué es?

Harry levantó el género brillante y plateado. Era una sensación extraña tocarlo, como si fuera agua convertida en tejido.

—Es una capa invisible —dijo Ron, con una expresión de temor reverencial—. Estoy seguro... pruébatela.

Harry se colocó la capa sobre los hombros y Ron lanzó un grito.

—¡Era eso! ¡Mira para abajo!

Harry se miró los pies, pero ya no estaban. Se dirigió al espejo. Efectivamente, su reflejo lo miraba, pero sólo su cabeza suspendida en el aire, su cuerpo era totalmente invisible. Se subió la capa sobre la cabeza y su imagen desapareció por completo.

—¡Hay una nota! —dijo de pronto Ron—. ¡Se cayó una nota!

Harry se sacó la capa y tomó la nota. Con una escritura angosta y con curvas que él nunca había visto antes, decía:

Tu padre dejó esto en mi poder antes de morir.
Ya es tiempo de que te sea devuelto.
Úsalo bien.
          Una muy feliz navidad para ti.

No tenía firma. Harry contempló la nota. Ron admiraba la capa.

—Yo daría *cualquier* cosa por una de estas —dijo—. Lo que sea. ¿Qué te sucede?

—Nada —dijo Harry. Se sentía muy extraño. ¿Quién le había enviado la capa? ¿Realmente había pertenecido a su padre?

Antes de que pudiera decir o pensar algo, la puerta del dormitorio se abrió de golpe y Fred y George Weasley entraron. Harry escondió rápidamente la capa. No se sentía con ganas de compartir eso con nadie más.

—¡Feliz Navidad!

—¡Eh, mira... Harry también recibió un chaleco Weasley!

Fred y George tenían chalecos azules, uno con una gran letra F y el otro con la G.

—El de Harry es mejor que el nuestro —dijo Fred, levantando el chaleto de Harry—. Es evidente que se esmera más cuando no es para la familia.

—¿Por qué no te pusiste el tuyo, Ron? —quiso saber George—. Vamos, pruébatelo, son lindos y abrigados.

—Detesto el rojo oscuro —se quejó Ron, mientras se lo pasaba por la cabeza.

—No tienen la inicial en los suyos —observó George—. Supongo que ella piensa que no se van a olvidar sus nombres. Pero nosotros no somos estúpidos... sabemos muy bien que nos llamamos Gred y George.

—¿Qué es todo ese ruido?

Percy Weasley asomó la cabeza a través de la puerta, con aire de desaprobación. Era evidente que había ido desenvolviendo sus regalos por el camino, porque también tenía un chaleco bajo el brazo, que Fred detectó.

—¡*P* por prefecto! Pruébatelo, Percy, vamos, todos nos lo pusimos, hasta Harry recibió uno.

—Yo... no... quiero —dijo Percy, con firmeza, mientras los mellizos le metían el chaleco por la cabeza, tirándole los anteojos.

—Y hoy no te sentarás con los prefectos —dijo George—. Navidad es para pasarlo en familia.

Levantaron a Percy y se lo llevaron de la habitación, con los brazos sujetos por el suéter.

Harry no había tenido en su vida una comida de Navidad como esa. Una centena de pavos asados, montañas de papas hervidas, al horno y fritas, soperas de arvejas con manteca, salseras de plata con riquísimas combinaciones de salsas y cantidades de crackers desparramados por todas las mesas. Pero eran mágicos y no tenían nada que ver con los de los *muggle*, que Dudley habitualmente compraba, con juguetitos de plástico y sombreritos de papel. Harry tiró de uno con Fred y no sólo hizo ruido, salió humo como el disparo de un cañón y los envolvió en una nube azul, mientras del interior salía un sombrero de contraalmirante y varias ratitas blancas, vivas. En la Mesa Alta, Dumbledore había reemplazado su sombrero en punta de mago, por un bonete floreado y se reía encantado por una broma del profesor Flitwick.

A los pavos, siguieron los budines de Navidad flameantes. Percy casi se rompe un diente por un sickle de plata que estaba en el trozo que le tocó. Harry observaba a Hagrid, quien cada vez se ponía más colorado y tomaba más vino, hasta que finalmente besó a la profesora McGonagall en la mejilla y, para sorpresa de Harry, ella se ruborizó y rió, con el sombrero medio torcido.

Cuando Harry finalmente se levantó de la mesa, estaba cargado de cosas que habían recibido de los crackers, que incluían globos luminosos que no estallaban, un juego de Haga Crecer Sus Propias Verrugas y sus propias piezas nuevas de ajedrez. Los ratoncitos blancos habían desaparecido y Harry tuvo el horrible pensamiento de que iban a terminar como cena de Navidad para la señora Norris.

Harry y los Weasley pasaron una velada muy divertida, con una batalla de bolas de nieve en el parque. Luego, helados, húmedos y jadeantes, regresaron a la sala común de Gryffindor, para sentarse al lado del fuego. Allí Harry estrenó su nuevo ajedrez y perdió espectacularmente con Ron. Harry sospechaba que no hubiera perdido tan mal si Percy no hubiera tratado de ayudarlo tanto.

Después de un té con sándwiches de pavo, buñuelos, bizcochuelo y torta de Navidad, todos se sintieron tan repletos y soñolientos como para hacer nada más que irse a la cama, salvo quedarse sentados y observar a Percy persiguiendo a Fred y George por toda la torre Gryffindor porque le habían robado su insignia de prefecto.

Ese fue el mejor día de Navidad de Harry. Sin embargo, algo le daba vueltas en un rincón de la mente. Sólo cuando se metió en la cama, pudo pensar libremente en eso: la capa invisible y quién se la había enviado.

Ron, repleto de pavo y torta y sin ningún misterio que lo preocupara, se quedó dormido en cuanto corrió las cortinas de su cama. Harry se inclinó a un costado de la cama y sacó la capa.

De su padre... esto había sido de su padre. Dejó que el

género corriera por sus manos, más suave que la seda, liviano como el aire. *Úsalo bien*, decía la nota.

Tenía que probarla, ahora. Se deslizó fuera de la cama y se envolvió en la capa. Mirando hacia abajo, vio sólo la luz de la luna y las sombras. Era una sensación muy curiosa.

Úsalo bien.

De pronto, Harry se sintió bien despierto. Con esa capa, todo Hogwarts estaba abierto para él. La excitación se apoderó de él, mientras estaba allí, en la oscuridad y el silencio. Podía ir a cualquier lado con esto, a cualquier lado y Filch nunca lo sabría.

Ron gruñó entre sueños. ¿Debía despertarlo? Algo lo detuvo —la capa de su padre— sintió que esta vez —la primera vez— quería usarla solo.

Salió cautelosamente del dormitorio, bajó las escaleras, cruzó la sala común y pasó por el agujero del retrato.

—¿Quién está allí? —chilló la Dama Gorda. Harry no dijo nada. Caminó rápidamente por el corredor.

¿A dónde iría? Se detuvo, con el corazón palpitante, y pensó. Y entonces lo supo. La Sección Prohibida de la biblioteca. Iba a poder leer todo lo que quisiera, para descubrir quién era Flamel. Se acomodó la capa y se dirigió hacia allí.

La biblioteca estaba oscura y fantasmal. Harry encendió una lámpara para ver la fila de libros. La lámpara parecía flotar sola en el aire y hasta el mismo Harry, que sentía su brazo llevándola, tenía miedo.

La Sección Prohibida estaba justo en el fondo de la biblioteca. Pasando con cuidado sobre la soga que separaba esos libros de los demás, Harry levantó la lámpara para leer los títulos.

No le decían mucho. Las letras doradas formaban palabras en lenguajes que Harry no conocía. Algunos no tenían títulos. Un libro tenía una mancha negra que parecía sangre. A Harry se le erizaron los pelos de la nuca. Tal vez se lo estaba imaginando, tal vez no, pero le pareció que un murmullo salía de los libros, como si supieran que había alguien que no debía estar allí.

Tenía que empezar por algún lado. Dejó la lámpara con cuidado en el piso, miró en un estante donde había un libro de aspecto interesante. Un volumen grande, negro y plateado le llamó la atención. Lo sacó con dificultad, porque era muy pesado y, balanceándolo sobre sus rodillas, lo abrió.

Un grito desgarrante, espantoso, cortó el silencio... ¡el libro gritaba! Harry lo cerró de golpe, pero el aullido continuaba, en una nota aguda, ininterrumpida. Retrocedió y chocó con la lámpara, que se apagó de inmediato. Aterrado, oyó pasos que se acercaban por el corredor de afuera, metió el volumen en el estante, salió corriendo. Pasó a Filch casi en la puerta, los ojos del celador, pálidos y muy abiertos, miraron a través de Harry y el chico se agachó y pasó por debajo del brazo de Filch y siguió por el corredor, con los aullidos del libro resonando en sus oídos.

Se detuvo de pronto frente a un juego de armaduras. Había estado tan ocupado en escapar de la biblioteca, que no había prestado atención al camino. Tal vez porque estaba oscuro, pero no reconoció el lugar donde estaba. Había un juego de armaduras cerca de la cocina, eso lo sabía, pero debía estar a cinco pisos más arriba.

—Usted me pidió que le avisara directamente, profesor, si alguien andaba dando vueltas durante la noche y alguien estuvo en la biblioteca, en la Sección Prohibida.

Harry sintió que se le iba la sangre de la cara. Filch debía conocer un atajo para llegar a donde él estaba, porque su voz suave se acercaba cada vez más y, para su horror, el que le contestaba era Snape.

—¿La Sección Prohibida? Bueno, no pueden estar lejos, ya los atraparemos.

Harry se quedó petrificado, mientras Filch y Snape se acercaban. No podían verlo, por supuesto, pero el corredor era angosto y si se acercaban mucho, iban a chocar contra él, la capa no ocultaba su materialidad.

Retrocedió lo más silenciosamente que pudo. A la izquierda, había una puerta entreabierta. Era su única esperanza. Se deslizó, conteniendo la respiración, tratando de no hacer ruido y, para su alivio, entró en la habitación sin que lo notaran. Pasaron por allí y Harry se apoyó contra la pared, respirando profundamente, mientras escuchaba los pasos que se alejaban. Habían estado cerca, muy cerca. Pasaron unos pocos segundos, antes de fijarse en la habitación que lo había ocultado.

Parecía un aula en desuso. Las sombras de pupitres y sillas apiladas contra las paredes, un cesto de papeles dado vuelta y apoyado contra la pared de enfrente, había algo que parecía no pertenecer allí, como si lo hubieran dejado para sacarlo del camino.

Era un espejo magnífico, alto hasta el techo, con un marco dorado muy trabajado, apoyado en unos soportes como garras. Tenía una inscripción grabada en la parte superior: *Erised stra ehru oyt ube cafru oyt on wohsi.*

Ahora que no oía ni a Filch ni a Snape, Harry no tenía tanto miedo y se acercó al espejo, deseando mirar, para no encontrar su imagen reflejada. Se detuvo frente al espejo.

Tuvo que llevarse las manos a la boca para no gritar. Giró en redondo. El corazón le latía más furiosamente que cuando el libro había gritado... porque no sólo se había visto en el espejo, sino que había un montón de gente detrás de él.

Pero la habitación estaba vacía. Respirando muy agitado, volvió a mirar el espejo.

Allí estaba él, reflejado, blanco y con mirada de miedo y allí, reflejados detrás de él, había al menos otros diez. Harry miró por sobre el hombro, pero no había nadie allí. ¿O también eran todos invisibles? ¿Estaba en una habitación llena de gente invisible y la trampa del espejo era que los reflejaba, invisibles o no?

Miró otra vez al espejo. Una mujer justo detrás de su reflejo, le sonreía y agitaba la mano. Harry levantó una mano y sintió el aire que pasaba. Si ella estaba realmente allí, debía poder tocarla, sus reflejos estaban tan cerca, pero sólo sintió aire... ella y los otros existían sólo en el espejo.

Era una mujer muy linda. Tenía cabello rojo oscuro y sus ojos... sus ojos son como los míos, pensó Harry, acercándose un poco más al espejo. Verde brillante, exactamente la misma forma, pero entonces notó que ella estaba llorando, sonriente pero llorando al mismo tiempo. El hombre alto, delgado, de pelo negro, de pie al lado de ella, le pasó el brazo por los hombros. Usaba anteojos y su pelo era muy desordenado. Y se le ponía tieso en la parte posterior, igual al de Harry.

Harry estaba tan cerca del espejo que su nariz casi tocaba su reflejo en el espejo.

—¿Mamá? —susurró—. ¿Papá?

Entonces lo miraron, sonriendo. Y lentamente, Harry fue observando los rostros de las otras personas y vio otro par de ojos verdes como los suyos, otras narices como la suya, incluso un hombrecito que parecía tener las mismas rodillas nudosas de Harry. Estaba mirando a su familia, por primera vez en su vida.

Los Potter sonrieron y agitaron las manos y Harry permaneció mirándolos anhelante, con las manos apretadas contra el espejo, como si esperara pasar al otro lado y alcanzarlos. En su interior sentía un poderoso dolor, mitad alegría y mitad tristeza terrible.

No supo cuánto tiempo estuvo allí. Los reflejos no se desvanecían y Harry miraba y miraba, hasta que un ruido lejano lo hizo volver a la realidad. No podía quedarse allí, tenía que encontrar el camino para el dormitorio. Apartó los ojos de los de su madre y susurró: "Voy a regresar" y salió apresuradamente de la habitación.

—Podías haberme despertado —dijo malhumorado Ron.

—Puedes venir esta noche, yo voy a volver, quiero mostrarte el espejo.

—Me gustaría ver a tu mamá y a tu papá —dijo Ron con interés.

—Y yo quiero ver a toda tu familia, todos los Weasley, vas a poder mostrarme a tus otros hermanos y a todos.

—Puedes verlos cuando quieras —dijo Ron—. Ven a mi casa este verano. De todos modos, a lo mejor sólo muestra gente muerta. Pero qué lástima que no encontraste a Flamel. ¿No quieres tocino o alguna otra cosa? ¿Por qué no comes nada?

Harry no podía comer. Había visto a sus padres y los vería otra vez esa noche. Casi se había olvidado de Flamel. Ya no le parecía tan importante. ¿A quién le importaba lo que custodiaba el perro de tres cabezas? ¿Y realmente qué más daba si Snape lo robaba?

—¿Estás bien? —preguntó Ron—. Estás raro.

* * *

Lo que Harry más temía, era no poder encontrar la habitación del espejo. Con Ron también cubierto por la capa, a la noche siguiente, tenían que caminar con más lentitud. Trataron de repetir el camino de Harry desde la biblioteca, vagando por oscuros pasillos, durante casi una hora.

—Estoy congelado —se quejó Ron—. Olvidemos esto y volvamos.

—¡No! —susurró Harry—. Sé que está por aquí.

Pasaron al fantasma de una bruja alta, que se deslizaba en dirección opuesta, pero no vieron a nadie más. Justo cuando Ron se quejaba de que tenía los pies helados, Harry divisó la pareja de armaduras.

—Es allí... justo allí... ¡sí!

Abrieron la puerta. Harry dejó caer la capa de sus hombros y corrió al espejo.

Allí estaban. Su madre y su padre sonrieron felices al verlo.

—¿Ves? —murmuró Harry.

—No puedo ver nada.

—¡Mira! Míralos a todos... son un montón...

—Sólo puedo verte a ti.

—Pero mira bien, vamos, colócate donde estoy yo.

Harry dio un paso a un costado, pero con Ron frente al espejo, ya no podía ver a su familia, sólo a Ron con su pijama. de colores.

Sin embargo, Ron parecía fascinado con su imagen.

—¡Mírame! —dijo.

—¿Puedes ver a toda tu familia alrededor?

—No... estoy solo... pero soy diferente... más crecido... ¡y soy jefe!

—¿Cómo?

—Tengo... tengo el distintivo como el de Bill y estoy levantando la copa de la casa y la copa de Quidditch...¡Y también soy capitán de Quidditch!

Ron apartó los ojos de esa esplendida visión y miró excitado a Harry.

—¿Crees que este espejo muestra el futuro?

—¿Cómo puede ser? Si toda mi familia está muerta... déjame mirar de nuevo...

—Lo tuviste toda la noche, déjame un ratito más.

—¿Pero si estás sosteniendo la copa de Quidditch, qué tiene eso de interesante? Quiero ver a mis padres.

— No me empujes.

Un súbito ruido en el corredor puso fin a la discusión. No se habían dado cuenta de que hablaban en voz alta.

—¡Rápido!

Ron tiró la capa sobre ellos justo cuando los luminosos ojos de la señora Norris aparecían en la puerta. Ron y Harry permanecieron inmóviles, los dos pensando lo mismo ¿la capa funcionaba con los gatos? Después de lo que pareció una eternidad, la gata dio la vuelta y se marchó.

—No estamos seguros... ella puede haber ido a buscar a Filch, apuesto a que nos oyó. Vamos.

Y Ron empujó a Harry para que salieran de la habitación.

La nieve todavía no se había derretido a la mañana siguiente.

—¿Quieres jugar al ajedrez, Harry? —preguntó Ron.

—No.

—¿Por qué no vamos a visitar a Hagrid?

—No... ve tú...

—Sé en lo que estás pensando, Harry, en ese espejo. No vuelvas esta noche.

—¿Por qué no?

—No lo sé. Pero tengo un mal presentimiento y de todos modos, ya tuviste muchos encuentros. Filch, Snape y la señora Norris andan vigilando por allí ¿Qué importa si no te ven? ¿Y si tropiezan contigo? ¿Y si chocas con algo?

—Pareces Hermione.

—Te lo digo en serio, Harry, no vayas

Pero Harry sólo tenía un pensamiento en su mente, regresar frente al espejo y Ron no iba a detenerlo.

Esa tercera noche, encontró el camino más rápidamente que antes. Caminaba más ligero de lo prudente, porque sabía que estaba haciendo ruido, pero no se encontró con nadie.

Y allí estaban su madre y su padre, sonriéndole otra vez y uno de sus abuelos lo saludaba, feliz. Harry se dejó caer al piso, para sentarse frente al espejo. Nadie iba a impedir que pasara la noche con su familia. Nadie.

Excepto...

—¿Entonces, de vuelta otra vez, Harry?

Harry sintió como si se le helaran las entrañas. Miró para atrás. Sentado en uno de los pupitres, contra la pared, estaba nada menos que Albus Dumbledore. Harry debió de haber pasado por encima de él, tan desesperado por llegar hasta el espejo que no lo había notado.

—No... no lo había visto, señor.

—Es curioso lo miope que se puede volver al ser invisible —dijo Dumbledore y Harry se sintió aliviado al ver que le sonreía.

—Entonces —dijo Dumbledore, bajando del pupitre para sentarse en el suelo con Harry—. Tú, como cientos antes que tú, descubriste las delicias del Espejo de Erised.

—No sabía que se llamaba así, señor.

—Pero espero que te habrás dado cuenta de lo que hace.

—Bueno... me mostró a mi familia y...

—Y a tu amigo Ron lo hizo ver como capitán.

—¿Cómo lo sabe...?

—No necesito una capa para ser invisible —dijo amablemente Dumbledore—. Ahora, ¿puedes pensar qué es lo que nos muestra el Espejo de Erised a todos nosotros?

Harry sacudió la cabeza.

—Déjame explicarte. El hombre más feliz de la Tierra puede usar el Espejo de Erised como un espejo normal, es decir, se mirará y se verá exactamente como es. ¿Eso te ayuda?

Harry pensó. Luego dijo lentamente:

—Nos muestra lo que queremos... lo que sea que queramos...

—Sí y no —dijo con calma Dumbledore—. Nos muestra ni más ni menos que el más profundo y desesperado deseo de nuestro corazón. Tú, que nunca conociste a tu familia, verlos rodeándote. Ronald Weasley, quien siempre ha sido sobrepasado por sus hermanos, se ve solo, el mejor de todos ellos. Sin embargo, este espejo no nos dará conocimiento o verdad. Hay hombres que se han consumido ante esto, fascinados por lo que han visto; o se han enloquecido, al no saber si lo que muestra es real o aunque sea posible.

—El espejo será llevado a una nueva casa mañana, Harry, y te pido que no lo busques otra vez. Y si alguna vez te cruzas con él, deberás estar preparado. No es bueno dejarse arrastrar por los sueños y olvidarse de vivir, recuerda eso. Ahora, ¿por que no te pones de nuevo esa admirable capa y te vas a la cama?

Harry se puso de pie.

—Señor... profesor Dumbledore... ¿puedo preguntarle algo?

—Es evidente que ya lo hiciste —sonrió Dumbledore—. Sin embargo, puedes hacerme una pregunta más.

—¿Qué es lo que ve, cuando se mira en el espejo?

—¿Yo? Me veo sosteniendo un par de gruesas medias de lana.

Harry lo miró asombrado.

—Uno nunca tiene suficientes medias —explicó Dumbledore—. Pasó otra Navidad y no recibí ni un par de medias. La gente sigue insistiendo en regalarme libros.

Sólo cuando Harry estuvo de nuevo en su cama se le ocurrió pensar que tal vez Dumbledore no había sido sincero. Pero entonces, pensó, mientras sacaba a Scabbers de su almohada, había sido una pregunta muy personal.

Capítulo trece

Nicolas Flamel

Dumbledore había convencido a Harry de que no buscara otra vez al Espejo de Erised y por el resto de las vacaciones de Navidad, la capa invisible permaneció doblada en el fondo de su baúl. Harry deseaba poder olvidar tan fácilmente lo que había visto en el espejo, pero no pudo. Comenzó a tener pesadillas. Una y otra vez, soñaba que sus padres desaparecían en un rayo de luz verde, mientras una voz aguda se reía.

—Te das cuenta, Dumbledore tenía razón, ese espejo te puede volver loco —dijo Ron, cuando Harry le contó sobre esos sueños.

Hermione, que regresó el día antes de que comenzaran las clases, consideró las cosas de otra manera. Estaba dividida entre el horror de la idea de Harry vagando por el colegio tres noches seguidas ("¡Si Filch te hubiera atrapado!") y desilusionada porque finalmente no hubieran descubierto quién era Nicolas Flamel.

Ya casi habían abandonado la esperanza de descubrir a Flamel en un libro de la biblioteca, aunque Harry estaba seguro de haber leído el nombre en algún lado. Una vez que empezaron las clases, volvieron a buscar en los libros durante diez minutos en los recreos. Harry tenía menos tiempo que ellos, porque las prácticas de Quidditch había comenzado también.

Wood los hacía trabajar más duramente que nunca. Ni siquiera la lluvia constante que reemplazaba la nieve podía doblegar su ánimo. Los Weasley se quejaban de que Wood se había convertido en un fanático, pero Harry estaba de acuerdo con Wood. Si ganaran el próximo partido contra Hufflepuff, podrían alcanzar a Slytherin en el campeonato de la casa, por primera vez en siete años. Además de que deseaba ganar, Harry descubrió que tenía menos pesadillas cuando estaba cansado por el entrenamiento.

Entonces, durante una práctica en un día especialmente húmedo y barroso, Wood les dio una mala noticia. Se había enojado mucho con los Weasleys, quienes se tiraban en picada y fingían caerse de las escobas.

—¡Dejen de hacer pavadas! —aulló—. ¡Esa es exactamente la clase de cosas que nos harán perder el partido! ¡Esta vez el referí será Snape, y buscará cualquier excusa para sacar puntos a Gryffindor!

George Weasley, al oír esas palabras, casi se cayó de verdad de su escoba.

—¿*Snape* va a ser el referí? —escupió un puñado de barro—. ¿Cuándo ha sido referí en un partido de Quidditch? No va a ser imparcial, si nosotros podemos sobrepasar a Slytherin.

El resto del equipo se acercó a George para quejarse.

—No es culpa mía —dijo Wood—. Lo que tenemos que hacer, es estar seguros de jugar limpio, así no le daremos excusas a Snape para marcarnos faltas.

Todo eso estaba muy bien, pensó Harry, pero él tenía otra razón para no querer cerca a Snape mientras jugaba Quidditch.

Los demás jugadores se quedaron como siempre, para charlar entre ellos, al finalizar el entrenamiento, pero Harry se dirigió directamente de vuelta a la sala común de Gryffindor, donde encontró a Ron y Hermione jugando al ajedrez. El ajedrez era la única cosa a la que Hermione había perdido, algo que Harry y Ron consideraban muy beneficioso para ella.

—No me hables por un momento —dijo Ron, cuando Harry se sentó al lado—. Necesito concen... —vio el rostro de Harry—. ¿Qué te sucede? Tienes una cara terrible.

En tono bajo, para que nadie más los oyera, Harry les contó sobre el súbito y siniestro deseo de Snape, de ser referí de Quidditch.

—No juegues —dijo de inmediato Hermione.

—Diles que estás enfermo —agregó Ron.

—Finge que se te rompió una pierna —sugirió Hermione.

—*Realmente* rómpete una pierna —dijo Ron.

—No puedo —dijo Harry—. No hay un Buscador suplente. Si no juego, Gryffindor tampoco puede jugar.

En ese momento Neville se tambaleó y cayó en la sala. Nadie se explicaba cómo se las había arreglado para pasar por el agujero del retrato, porque sus piernas estaban pegadas juntas, con lo que reconocieron de inmediato como el Maleficio de las Piernas Unidas. Había tenido que saltar todo el camino hasta la torre Gryffindor.

Todos empezaron a reírse, salvo Hermione, quien se puso de pie y realizó el contramaleficio. Las piernas de Neville se separaron y pudo ponerse de pie, temblando.

—¿Qué sucedió? —preguntó Hermione, ayudándolo a sentarse junto a Harry y Ron.

—Malfoy —respondió Neville tembloroso—. Lo encontré fuera de la biblioteca. Dijo que estaba buscando a alguien para practicar eso.

—¡Ve a hablar con la profesora McGonagall! —lo instó Hermione—. ¡Acúsalo!

Neville sacudió la cabeza.

—No quiero tener más problemas —murmuró.

—¡Tienes que hacerle frente, Neville! —dijo Ron—. Está acostumbrado a llevarse a todo el mundo por delante, pero esa no es una razón para tirarse a sus pies y hacerle las cosas más fáciles.

—No es necesario que me digas que no soy lo bastante valiente para pertenecer a Gryffindor, eso ya me lo dice Malfoy —dijo atragantándose. Neville.

Harry buscó en los bolsillos de su túnica y sacó una Rana de Chocolate, la última de la caja que Hermione le había regalado para Navidad Se la dio a Neville, quien pareció a punto de llorar.

—Tú vales por doce Malfoys —dijo Harry—. ¿Acaso no te eligió el Sombrero Seleccionador para Gryffindor? ¿Y dónde está Malfoy? En la apestosa Slytherin.

Neville dejó escapar una débil sonrisa, mientras desenvolvía el chocolate.

—Gracias, Harry... creo que me voy a la cama... ¿Quieres la figurita... tú las coleccionas, no?

Mientras Neville se alejaba, Harry miró la figurita de los Magos Famosos.

—Dumbledore otra vez —dijo—. Él fue el primero que...

Jadeó. Miró fijamente la parte de atrás de la tarjeta. Luego levantó la vista hacia Ron y Hermione.

—¡*Lo encontré*! —susurró— ¡Encontré a Flamel! Les *dije* que había leído ese nombre antes, lo leí en el tren, viniendo para aquí, escuchen lo que dice: "El profesor Dumbledore es especialmente famoso por su derrota del mago tenebroso Grindelwald, en 1945, por el descubrimiento de los doce usos de la sangre de dragón *¡y su trabajo de alquimia con su compañero Nicolas Flamel!*"

Hermione dio un salto. No estaba tan excitada desde que le dieron la nota de su primera tarea.

—¡Esperen aquí! —dijo y se lanzó por las escaleras hacia el dormitorio de las chicas. Harry y Ron casi no tuvieron tiempo de intercambiar una mirada de asombro, cuando ya estaba de vuelta, con un enorme libro entre los brazos.

—¡Nunca pensé en buscar aquí! —susurró excitada—. Lo saqué de la biblioteca hace semanas, para tener algo liviano para leer.

—¿*Liviano?* —dijo Ron, pero Hermione le dijo que esperara, que tenía que buscar algo y comenzó a dar vuelta las páginas enloquecida, murmurando para sí misma.

Al fin encontró lo que buscaba.

—¡Lo sabía! ¡Lo *sabía*!

—¿Podemos hablar ahora?—dijo Ron con malhumor. Hermione lo ignoró.

—Nicolas Flamel —susurró con tono teatral— es el *único creador conocido de la Piedra Filosofal.*

Esto no tuvo el efecto que ella esperaba.

—¿La qué? —dijeron Harry y Ron.

—¡Oh, francamente! ¿No saben leer? Miren... lean aquí.

Empujó el libro hacia ellos, y Harry y Ron leyeron:

El antiguo estudio de la alquimia está relacionado con crear la Piedra Filosofal, una sustancia legendaria con poderes asombrosos. La piedra puede transformar cualquier metal en oro puro. También produce el Elixir de la Vida, que hace inmortal al que lo bebe.

Hubo muchos informes de la Piedra Filosofal a través de los siglos, pero la única Piedra actualmente en existencia pertenece al señor Nicolas Flamel, el notable alquimista y amante de la ópera. El señor Flamel, quien ha celebrado sus seiscientos sesenta y cinco años el año pasado, disfruta de una vida tranquila en Devon con su esposa Perenelle (de seiscientos cincuenta y ocho años).

—¿Ven? —dijo Hermione, cuando Harry y Ron terminaron—. El perro debe estar custodiando la Piedra Filosofal de Flamel. Apuesto a que le pidió a Dumbledore que se la cuidase, porque son amigos y porque debe saber que alguien la buscaba. ¡Es por eso que quiso que sacaran la Piedra de Gringotts!

—¡Una piedra que convierte en oro y hace que uno nunca muera! —dijo Harry—. ¡No es raro que Snape la busque! *Cualquiera* la querría.

—Y no es raro que no pudiéramos encontrar a Flamel en ese *Estudio de los Desarrollos Recientes en Hechicería* —dijo Ron—. Él no es exactamente reciente si tiene seiscientos sesenta y cinco, ¿no?

A la mañana siguiente, en la clase de Defensa Contra las Artes Tenebrosas, mientras copiaban las diferentes formas de tratar las mordeduras de hombre-lobo, Harry y Ron seguían discutiendo qué harían con la Piedra Filosofal si tuvieran una. Hasta que Ron dijo que él se compraría su propio equipo de Quidditch y Harry recordó el partido que tendría a Snape de referí.

—Voy a jugar —informó a Ron y Hermione—. Si no lo hago, todos los Slytherins pensarán que tengo miedo de enfrentar a Snape. Les voy a demostrar... les voy a borrar las sonrisas de la cara si ganamos.

—Siempre que no te borren a ti de la cancha —dijo Hermione.

Sin embargo, a medida que se acercaba el día del partido. Harry se ponía más y más nervioso, pese a todo lo que había dicho a sus amigos. El resto del equipo tampoco estaba demasiado tranquilo. La idea de alcanzar a Slytherin en el campeonato de las casas era maravillosa, nadie lo había hecho en esos siete años, pero ¿podrían hacerlo con ese referí tan parcial?

Harry no sabía si se lo imaginaba o no, pero encontraba a Snape por todos lados. Por momentos, hasta se preguntaba si Snape no lo estaría siguiendo, para atraparlo. Las clases de Pociones se convirtieron en torturas semanales para Harry, por la forma en que lo trataba Snape. ¿Era posible que Snape supiera que ellos habían averiguado lo de la Piedra Filosofal? Harry no veía cómo podía saberlo... aunque algunas veces tenía la horrible sensación de que Snape podía leer los pensamientos.

Harry supo, cuando le desearon suerte en la puerta de los vestuarios, la tarde siguiente, que Ron y Hermione se preguntaban si volverían a verlo con vida. Eso no era lo que uno llamaría reconfortante. Harry casi no oyó las palabras de Wood, mientras se colocaba la túnica de Quidditch y tomaba su Nimbus Dos Mil.

Ron y Hermione, entre tanto, encontraron un lugar en las gradas cerca de Neville, quien no podía entender por qué estaban tan preocupados, ni por qué traían sus varillas al partido. Lo que Harry no sabía, era que Ron y Hermione habían estado practicando en secreto el maleficio de las Piernas Unidas. Se les ocurrió la idea cuando Malfoy lo usó con Neville y estaban listos para utilizarlo con Snape, si daba alguna señal de que iba a lastimar a Harry.

—Ahora, no te olvides, es *Locomotor Mortis* —murmuró Hermione, mientras Ron deslizaba su varilla en la manga de la túnica.

—Ya lo sé —respondió enojado—. No me molestes.

Mientras tanto, en el vestuario, Wood había llevado aparte a Harry.

—No quiero presionarte, Potter, pero si alguna vez necesitamos que se capture enseguida a la Snitch, es ahora. Necesitamos terminar el partido antes de que Snape pueda favorecer demasiado a Hufflepuff.

—¡Todo el colegio está allí afuera! —dijo Fred Weasley, espiando a través de la puerta—. Hasta... ¡Caramba... Dumbledore vino al partido!

El corazón de Harry dio un brinco.

—¿*Dumbledore?* —dijo, corriendo hasta la puerta para asegurarse. Fred tenía razón. Esa barba plateada era inconfundible.

Harry tenía ganas de reírse a los gritos de alivio. Estaba

a salvo. Simplemente no había forma de que Snape se animara a hacerle algo si Dumbledore estaba mirando.

Tal vez por eso Snape parecía tan enojado, mientras los equipos marchaban por la cancha, algo que Ron también notó.

—Nunca vi a Snape con esa cara de malo —dijo a Hermione—. Mira, ya salen. ¡Eh!

Alguien había golpeado a Ron en la parte de atrás de la cabeza. Era Malfoy.

—Oh, perdón, Weasley, no te había visto.

Malfoy sonrió burlón a Crabbe y Goyle.

—Me pregunto cuánto tiempo durará Potter en su escoba esta vez. ¿Alguien quiere apostar? ¿Qué me dices, Weasley?

Ron no le respondió: Snape acababa de darle un penal a Hufflepuff, porque Georges Weasley le había tirado una Bludger. Hermione, que tenía los dedos cruzados sobre la falda, observaba todo el tiempo a Harry, quien circulaba sobre el juego como un halcón, buscando la Snitch.

—¿Saben por qué creo que eligen a la gente para el equipo de Gryffindor? —dijo en voz alta Malfoy, unos minutos más tarde, mientras Snape daba otro penal a Hufflepuff, sin ningún motivo—. Es gente a la que le tienen lástima. Por ejemplo, está Potter, que no tiene padres, luego los Weasleys, que no tienen dinero... tú deberías estar en el equipo, Longbottom, tú no tienes cerebro.

Neville se puso rojo y se volvió en su asiento para enfrentar a Malfoy.

—Yo valgo por doce como tú, Malfoy —tartamudeó.

Malfoy, Crabbe y Goyle aullaron de risa, pero Ron, sin quitar los ojos del partido, intervino.

—Contéstale, Neville.

—Longbottom, si el cerebro fuera de oro, serías más pobre que Weasley y con eso te digo todo.

Los nervios de Ron estaban a punto de quebrarse por la preocupación por Harry.

—Te prevengo, Malfoy... una palabra más...

—¡Ron! —dijo de pronto Hermione— ¡Harry...!

—¿Qué? ¿Dónde?

Harry había salido en una espectacular zambullida, que arrancó gritos de asombro y vivas entre los espectadores. Hermione se puso de pie, con los dedos cruzados en la boca, mientras Harry se lanzaba velozmente hacia la cancha, como una bala.

—Tienen suerte, Weasley, es evidente que Potter vio alguna moneda en la cancha —dijo Malfoy.

Ron estalló. Antes de que Malfoy supiera lo que estaba pasando, Ron estaba arriba de él, tirándolo al piso. Neville vaciló, pero luego se encaramó al respaldo de su silla para ayudar.

—¡Vamos, Harry! —gritaba Hermione, trepándose al asiento para observar a Harry, sin darse cuenta de que Malfoy y Ron rodaban bajo su asiento, o los gritos y golpes de Neville, Crabbe y Goyle.

Arriba en el aire, Snape dobló su escoba justo a tiempo para ver algo escarlata que pasaba a su lado, sin chocarlo por apenas centímetros. Al momento siguiente Harry subía de su zambullida, con el brazo levantado en gesto de triunfo, con la Snitch apretada en la mano.

Las tribunas bullían, eso era un record, nadie recordaba que hubieran atrapado tan rápido a la Snitch.

—¡Ron! ¡Ron! ¿Dónde estás? ¡El juego terminó! ¡Ganamos! ¡Gryffindor está adelante! —Hermione bailaba en su asiento y se abrazaba con Parvati Patil, de la fila de enfrente.

Harry saltó de su escoba, a centímetros del suelo. No podía creerlo. Lo había hecho... el juego había terminado y casi no duró más de cinco minutos. Mientras los de Gryffindor se acercaban a la cancha, vio que Snape aterrizaba cerca, con el rostro blanco y los labios rígidos y entonces Harry sintió una mano en su hombro y al darse vuelta se encontró con el rostro sonriente de Dumbledore.

—Bien hecho —dijo Dumbledore en voz baja, para que sólo Harry lo oyera—. Muy bueno que no buscaras ese espejo... que te mantuvieras ocupado... excelente...

Snape escupió con amargura en el suelo.

Un rato después, Harry salió del vestuario, para dejar su Nimbus Dos Mil de vuelta en la escobera. No recordaba haberse sentido tan feliz. Ahora había hecho algo de lo que podía sentirse orgulloso... ya nadie podría decir que era sólo un nombre famoso. El aire del anochecer nunca había sido tan dulce. Caminó por las hierbas húmedas, reviviendo la última hora en su mente, en una feliz nebulosa: los Gryffindors corriendo para levantarlo en andas, Ron y Hermione a la distancia, saltando como locos, Ron vivando con la nariz golpeada y sangrando.

Harry llegó a la cabaña. Se apoyó contra la puerta de madera y miró hacia Hogwarts, con sus ventanas brillando rojizas, por la puesta del sol. Gruffindor a la cabeza. Él lo había hecho, le había demostrado a Snape...

Y hablando de Snape...

Una figura encapuchada bajó sigilosa los escalones del frente del castillo. Era evidente que no quería ser visto, caminando rápidamente hacia el bosque prohibido. La victoria de Harry se apagó en su mente, mientras observaba. Reconoció la figura que se alejaba. Era Snape, escabulléndose en el bosque, mientras todos estaban en la cena... ¿qué es lo que sucedía?

Harry saltó sobre su Nimbus Dos Mil y se elevó. Deslizándose silenciosamente sobre el castillo, vio a Snape entrando en el bosque. Lo siguió.

Los árboles eran tan espesos, que no podía ver adónde había ido Snape. Voló en círculos, cada vez más bajos, rozando las copas de los árboles, hasta que oyó voces.. Se deslizó hacia allí y se detuvo sin ruido, sobre un haya.

Con cuidado se colocó en una rama, sujetando su escoba y tratando de ver a través de las hojas.

Abajo, en un lugar despejado y sombrío, estaba Snape, pero no estaba solo. Quirrell también estaba allí. Harry no podía verle la cara, pero tartamudeaba como nunca. Harry se esforzó por oír lo que decían.

—... N-no sé p-porqué querías en-encontrarme j-justo a-aquí , de de entre t-todos los l-lugares, Severus...

—Oh, pensé que íbamos a mantener esto en privado —dijo Snape con voz gélida—. Después de todo, se supone que los alumnos no saben nada sobre la Piedra Filosofal.

Harry se inclinó hacia adelante. Quirrell tartamudeaba algo y Snape lo interrumpió.

—¿Ya averiguaste cómo pasar a esa bestia de Hagrid?

—P-p-pero Severus, y-yo...

—Tú no querrás que yo sea tu enemigo, Quirrell —dijo Snape, dando un paso hacia él.

—Y-yo no s-sé qué...

—Tú sabes perfectamente bien lo que quiero decir.

Una lechuza dejó escapar un grito y Harry casi se cae del árbol. Se enderezó a tiempo para oír a Snape decir:

—... tu partecita del abracadabra. Estoy esperando.

—P-pero y-yo no...

—Muy bien —interrumpió Snape—. Vamos a tener otra charlita muy pronto, cuando hayas tenido tiempo de pensar y decidir dónde están tus lealtades.

Se subió la capa sobre la cabeza y se alejó del claro. Ya estaba casi oscuro, pero Harry pudo ver a Quirrell inmóvil, como si estuviera petrificado.

—¿Harry, dónde estabas? —chilló Hermione.

—¡Ganamos! ¡Ganamos! ¡Ganamos!—gritaba Ron, palmeando a Harry en la espalda—. ¡Y yo le puse un ojo negro a Malfoy y Neville trató de vencer a Crabbe y Goyle él solo! Todavía está inconsciente, pero Madam Pomfrey dice que se pondrá bien. Todos te están esperando en la sala común, vamos a tener una fiesta, Fred y George robaron unas tortas y otras cosas de la cocina.

—Ahora eso no importa —dijo Harry sin aliento—. Vamos a buscar una habitación vacía, ya verán cuando oigan esto...

Se aseguró de que Peeves no estuviera adentro antes de cerrar la puerta, entonces les contó lo que había visto y oído.

—Así que teníamos razón, es la Piedra Filosofal y Snape trata de forzar a Quirrell para que lo ayude a conseguirla. Le preguntó si sabía cómo pasar a Fluffy y dijo algo sobre el "abracadabra" de Quirrell... Me doy cuenta de que hay otras cosas custodiando la piedra, además de Fluffy, probablemente cantidades de hechizos y Quirrell puede haber hecho algunos encantamientos anti-Artes Tenebrosas que Snape necesita romper...

—¿Entonces quieres decir que la piedra estará segura mientras Quirrell se oponga a Snape? —preguntó alarmada Hermione.

—Entonces no durará mucho —dijo Ron.

CAPÍTULO CATORCE

Norbert el ridgeback noruego

Sin embargo, Quirrell debía de ser más valiente de lo que habían pensado. En las semanas que siguieron se fue poniendo cada vez más delgado y pálido, pero no parecía que se hubiera quebrado.

Cada vez que pasaban por el corredor del tercer piso, Harry, Ron y Hermione apoyaban las orejas contra la puerta, para controlar si Fluffy estaba gruñendo allí adentro. Snape seguía con su habitual mal carácter, lo que seguramente significaba que la Piedra estaba a salvo. Cada vez que Harry se cruzaba con Quirrell, le dirigía una sonrisa para darle ánimo y Ron les decía a todos que no se rieran del tartamudeo de Quirrell.

Hermione, sin embargo, tenía en su mente otras cosas además de la Piedra Filosofal. Había comenzado a hacer horarios para repasar y a poner códigos en color para sus notas. A Harry y Ron eso no les habría importado, pero los molestaba todo el tiempo, para que hicieran lo mismo.

—Hermione, falta muchísimo para los exámenes.

—Diez semanas —replicó Hermione—. Eso no es muchísimo tiempo, es un segundo para Nicolas Flamel.

—Pero nosotros no tenemos seiscientos años —le recordó Ron—. De todos modos, para qué repasas si ya sabes todo.

—¿Para qué estoy repasando? ¿Estás loco? ¿Te diste cuenta de que tenemos que pasar estos exámenes para entrar en segundo año? Son muy importantes, tendría que haber empezado a estudiar hace un mes, no sé qué me pasó...

¨Pero desgraciadamente, los profesores parecían pensar lo mismo que Hermione. Les dieron tantos deberes, que las vacaciones de Pascua no resultaron tan divertidas como las de Navidad. Era difícil relajarse con Hermione al lado, recitando los doce usos de la sangre de dragón o practicando movimientos con la varilla. Quejándose y bostezando, Harry y Ron pasaban la mayor parte de su tiempo libre en la biblioteca con ella, tratando de hacer todo el trabajo suplementario.

—Nunca voy a recordar esto —estalló Ron una tarde, arrojando su pluma y mirando por la ventana de la biblioteca con nostalgia. Era realmente el primer día bueno, en meses. El cielo era claro; las nomeolvides, azules, y el aire anunciaban el verano.

Harry, que estaba buscando "díctamo" en *Cien hierbas mágicas y hongos* no levantó la cabeza hasta que oyó que Ron decía:

—¡Hagrid! ¿Qué estás haciendo en la biblioteca?

Hagrid apareció con aire desmañado, escondiendo algo detrás de la espalda. Parecía muy fuera de lugar, con su abrigo de piel de topo.

—Estaba mirando —dijo con una voz evasiva que les llamó la atención—. ¿Y ustedes qué hacen? —De pronto pareció sospechar algo. —¿No estarán buscando todavía a Nicolas Flamel, no?

—Oh, lo encontramos hace siglos —dijo Ron grandilocuente—. Y también sabemos lo que custodia el perro, es la Piedra F...

—¡Shhh! —Hagrid miró alrededor para ver si alguien los escuchaba. —No tienen que andar gritando eso. ¿Qué pasa con ustedes?

—En realidad, hay unas pocas cosas que queremos preguntarte —dijo Harry— sobre qué más custodia a la Piedra, además de Fluffy...

—¡SHHHH! —dijo Hagrid otra vez—. Miren, vengan a verme más tarde, no les prometo que les vaya a decir algo, pero no anden por allí hablando, se supone que los alumnos no lo saben. Van a pensar que yo les conté...

—Te vemos más tarde, entonces —dijo Harry.

Hagrid se escabulló.

—¿Qué escondía detrás de la espalda? —dijo pensativa Hermione.

—¿Creen que tiene que ver con la Piedra?

—Voy a ver en cuál sección estaba —dijo Ron, que estaba cansado de sus tareas. Regresó un minuto más tarde, con una pila de libros en los brazos y los desparramó sobre la mesa.

—¡*Dragones!* —susurró—. ¡Hagrid estaba buscando cosas sobre dragones! Miren este: *Especies de dragones en Gran Bretaña e Irlanda; De huevo a infierno, Una guía para guardianes de dragones.*

—Hagrid siempre quiso tener un dragón, me lo dijo la primera vez que lo conocí —dijo Harry.

—Pero es contra nuestras leyes —dijo Ron—. Criar dragones fue prohibido por la Convención Warlocks en 1709, todos lo saben. Era difícil que los *muggles* no nos detectaran si teníamos dragones en nuestros jardines. De todos modos, no se puede domesticar un dragón, es peligroso. Tendrían que ver las quemaduras que Charlie se hizo con esos salvajes de Rumania.

—¿Pero no hay dragones salvajes en Inglaterra? —preguntó Harry.

—Por supuesto que hay —respondió Ron—. Verdes en Gales y negros en Escocia. El ministro de magia tiene trabajo para silenciar ese asunto, te lo aseguro. Los nuestros tienen que usar encantamientos con los *muggles* que los han visto, para hacer que los olviden.

—¿Entonces en qué está metido Hagrid? —dijo Hermione.

Cuando golpearon en la puerta de la cabaña del guardabosques, una hora más tarde, los sorprendió ver todas las cortinas cerradas. Hagrid preguntó "¿Quién es?" antes de dejarlos entrar y luego, cerró rápidamente la puerta tras ellos.

En el interior, el calor era sofocante. Pese a que era un día cálido, en la chimena ardía un buen fuego. Harry les preparó el té y les ofreció sánwiches de comadreja, que ellos no aceptaron.

—¿Entonces, querían preguntarme algo?

—Sí —dijo Harry. No tenía sentido dar más vueltas.

—Nos preguntábamos si podías decirnos si hay algo más que custodie a la Piedra Filosofal, además de Fluffy.

Hagrid lo miró con aire adusto.

—Por supuesto que no puedo —dijo—. En primer lugar, no lo sé. En segundo lugar, ustedes ya saben demasiado, así que tampoco se lo diría si lo supiera. Esa Piedra está aquí por un buen motivo. Casi la roban de Gringotts... Supongo que eso ya lo averiguaron, ¿no? Me gustaría saber cómo averiguaron lo de Fluffy.

—Oh, vamos, Hagrid, puedes no querer contarnos, pero *debes* saberlo, tú sabes todo lo que sucede por aquí —dijo Hermione, con voz afectuosa y lisonjera. La barba de Hagrid se agitó y vieron que sonreía. Hermione continuó: —Nos preguntábamos en quién más podía confiar para que lo ayudara, a parte de ti.

Con esas últimas palabras, el pecho de Hagrid se ensanchó. Harry y Ron miraron radiantes a Hermione.

—Bueno, supongo que no tiene nada de malo decirles esto... déjenme ver... A Fluffy lo consiguió por mí... luego algunos de los profesores hicieron encantamientos... el profesor Sprout, el profesor Flitwick... la profesora McGonagall —contó con los dedos— el profesor Quirrell y el mismo Dumbledore, por supuesto. Esperen, me olvidé de alguien. Oh, claro, el profesor Snape.

—*¿Snape?*

—Ajá...¿no seguirán con eso todavía, no? Miren, Snape ayudó a *proteger* la Piedra, no quiere robarla.

Harry sabía que Ron y Hermione estaban pensando lo mismo que él. Si Snape había formado parte de la protección de la Piedra, le resultaría fácil descubrir cómo la protegían los otros profesores. Es probable que supiera todos los encantamientos, salvo el de Quirrell y cómo superar a Fluffy.

—¿Tú eres el único que sabe cómo pasar a Fluffy, no, Hagrid? —preguntó Harry con ansiedad—. ¿Y no se lo dirás a nadie, no es cierto? ¿Ni siquiera a uno de los profesores?

—Ni un alma lo sabe, salvo Dumbledore y yo —dijo Hagrid con orgullo.

—Bueno, eso es algo —murmuró Harry a los demás—. ¿Hagrid, podríamos abrir una ventana? Me estoy cocinando.

—No puedo, Harry, lo siento —respondió Hagrid. Harry

notó que miraba de reojo hacia el fuego. Harry también miró.

—¿Hagrid... qué es eso?

Pero ya sabía lo que era. En el centro de la chimenea, debajo de la pava, había un enorme huevo negro.

—Ah —dijo Hagrid, tirándose con nerviosidad de la barba—. Eso... eh...

—¿Dónde lo conseguiste, Hagrid? —preguntó Ron, agachándose ante la chimenea, para mirar de cerca al huevo—. Debe haberte costado una fortuna.

—Lo gané —explicó Hagrid—. La otra noche. Estaba en la aldea, tomando unos tragos y me puse a jugar a las cartas con un desconocido. Creo que se alegró mucho de liberarse de él, si debo ser honesto.

—¿Pero qué vas a hacer cuando salga del cascarón? —preguntó Hermione.

—Bueno, estuve leyendo un poco —dijo Hagrid, sacando un gran libro de abajo de su almohada—. Lo conseguí en la biblioteca, *Crianza de dragones para placer y provecho*, es un poco anticuado, por supuesto, pero está todo. Mantener el huevo en el fuego, porque las madres respiran fuego sobre ellos y cuando salen del cascarón, alimentarlos con brandy mezclado con sangre de pollo, cada media hora. Y miren, dice cómo reconocer a los diferentes huevos, el que tengo es un Ridgeback noruego. Y son muy raros.

Parecía complacido consigo mismo, pero Hermione no.

—Hagrid, tú vives en una *casa de madera* —dijo.

Pero Hagrid no la escuchaba. Canturreaba feliz, mientras alimentaba el fuego.

Así que ahora tenían algo más para preocuparse: lo que podía sucederle a Hagrid, si alguien descubría que ocultaba un dragón ilegal en su cabaña.

—Me pregunto cómo será tener una vida pacífica —suspiró Ron, mientras noche trás noche luchaban con todas las tareas extra que les daban los profesores. Ahora Hermione había comenzado a hacer horarios de repaso para Harry y Ron. Los estaba volviendo locos.

Entonces, durante un desayuno, Hedwig entregó a Harry otra nota de Hagrid. Sólo decía: *Está por salir.*

Ron quería faltar a la clase de Herbología e ir directamente a la cabaña. Hermione no quería ni oír hablar de eso.

—¿Hermione, cuántas veces en nuestras vidas vamos a ver a un dragón saliendo de su huevo?

—Tenemos clases, nos vamos a meter en problemas y no vamos a poder hacer nada cuando alguien descubra lo que Hagrid está haciendo...

—¡Cállate! —susurró Harry.

Malfoy estaba cerca de ellos y se había quedado inmóvil para escucharlos. ¿Cuánto había oído? A Harry no le gustó la expresión de la cara de Malfoy.

Ron y Hermione discutieron todo el camino a la clase de Herbología y al final, Hermione aceptó ir a la cabaña de Hagrid con ellos, durante el recreo de la mañana. Cuando al final de las clases, sonó la campana del castillo, los tres dejaron sus desplantadores y corrieron por el parque hasta el borde del bosque. Hagrid los recibió excitado y radiante.

—Ya casi está afuera. —Los hizo entrar.

El huevo estaba sobre la mesa. Tenía rasgaduras en la cáscara. Algo se movía en el interior, un curioso ruido salía de allí.

Todos acercaron las sillas a la mesa y esperaron, respirando con agitación.

De pronto se produjo un ruido y el huevo se abrió. El bebé de dragón aleteó en la mesa. No era exactamente lindo, Harry pensó que parecía un paraguas negro arrugado. Sus alas puntiagudas eran enormes, comparadas con su cuerpo flacuchento, tenía un hocico largo con anchas fosas nasales, las puntas de los cuernos y los ojos anaranjados y saltones.

Estornudó. Volaron unas chispas.

—¿No es *precioso*? —murmuró Hagrid. Estiró una mano para acariciar la cabeza del dragón. Éste le tiró un tarascón, mostrando unos colmillos puntiagudos.

—Bendito sea, miren, conoce a su mamita —dijo Hagrid.

—Hagrid —dijo Hermione—.¿Cómo crecen de rápido los Ridgebacks noruegos?

Hagrid estaba por contestarle, cuando de golpe su rostro palideció. Se puso de pie de un salto y corrió hacia la ventana.

—¿Qué sucede?

—Alguien estaba mirando por una rendija de la cortina... era un chico... está corriendo de vuelta al colegio.

Harry fue hasta la puerta y miró. Aún a la distancia, era inconfundible.

Malfoy había visto el dragón.

Algo en la sonrisa burlona de Malfoy durante la semana siguiente ponía nerviosos a Harry, Ron y Hermione. Pasaban la mayor parte de su tiempo libre en la oscura cabaña de Hagrid, tratando de hacerlo entrar en razones.

—Déjalo ir —lo instaba Harry—. Déjalo en libertad.

—No puedo —decía Hagrid—. Es demasiado pequeño. Se morirá.

Miraron al dragón. Había crecido tres veces su tamaño en sólo una semana. Ya le salía humo de las narices. Hagrid no cumplía con sus tareas de guardabosques porque el dragón le ocupaba todo su tiempo. Había botellas vacías de brandy y plumas de pollo por todo el piso.

—Decidí llamarlo Norbert —dijo Hagrid, mirando al dragón con ojos húmedos—. Ya me reconoce, miren. ¡Norbert! ¡Norbert! ¿Dónde está Mamita?

—Perdió el juicio —murmuró Ron a Harry.

—Hagrid —dijo Harry en voz muy alta—, espera dos semanas y Norbert será tan grande como tu casa. Malfoy se lo contará a Dumbledore en cualquier momento.

Hagrid se mordió el labio.

—Yo... yo sé que no puedo quedármelo para siempre, pero no puedo echarlo, no puedo.

Harry se volvió a Ron súbitamente.

—Charlie —dijo.

—Tú también estás perdido —dijo Ron—. Yo soy Ron ¿recuerdas?

—No... Charlie, tu hermano. En Rumania. Estudiando dragones. Podemos enviarle a Norbert a él. ¡Charlie lo cuidará y luego lo dejará vivir en libertad!

—¡Brillante! —dijo Ron—. ¿Qué piensas de eso, Hagrid?

Y al final, Hagrid aceptó que enviaran una lechuza para pedirle ayuda a Charlie.

* * *

La semana siguiente pareció arrastrarse. La noche del miércoles encontró a Harry y Hermione sentados solos en la sala común, mucho después de que todos se fueran a acostar. El reloj de la pared acaba de dar doce campanadas, cuando el agujero de la pared se abrió de golpe. Ron surgió de la nada, al sacarse la capa invisible de Harry. Había estado en la cabaña de Hagrid, ayudándolo a alimentar a Norbert, que ahora comía ratas muertas.

—¡Me mordió! —dijo, mostrándoles la mano envuelta en un pañuelo ensangrentado—. No voy a poder usar la pluma por una semana. Les aseguro que los dragons son .los animales más horribles de todos los que conozco; pero para Hagrid, parece que fuera un conejito de felpa. Cuando me mordió, me echó por asustarlo. Y cuando me fui, le estaba cantando una canción de cuna.

Hubo un golpe en la ventana oscura.

—¡Es Hedwig! —dijo Harry, corriendo para dejarla entrar—. ¡Debe traer la respuesta de Charlie!

Los tres juntaron las cabezas, para leer la carta.

Querido Ron:
¿Cómo estás? Gracias por tu carta. Recibiré encantado al Ridgeback noruego, pero no será fácil traerlo aquí. Creo que lo mejor será hacerlo con unos amigos que vienen a visitarme la semana que viene. El problema es que no deben verlos llevando un dragón ilegal.
¿Podrían tener al Ridgeback noruego en la torre más alta, en la medianoche del sábado? Ellos se encontrarán contigo y se lo llevarán mientras dure la oscuridad.
Envíame la respuesta lo antes posible.
Cariños, Charlie.

Se miraron unos a otros.

—Tenemos la capa invisible —dijo Harry—. No será tan difícil... creo que la capa es lo bastante grande como para cubrir a Norbert y a dos de nosotros.

La prueba de lo mala que había sido esa semana para ellos, fue que aceptaron de inmediato. Cualquier cosa para liberarse de Norbert... y de Malfoy.

* * *

Tuvieron un obstáculo. A la mañana siguiente, la mano mordida de Ron se había inflamado y tenía dos vecs su tamaño normal. No sabía si convenía ir a ver a Madam Pomfrey. ¿Reconocería una mordedura de dragón? Sin embargo, a la tarde, no tuvo elección. La herida se había convertido en una horrible cosa verde. Parecía que los colmillos de Norbert tenían veneno.

Al finalizar el día, Harry y Hermione fueron corriendo hasta el ala de la enfermería para visitar a Ron y lo encontraron en un estado terrible.

—No es sólo mi mano —susurró— aunque parece que se me fuera a caer. Malfoy le dijo a Madam Pomfrey que quería pedirme prestado un libro y vino y se estuvo riendo de mí. Me amenazó con decirle a ella quién me había mordido —yo le dije a ella que era un perro, pero creo que no me creyó— no debí golpearlo en el partido de Quidditch, es por eso que se está portando así.

Harry y Hermione trataron de calmarlo.

—Todo habrá terminado el sábado a la medianoche —dijo Hermione, pero eso no lo calmó. Al contrario, se sentó en la cama y comenzó a transpirar.

—¡La medianoche del sábado! —dijo con voz ronca—. Oh, no, oh, no...acabo de acordarme... la carta de Charlie estaba en el libro que se llevó Malfoy, se enterará de cómo nos vamos a librar de Norbert.

Harry y Hermione no tuvieron tiempo de contestarle. Apareció Madam Pomfrey y los hizo salir, diciendo que Ron necesitaba dormir.

—Es muy tarde para cambiar los planes —dijo Harry a Hermione—. No tenemos tiempo de enviar a Charlie otra lechuza y esta puede ser nuestra única oportunidad para librarnos de Norbert. Tendremos que arriesgarnos. Y tenemos la capa invisible y Malfoy no lo sabe.

Encontraron a Fang, el perro cazador de jabalíes, sentado afuera, con la cola vendada, cuando fueron a avisarle a Hagrid, que les habló a través de la ventana.

—No los hago entrar —jadeó— porque Norbert está un poco molesto... nada que yo no pueda manejar.

Cuando le contaron lo que decía Charlie, se le llenaron los ojos de lágrimas, aunque tal vez fuera porque Norbert acaba de morderle la pierna.

—¡Aaay! está bien, sólo atrapó mi bota... está jugando... después de todo es sólo un bebé.

El bebé golpeó la pared con su cola, haciendo temblar las ventanas. Harry y Hermione regresaron al castillo con la sensación de que el sábado no llegaría lo bastante rápido.

Tendrían que haber sentido pena por Hagrid cuando llegó el momento de la despedida a Norbert, si no hubieran estado tan preocupados por lo que tenían que hacer. Era una noche oscura y llena de nubes y llegaron un poquito tarde a la cabaña de Hagrid, porque tuvieron que esperar a que Peeves saliera del hall de entrada, donde jugaba tenis contra las paredes.

Hagrid tenía a Norbert listo y encerrado en una gran jaula.

—Tiene cantidades de ratas y algo de brandy para el viaje —dijo Hagrid con voz suave—. Y le puse su osito de felpa por si se siente solitario.

Del interior de la jaula les llegaban unos sonidos que hicieron pensar a Harry que le estaba arrancando la cabeza al osito.

—¡Adiós, Norbert! —sollozó Hagrid, mientras Harry y Hermione cubrían la jaula con la capa invisible y se ocultaban ellos también—. ¡Mamita nunca te olvidará!

Cómo se las arreglaron para subir la jaula hasta el castillo, fue algo que nunca supieron. Casi a la medianoche, subieron la jaula con Norbert por las escaleras de mármol del castillo y siguieron por corredores oscuros. Subieron una escalera, luego otra, ni siquiera uno de los atajos de Harry hizo la tarea más fácil.

—¡Ya casi llegamos! —jadeó Harry, mientras alcanzaban el corredor debajo de la torre más alta.

Entonces, un súbito movimiento por encima de ellos, casi les hace soltar la jaula. Olvidando que eran invisibles, se encogieron en las sombras, contemplando las siluetas oscuras de dos personas que discutían a unos tres metros de ellos. Una lámpara brilló.

La profesora McGonagall, con una bata de género escocés y una redecilla en el pelo, tenía sujeto a Malfoy por la oreja.

—¡Detención! —gritaba—.¡Y veinte puntos menos para Slytherin! Vagando en medio de la noche...¿Cómo se atreve...?

—Usted no entiende, profesora, Harry Potter va a venir ¡trae un dragón!

—¡Qué absurda tontería! ¡Cómo se atreve a decir esas mentiras? ¡Vamos... hablaré de usted con el profesor Snape... vamos, Malfoy!

La escalera de caracol hacia la torre más alta les pareció lo más fácil del mundo después de eso. Sólo cuando salieron al frío aire de la noche, donde se sacaron la capa, felices de poder respirar bien, Hermione dio una especie de salto.

—¡Malfoy está detenido! ¡Podría ponerme a cantar!

—No lo hagas —la previno Harry.

Riéndose de Malfoy, esperaron, con Norbert moviéndose en su jaula. Diez minutos más tarde, cuatro escobas bajaron en la oscuridad.

Los amigos de Charlie eran muy simpáticos. Mostraron a Harry y Hermione los arneses que habían preparado para poder suspender a Norbert entre ellos. Todos ayudaron a colocar a Norbert bien seguro y luego Harry y Hermione estrecharon las manos de los amigos y les agradecieron.

Por fin, Norbert se iba... se iba... *se había ido*.

Bajaron rápidamente por la escalera de caracol, con los corazones tan libres como sus manos, ahora que no llevaban la jaula con Norbert. Sin el dragón, con Malfoy detenido, ¿qué podía estropear su felicidad?

La respuesta los esperaba al pie de la escalera. Cuando entraron en el corredor, el rostro de Filch apareció súbitamente en la oscuridad.

—Bien, bien, bien —susurró— estamos en problemas.

Habían dejado la capa invisible en la torre.

CAPÍTULO QUINCE

El bosque prohibido

Las cosas no podían haber salido peor.

Filch los llevó al despacho de la profesora McGonagall, en el primer piso, donde se sentaron a esperar, sin decir una palabra. Hermione temblaba. Excusas, disculpas y locas historias cruzaban la mente de Harry, cada una más débil que la otra. No podía imaginar cómo se iban a librar del problema esta vez. Estaban atrapados. ¿Cómo podían haber sido tan estúpidos para olvidar la capa? No había razón en el mundo para que la profesora McGonagall aceptara que habían estado vagando durante la noche, para no mencionar la torre más alta de Astronomía, que estaba prohibida, salvo para las clases. Si agregaba a eso a Norbert y la capa invisible, ya podían empezar a hacer las valijas.

¿Harry pensaba que las cosas no podían estar peor? Estaba equivocado. Cuando la profesora McGonagall apareció, traía a Neville.

—¡Harry! —estalló Neville, en cuanto los vio—. Estaba tratando de encontrarte, para prevenirte, oí que Malfoy decía que iba a atraparte, dijo que tenías un drag...

Harry sacudió violentamente la cabeza, para que Neville no hablara más, pero la profesora McGonagall lo vio. Lo miró como si echara fuego igual que Norbert y se irguió, amenazadora, sobre los tres.

—Nunca lo hubiera creído de ninguno de ustedes. El señor Filch dice que estaban en la torre de Astronomía. Es la una de la mañana. *Quiero una explicación.*

Esa fue la primera vez que Hermione, no pudo contestar a una pregunta de un profesor. Miraba fijo sus chinelas, tan rígida como una estatua.

—Creo que tengo idea de lo que sucedió —dijo la profesora McGonagall—. No hace falta ser un genio para descubrirlo. Le inventó una historia a Draco Malfoy sobre un dragón, para hacer que saliera de la cama y se metiera en problemas. Ya lo atrapé. ¿Supongo que le habrá parecido divertido que Longbottom oyera la historia y también la creyera?

Harry captó la mirada de Neville y trató de decirle, sin palabras, que eso no era verdad, porque Neville parecía asombrado y herido. Pobre metepatas Neville; Harry sabía lo que le debía haber costado el buscarlos en la oscuridad, para prevenirlos.

—Estoy disgustada —dijo la profesora McGonagall—. Cuatro alumnos fuera de la cama en una noche. ¡Nunca oí una cosa así! Usted, señorita Granger, pensé que tenía más sentido común. Y en cuanto a usted, señor Potter, creí que Gryffindor significaba más para usted. Los tres van a tener detenciones... sí, usted también señor Longbottom, *nada* le da derecho para dar vueltas por el colegio durante la noche, en especial en estos días, es muy peligroso y se descontarán cincuenta puntos de Gryffindor.

—¿*Cincuenta*? —jadeó Harry... iban a perder el primer puesto, lo que había ganado en el último partido de Quidditch.

—Cincuenta puntos *cada uno* —dijo la profesora McGonagall, resoplando a través de su nariz puntiaguda.

—Profesora... por favor...

"Usted, *usted no*...

—No me diga lo que puedo o no puedo hacer, Potter. Ahora, vuelvan a la cama, todos ustedes. Nunca me sentí tan avergonzada por alumnos de Gryffindor.

Ciento cincuenta puntos perdidos. Eso colocaba a Gryffindor en el último lugar. En una noche, habían arruinado cualquier posibilidad de Gryffindor sobre la copa de la casa. Harry sentía como si le retorcieran el estómago. ¿Cómo iba a poder arreglar eso?

Harry no durmió esa noche. Podía oír el llanto de Neville que duró horas. No se le ocurría qué podía decir para consolarlo. Sabía que Neville, como él mismo, tenía miedo de que amaneciera. ¿Qué sucedería cuando el resto de los de Gryffindor descubrieran lo que ellos habían hecho?

Al principio, los gryffindors que pasaban por el gigantesco reloj de arena que informaba el puntaje de la casa, pensaron que había un error. ¿Cómo iban a tener, súbitamente, ciento cincuenta puntos menos que el día anterior? Y luego, se desparramó la historia: Harry Potter, el famoso Harry Potter, el héroe de dos partidos de Quidditch, les había hecho perder todos esos puntos, él y un par de otros estúpidos de primer año.

De ser una de las personas más populares y admiradas del colegio, Harry súbitamente era el más detestado. Hasta los ravenclaws y hufflepuffs le daban vuelta la cara, porque todos habían deseado ver a Slytherin perdiendo la copa. Por donde Harry pasaba, lo señalaban con el dedo y no se molestaban en bajar la voz para insultarlo. Los de Slytherin, por su parte, lo aplaudían, y lo vivaban, diciendo: "¡Gracias, Potter, te debemos una!".

Sólo Ron lo apoyaba.

—Se olvidarán en unas semanas. Fred y George perdieron puntos muchas veces desde que están aquí y la gente los sigue queriendo.

—¿Pero nunca perdieron ciento cincuenta puntos de una vez, no? —dijo Harry miserablemente.

—Bueno... no —admitió Ron.

Era un poco tarde para reparar los daños, pero Harry se juró que, de ahora en adelante, no se metería en cosas que no eran asunto suyo. Todo había sido por andar averiguando y espiando. Se sentía tan avergonzado, que fue a ver a Wood y le ofreció su renuncia.

—¿*Renunciar?* —rugió Wood—. ¿Qué ganaríamos con eso? ¿Cómo vamos a recuperar puntos si no podemos jugar Quidditch?

Pero hasta el Quidditch había perdido su diversión. El resto del equipo no le hablaba durante la práctica y sí tenían que decirle algo, lo llamaban "el Guardián".

Hermione y Neville también sufrían. No pasaban tantos malos ratos como Harry porque no eran tan conocidos, pero nadie les hablaba. Hermione había dejado de llamar la atención en clase, y se quedaba con la cabeza baja, trabajando en silencio.

Harry casi estaba contento con que se aproximaran los exámenes. Todo lo que tenía que repasar alejaba su mente de sus desgracias. Él, Ron y Hermione se quedaban juntos, trabajando hasta altas horas de la noche, tratando de recordar los ingredientes de complicadas pociones, aprendiendo de memoria hechizos y encantamientos y repitiendo las fechas de descubrimientos mágicos y rebeliones de los gnomos.

Entonces, una semana antes de que empezaran los exámenes, las nuevas resoluciones de Harry, de no interferir en nada que no le concerniera, sufrieron una prueba inesperada. Una tarde que salía solo de la biblioteca, oyó que alguien gemía desde un aula de adelante. Mientras se acercaba, oyó la voz de Quirrell.

—No... no... otra vez no, por favor...

Parecía que alguien lo estaba amenazando. Harry se acercó.

—Muy bien... muy bien —oyó que Quirrell sollozaba.

Al segundo siguiente, Quirrell salió apresuradamente del aula, enderezándose el turbante. Estaba pálido y parecía a punto de llorar. Desapareció de su vista y Harry pensó que ni siquiera lo había visto. Espero hasta que desaparecieron los pasos de Quirrell, entonces espió en el aula. Parecía vacía, pero la puerta del otro extremo estaba entreabierta. Harry estaba a mitad de camino, cuando recordó que se había prometido no meterse en lo que no le correspondía.

Al mismo tiempo, habría apostado doce Piedras Filosofales a que Snape acaba de salir del aula y, por lo que Harry había escuchado, Snape debería tener mejor ánimo... Quirrell parecía haberse rendido finalmente.

Harry regresó a la biblioteca, en donde Hermione estaba tomándole Astronomía a Ron. Harry les contó lo que había oído.

—¡Entonces Snape lo hizo! —dijo Ron—. Si Quirrell le dijo cómo quebrar su encantamiento antiFuerzas Oscuras...

—Pero, todavía queda Fluffy —dijo Hermione.

—Tal vez Snape descubrió cómo pasarlo sin preguntarle a Hagrid —dijo Ron, mirando a los miles de libros que los rodeaban—. Apuesto a que por aquí hay un libro que dice cómo pasar a un perro gigante de tres cabezas. ¿Entonces, qué vamos a hacer, Harry?

La luz de la aventura brillaba otra vez en los ojos de Ron, pero Hermione respondió antes de que Harry lo hiciera.

—Ir a ver a Dumbledore. Eso es lo que debimos hacer hace tiempo. Si intentamos algo por nosotros mismos, con seguridad vamos a perder..

—¡Pero no tenemos *pruebas*! —exclamó Harry—. Quirrell está demasiado atemorizado para respaldarnos. Snape sólo tiene que decir que no sabía cómo el trasgo entró en Halloween y que él no estaba cerca del tercer piso en ese momento. ¿A quien piensan que van a creer, a él o a nosotros? No es exactamente un secreto que lo detestamos. Dumbledore creerá que lo inventamos para hacerlo echar. Filch no nos ayudaría aunque su vida dependiera de ello, es demasiado amigo de Snape y mientras más alumnos pueda echar, mejor para él. Y no se olviden de que se supone que no tenemos que saber nada sobre la Piedra o Fluffy. Serían muchas explicaciones.

Hermione pareció convencida, pero Ron, no.

—Si solamente investigamos un poco...

—No —dijo terminante Harry—, ya investigamos demasiado.

Acercó un mapa de Júpiter a su mesa y comenzó a aprender los nombres de sus lunas.

A la mañana siguiente, llegaron notas para Harry, Hermione y Neville, en la mesa del desayuno. Eran todas iguales.

Su detención tendrá lugar a las once de la noche.
Encuentre al señor Filch en el hall de entrada.
Prof. M. McGonagall

Harry había olvidado que todavía tenían las detenciones, en el furor por los puntos perdidos. De alguna manera esperaba que Hermione se quejara por tener que perder una noche de estudio, pero la jovencita no dijo una palabra. Como Harry, sentía que se merecían lo que les tocaba.

A las once de esa noche, se despidieron de Ron en la sala común y bajaron al hall de entrada con Neville. Filch ya estaba allí y también Malfoy. Harry también había olvidado que Malfoy había recibido una detención.

—Síganme —dijo Filch, encendiendo un farol y conduciéndolos hacia afuera.

—Apuesto a que lo pensarán dos veces antes de faltar a otra regla de la escuela ¿eh? —dijo, mirándolos burlón—. Oh, sí... trabajo duro y dolor son los mejores maestros si me lo preguntan a mí... es una lástima que hayan abandonado los viejos castigos... colgarlos de las muñecas, del techo, por unos pocos días, yo todavía tengo las cadenas en mi oficina, las mantengo bien aceitadas por si alguna vez se necesitan... Bien, allá vamos y no piensen en escapar, porque será peor para ustedes si lo hacen.

Marcharon cruzando el oscuro parque. Neville comenzó a respirar con dificultad. Harry se preguntó cuál sería el castigo que les esperaba. Debía ser algo verdaderamente horrible, o Filch no estaría tan encantado.

La luna brillaba, pero las nubes la tapaban, dejándolos en la oscuridad. Adelante, Harry pudo ver las ventanas iluminadas de la cabaña de Hagrid. Entonces oyeron un grito lejano.

—¿Eres tú, Filch? Apúrate, quiero empezar de una vez.

El corazón de Harry se animó; si iban a estar con Hagrid, no podía ser tan malo. Su alivio debió aparecer en su cara, porque Filch dijo:

—Supongo que cree que va a divertirse con ese papanata, ¿no? Bueno, piénselo mejor, muchacho... es al bosque a donde irán y me voy a equivocar mucho si todos vuelven enteros.

Al oír eso, Neville dejó escapar un gemido y Malfoy se detuvo de golpe.

—¿El bosque? —repitió y no parecía tan indiferente como de costumbre—. hay toda clase de cosas allí... dicen que hay hombres-lobo.

Neville se aferró de la manga de la túnica de Harry y dejó escapar un sonido ahogado.

—¿Ese es asunto de ustedes, no? —dijo Filch, con voz radiante—. Tendrían que haber pensado en los hombres-lobo antes de meterse en problemas, ¿no?

Hagrid se acercó hacia ellos, con Fang pegado a los talones. Traía una gran ballesta y un carcaj con flechas en la espalda.

—Ya era tiempo —dijo—. Estoy esperando hace media hora. ¿Todo bien, Harry, Hermione?

—Yo no sería tan amistoso con ellos, Hagrid —dijo con frialdad Filch—, después de todo, están aquí por un castigo.

—¿Es por eso que llegan tarde, no? —dijo Hagrid, mirando ceñudo a Filch—. ¿Dándoles sermones, no? Eso no es lo que tienes que hacer. A partir de ahora, me hago cargo yo.

—Estaré de vuelta al amanecer —dijo Filch— para buscar lo que quede de ellos —agregó con malignidad y se dio vuelta y se encaminó hacia el castillo, agitando el farol en la oscuridad.

Entonces Malfoy se volvió hacia Hagrid.

—No voy a ir a ese bosque —dijo y Harry tuvo el gusto de notar miedo en su voz.

—Lo harás, si quieres quedarte en Hogwarts —dijo Hagrid con severidad—. Hicieron algo mal y ahora lo van a pagar.

—Pero eso es para los sirvientes, no para los alumnos. Yo pensé que nos harían escribir unas líneas, o algo así. Si mi padre sabe que voy a hacer esto, él...

—Te dirá que es así como se hace en Hogwarts —gruñó Hagrid—. ¡Escribir unas líneas! ¿Y a quién le serviría eso? Harán algo que sea útil o se irán. Si crees que tu padre prefiere que te expulsen, entonces regresa al castillo y junta tus cosas. ¡Vete!

Malfoy no se movió. Miró furioso a Hagrid, pero luego bajó la mirada.

—Bien, entonces —dijo Hagrid— escuchen con cuidado, porque lo que vamos a hacer esta noche es peligroso y no quiero que ninguno se arriesgue. Síganme por aquí, por un momento.

Los condujo hasta el límite del bosque. Levantando su farol, señaló hacia un angosto sendero de tierra, que desaparecía entre los espesos árboles negros. Una suave brisa les levantó el cabello, mientras miraban en dirección al bosque.

—Miren allá —dijo Hagrid— ¿ven eso brillando en la tierra? ¿Eso plateado? Eso es sangre de unicornio. Hay por aquí un unicornio que ha sido malherido por alguien. Es la segunda vez en una semana. Encontré uno muerto el último miércoles. Vamos a tratar de encontrar a ese pobrecito herido. Tal vez tengamos que evitar que siga sufriendo.

—¿Y qué sucede si el que hirió al unicornio nos encuentra a nosotros primero? —dijo Malfoy, incapaz de ocultar el miedo de su voz.

—No hay nada que viva en el bosque que los pueda herir si están conmigo o con Fang —dijo Hagrid—. Y siguen el sendero. Ahora vamos a dividirnos en dos equipos y seguiremos la huella en distintas direcciones. Hay sangre por todo el lugar, debe haber estado herido, al menos, desde la noche anterior.

—Yo quiero ir con Fang —dijo rápidamente Malfoy, mirando los largos colmillos del perro.

—Muy bien, pero te prevengo que es un cobarde —dijo Hagrid—. Entonces yo, Harry y Hermione iremos por un lado y Draco, Neville y Fang, por el otro. Ahora, si alguno de nosotros encuentra al unicornio, debe enviar chispas verdes, ¿de acuerdo? Saquen sus varillas y practiquen ahora... está bien... y si alguno tiene problemas, las chispas serán rojas y nos juntaremos todos... así que tengan cuidado... en marcha.

El bosque estaba oscuro y silencioso. Después de andar un poco, encontraron que el sendero se bifurcaba; Harry, Hermione y Hagrid fueron hacia la izquierda y Malfoy, Neville y Fang tomaron hacia la derecha.

Caminaron en silencio, con la vista clavada en el suelo. Cada tanto, un rayo de luna a través de las ramas iluminaba una mancha de sangre azul plateada entre las hojas caídas.

Harry vio que Hagrid parecía muy preocupado.

—¿Podría ser un hombre-lobo el que mata los unicornios? —preguntó Harry.

—No son bastante rápidos —dijo Hagrid—. No es tan fácil cazar un unicornio, son criaturas poderosamente mágicas. Nunca supe que hubieran lastimado antes a ninguno.

Pasaron por un tocón con musgo. Harry podía oír el agua que corría, debía de haber un arroyo cerca. Todavía había manchas de sangre de unicornio desparramadas por el serpenteante sendero.

—¿Estás bien, Hermione? —susurró Hagrid—. No te preocupes, no puede estar muy lejos si está tan malherido y entonces podremos... ¡PÓNGANSE DETRÁS DE ESE ÁRBOL!

Hagrid tomó a Harry y Hermione y los arrastró fuera del sendero, detrás de un corpulento roble. sacó una flecha y la colocó en su ballesta, levantándola, lista para disparar. Los tres escucharon. Alguien se deslizaba sobre las hojas secas . Parecía como una capa arrastrada por el suelo. Hagrid miraba hacia el sendero oscuro, pero después de unos pocos segundos, el sonido se alejó.

—Lo sabía —murmuró—. Hay alguien aquí que no debería estar.

—¿Un hombre-lobo? —sugirió Harry.

—Eso no era un hombre-lobo, ni tampoco un unicornio —dijo Hagrid con gesto sombrío—. Bien, síganme, pero tengan cuidado.

Caminaron más lentamente, atentos a cualquier ruido. De pronto, en un claro un poco más adelante, algo decididamente se movió.

—¿Quién está allí? —gritó Hagrid—. ¡Hágase ver... estoy armado!

Y apareció en el claro... ¿era un hombre o un caballo? De la cintura para arriba, un hombre, con pelo y barba rojizos, pero por debajo, el cuerpo de pelaje zaino de un caballo, con una cola larga y rojiza. Harry y Hermione se quedaron boquiabiertos.

—Oh, eres tú, Ronan —dijo aliviado Hagrid—. ¿Cómo estás?

Se acercó y estrechó la mano del centauro.

—Que tengas buenas noches, Hagrid —dijo Ronan. Tenía una voz profunda y acongojada.—¿Ibas a dispararme?

—Nunca se es demasiado cuidadoso —dijo Hagrid, palmeando su ballesta—. Hay alguien muy malo, perdido en este bosque. Ah y este es Harry Potter y ella es Hermione Granger. Ambos son alumnos del colegio. Y para ustedes, él es Ronan. Es un centauro.

—Nos dimos cuenta —dijo débilmente Hermione.

—Buenas noches —los saludó Ronan—. ¿Estudiantes, no? ¿Y aprenden mucho en el colegio?

—Eh...

—Un poquito —dijo con timidez Hermione.

—Un poquito. Bueno, eso es algo —Ronan suspiró. Torció la cabeza y miró hacia el cielo. —Esta noche, Marte está brillante.

—Ajá —dijo Hagrid, lanzando una mirada—. Escucha, me

210

alegro de haberte encontrado, Ronan, porque hay un unicornio herido ¿has visto algo?

Ronan no respondió de inmediato. Se quedó con la mirada clavada en el cielo, sin pestañear y suspiró otra vez.

—Siempre los inocentes son las primeras víctimas —dijo—. Ha sido así durante los siglos pasados y lo es ahora.

—Sí —dijo Hagrid—. ¿Pero has visto algo, Ronan? ¿Algo desacostumbrado?

—Marte brilla mucho esta noche —repitió Ronan, mientras Hagrid lo miraba con impaciencia—. Inusualmente brillante.

—Sí, claro, pero yo me refería a algo inusual, un poco más cerca de nosotros —dijo Hagrid—.¿Entonces, no has visto nada extraño?

Otra vez, Ronan se tomó su tiempo para contestar. Hasta que finalmente, dijo:

—El bosque esconde muchos secretos.

Un movimiento en los árboles detrás de Ronan, hizo que Hagrid levantara de nuevo su ballesta, pero era sólo un segundo centauro, de cabelló y cuerpo negro y con aspecto más salvaje que Ronan.

—Hola, Bane —saludó Hagrid—. ¿Estás bien?

—Buenas noches, Hagrid, espero que estés bien.

—Bastante bien. Mira, le estaba preguntando a Ronan si habían visto algo extraño ultimamente. Hirieron a un unicornio ¿sabes algo sobre eso?

Bane se acercó a Ronan. Miró hacia el cielo.

—Esta noche Marte brilla mucho —dijo simplemente.

—Eso dicen —dijo Hagrid de malhumor—. Bueno, si alguno de ustedes ve algo, me avisan, ¿sí? Bueno, nosotros nos vamos.

Harry y Hermione lo siguieron, saliendo del claro, mirando por sobre el hombro a Ronan y Bane, hasta que los árboles los taparon.

—Nunca —dijo irritado Hagrid— traten de obtener una respuesta directa de un centauro. Son unos malditos astrólogos. No se interesan en nada que esté más cerca que la Luna.

—¿Y hay muchos de *ellos* aquí? —preguntó Hermione.

—Oh, unos pocos más... Se mantienen entre ellos la mayor parte del tiempo, pero son buenos para aparecer si quiero hablar con ellos. Los centauros tienen una mente profunda... saben cosas... pero no dicen mucho.

—¿Crees que era un centauro el que oímos antes? —dijo Harry.

—¿Te pareció que era ruido de cascos? No, si me preguntas, era eso que está matando a los unicornios... nunca oí algo así antes.

Caminaron a través de los árboles oscuros y tupidos. Harry seguía mirando por sobre su hombro, con nerviosidad. Tenía la desagradable sensación de que los vigilaban. Estaba muy contento de que Hagrid y su ballesta fueran con ellos. Acababan de pasar una curva en el sendero, cuando Hermione se aferró al brazo de Hagrid.

—¡Hagrid! ¡Mira! ¡Chispas rojas, los otros tienen problemas!

—¡Ustedes esperen aquí! —gritó Hagrid—. ¡Quédense en el sendero, volveré a buscarlos!

Lo oyeron alejarse y se miraron uno al otro, muy asustados, hasta que ya no oyeron más que las hojas que se movían alrededor.

—¿Crees que les habrá pasado algo? —susurró Hermione.

—No me importa si le pasó algo a Malfoy, pero si le sucede algo a Neville... es por culpa nuestra que él está aquí.

Los minutos pasaban lentamente. Les parecía que sus oídos eran más agudos que nunca. Harry detectaba cada ráfaga de viento, cada ramita que se quebraba... ¿Qué estaba sucediendo? ¿Dónde estaban los otros?

Por fin, un ruido de pisadas crujientes les anunció el regreso de Hagrid. Malfoy, Neville y Fang estaban con él. Hagrid estaba furioso. Malfoy se había escondido detrás de Neville y, en broma, lo había agarrado. Neville se aterró y envió las chispas.

—Vamos a necesitar suerte para encontrar algo, después del alboroto que hicieron. Bueno, ahora voy a cambiar los grupos... Neville, tú te quedas conmigo y Hermione, Harry tú vas con Fang y este idiota. Lo siento —agregó en un susurro a Harry— pero a él le va a costar mucho asustarte y tenemos que terminar con esto.

Así que Harry se internó en el corazón del bosque, con Malfoy y Fang. Caminaron cerca de media hora, internándose cada vez más profundamente, hasta que el sendero se volvió casi imposible de seguir, porque los árboles eran muy gruesos. Harry pensó que la sangre también parecía más espesa. Había manchas en las raíces de los árboles, como si la pobre criatura se hubiera arrastrado en su dolor. Harry pudo ver un claro, más adelante, a través de las enmarañadas ramas de un viejo roble.

—Mira... —murmuró, levantando un brazo para detener a Malfoy.

Algo de un blanco brillante relucía en la tierra. Se acercaron más.

Sí, era el unicornio y estaba muerto. Harry nunca había visto nada tan hermoso y tan triste. Sus largas patas delgadas estaban extendidas en ángulos extraños por su caída y su melena color blanco perla estaba desparramada sobre las hojas oscuras.

Harry había dado un paso hacia el unicornio, cuando un sonido de algo que se deslizaba lo hizo congelarse en donde estaba. Un arbusto en el borde del claro se agitó. .. Entonces, de entre las sombras, una figura encapuchada se acercó gateando, como una bestia al acecho. Harry, Malfoy y Fang permanecieron paralizados. La figura encapuchada llegó hasta el unicornio, bajó la cabeza sobre la herida del animal, y comenzó a beber su sangre.

—¡Aaaaaaaaaaaaaahhhh!

Malfoy dejó escapar un terrible grito y huyó... lo mismo que Fang. La figura encapuchada levantó la cabeza y miró directamente a Harry... la sangre del unicornio le chorreaba por el pecho. Se puso de pie y se acercó rápidamente hacia él... Harry no podía moverse por el miedo.

Entonces, un dolor le perforó la cabeza, algo que nunca había sentido antes, era como si la cicatriz estuviera incendiándose, casi sin poder ver, retrocedió. Oyó cascos galopando a sus espaldas y algo saltó limpiamente y atacó a la figura.

El dolor en la cabeza era tan fuerte que Harry cayó de rodillas. Tardó un par de minutos en calmarse. Cuando levantó la vista, la figura se había ido. Un centauro estaba ante él, no era ni Ronan ni Bane, éste parecía más joven, tenía cabello rubio muy claro y cuerpo mariposa.

—¿Estás bien? —dijo el centauro, haciéndole ponerse de pie.

—Sí... gracias... ¿qué fue eso?

El centauro no contestó. Tenía ojos asombrosamente azules, como pálidos zafiros. Observó a Harry con cuidado, fijando la mirada en la cicatriz, que se veía amoratada en la frente de Harry.

—Tú eres el chico Potter —dijo—. Es mejor que regreses con Hagrid. El bosque no es seguro en esta época... en especial para ti. ¿Puedes cabalgar? Así será más rápido.

"Mi nombre es Firenze —agregó, mientras bajaba sus patas delanteras, para que Harry pudiera montar en su lomo.

Del otro lado del claro llegó un súbito ruido de cascos al galope. Ronan y Bane aparecieron velozmente entre los árboles, resoplando y con los flancos sudados.

—¡Firenze! —rugió Bane—¿Qué estás haciendo? ¡Tienes un humano sobre el lomo! ¿No tienes vergüenza? ¿Eres una mula ordinaria?

—¿Te das cuenta de quién es? —dijo Firenze—. Es el chico Potter. Mientras más rápido se vaya del bosque, mejor.

—¿Qué le has estado diciendo? —gruñó Bane—. Recuerda, Firenze, juramos no oponernos a los cielos. ¿No has leído en el movimiento de los planetas lo que va a suceder?

Ronan pateó el suelo con nerviosidad.

—Estoy seguro de que Firenze pensó que estaba actuando lo mejor posible —dijo, con voz sombría.

Bane pateó enojado.

—¡Lo mejor posible! ¿Qué tiene eso que ver con nosotros? ¡Los centauros deben ocuparse de lo que está vaticinado! ¡No es asunto nuestro el andar como burros buscando humanos extraviados en nuestro bosque!

De pronto, Firenze levantó las patas con furia y Harry tuvo que aferrarse para no caer.

—¿No viste ese unicornio? —aulló Firenze a Bane—. ¿No comprendes por qué lo mataron? ¿O los planetas no te dejaron saber ese secreto? Yo me lanzaré contra el que está al acecho en este bosque, con humanos encima si tengo que hacerlo.

Y Firenze partió rápidamente, con Harry sujetándose lo mejor que podía y dejando atrás a Ronan y Bene, internándose entre los árboles.

Harry no entendía lo sucedido.

214

—¿Por qué está tan enojado Bane? —preguntó—. Y a propósito, ¿qué era esa cosa de la que me salvaste?

Firenze aminoró la marcha y previno a Harry que mantuviera la cabeza baja, por las ramas, pero no contestó nada. Siguieron al paso, entre los árboles y en silencio, durante tanto tiempo, que Harry creyó que Firenze no volvería a hablarle. Sin embargo, cuando llegaron a un lugar particularmente tupido, Firenze se detuvo.

—Harry Potter, ¿sabes para qué se usa la sangre de unicornio?

—No —dijo Harry, asombrado por la extraña pregunta—. Para pociones solamente usamos cuernos y pelo de la cola de unicornio.

—Eso es porque matar un unicornio, es algo monstruoso —dijo Firenze—. Sólo alguien que no tenga nada que perder y todo para ganar puede cometer semejante crimen. La sangre de unicornio te mantiene con vida, aun si estás al borde de la muerte, pero a un precio terrible. Si uno mata algo puro e indefenso para salvarse a sí mismo, conseguirá media vida, una vida maldita, desde el momento en que la sangre toque sus labios.

Harry clavó la mirada en la nuca de Firenze, que parecía de plata a la luz de la luna.

—¿Pero quién estaría tan desesperado? —se preguntó en voz alta—. Si te van a maldecir para siempre, ¿la muerte es mejor, no?

—Es así —estuvo de acuerdo Firenze— a menos que todo lo que necesites sea mantenerte vivo el tiempo suficiente para beber algo más —algo que te devuelva toda tu fuerza y poder— algo que haga que nunca mueras. ¿Señor Potter, sabe qué está escondido en el colegio en este preciso momento?

—¡La Piedra Filosofal! ¡Por supuesto... el Elixir de Vida! Pero no entiendo quién...

—¿No puedes pensar en nadie que haya esperado muchos años para regresar al poder, que está aferrado a la vida, esperando por su oportunidad?

Fue como si un puño de hierro cayera súbitamente sobre la cabeza de Harry. Por sobre el ruido del follaje, le pareció oír una vez más lo que Hagrid le había dicho la noche en que se conocieron: "Algunos dicen que murió. En mi opinión, son tonterías. No sé si le queda bastante de humano, como para morir."

—¿Quieres decir —dijo con voz ronca Harry— que era Vol...?

—¡Harry! ¡Harry, estás bien?

Hermione corría hacia ellos por el sendero, con Hagrid resoplando detrás.

—Estoy bien —dijo Harry, casi sin saber lo que contestaba—. El unicornio está muerto, Hagrid, está en ese claro de atrás.

—Aquí es donde te dejo —murmuró Firenze, mientras Hagrid corría a examinar el unicornio—. Ahora estás a salvo.

Harry se deslizó de su lomo.

—Buena suerte, Harry Potter —dijo Firenze—. Los planetas ya se han leído antes, equivocadamente, aun por centauros. Espero que esta sea una de esas veces.

Se volvió y se internó en lo más profundo del bosque, dejando a Harry temblando.

Ron se había quedado dormido en la oscuridad de la sala común, esperando que regresaran. Cuando Harry lo sacudió para despertarlo, gritó algo sobre un foul en Quidditch. Sin embargo, en unos segundos, estaba con los ojos bien abiertos, mientras Harry les contaba, a él y a Hermione, lo que había sucedido en el bosque.

Harry no podía sentarse. Se paseaba de un lado al otro, ante la chimenea. Todavía temblaba

—Snape quiere la piedra para Voldemort... y Voldemort está esperando en el bosque... y todo el tiempo, pensamos que Snape sólo quería ser rico...

—¡Deja de decir el nombre! —dijo Ron, en un aterrorizado susurro, como si pensara que Voldemort pudiera oírlos.

Harry no lo oyó.

—Firenze me salvó, pero no debía haberlo hecho ... Bane estaba furioso... hablaba de interferir con lo que los planetas dicen que va a suceder... Deben decir que Voldemort está de regreso... Bane piensa que Firenze debió dejar que Voldemort me matara... supongo que eso también está escrito en las estrellas,

—*¿Quieres dejar de repetir el nombre ?* —siseó Ron.

—Así que todo lo que tengo que esperar es que Snape robe la Piedra —continuó febrilmente Harry— entonces Voldemort será capaz de venir y terminar conmigo... Bueno, supongo que Bane estará feliz.

Hermione parecía muy asustada, pero tuvo una palabra de consuelo.

—Harry, todos dicen que Dumbledore es al único al que Ya-Sabes-Quién siempre ha temido. Con Dumbledore por aquí, Ya-Sabes-Quién no te tocará. De todos modos, ¿quién dijo que los centauros tienen razón? A mí me suena como adivinos y la profesora McGonagall dice que es una rama de la magia muy inexacta.

El cielo ya estaba claro, cuando terminaron de hablar. Se fueron a la cama agotados, con las gargantas secas. Pero las sorpresas de esa noche no habían terminado.

Cuando Harry levantó las sábanas, encontró su capa invisible, prolijamente doblada. Tenía sujeta una nota:

Por las dudas.

Capítulo dieciséis

A través de la puerta-trampa

En años venideros, Harry nunca pudo recordar cómo se las había arreglado para dar sus exámenes, cuando una parte de él esperaba que Voldemort entrara en cualquier momento por la puerta. Sin embargo, los días pasaban y no había dudas de que Fluffy seguía bien y con vida, detrás de la puerta cerrada.

Hacía mucho calor, en especial en el aula grande donde daban los exámenes escritos. Les habían entregado plumas nuevas, especiales, que habían sido hechizadas con un encantamiento antitrampa.

También tenían exámenes prácticos. El profesor Flitwick los llamó uno a uno al aula, para ver si podían hacer que una piña bailara tap encima del escritorio. La profesora McGonagall los observó convertir un ratón en una caja de rapé, ganaban puntos las cajas más lindas, pero se los sacaban si tenían bigotes. Snape los puso nerviosos a todos, respirando sobre sus nucas, mientras trataban de recordar cómo hacer una poción para Olvidar.

Harry hizo todo lo mejor que pudo, tratando de ignorar las puntadas en su frente, un dolor que lo molestaba desde la noche en el bosque. Neville pensaba que Harry era un caso grave de nervios de examen, porque no podía dormir; pero la verdad era Harry se despertaba por su vieja pesadilla, que ahora era peor, porque estaba la figura encapuchada chorreando sangre.

Tal vez porque ellos no habían visto lo que Harry vio en

218

el bosque, o porque no tenían cicatrices ardientes en sus frentes, pero Ron y Hermione no parecían tan preocupados por la Piedra como Harry. La idea de Voldemort por cierto que los atemorizaba, pero no los visitaba en sueños y estaban tan ocupados repasando, que no les quedaba tiempo para inquietarse por lo que Snape o algún otro, estuvieran tramando.

El último examen era Historia de la Magia. Una hora respondiendo preguntas sobre viejos magos chiflados que habían inventado calderos que se autorrevolvían y estarían libres, libres por toda una maravillosa semana, hasta que recibieran los resultados de los exámenes. Cuando el fantasma del profesor Binns les dijo que dejaran sus plumas y enrollaran sus pergaminos, Harry no pudo dejar de alegrarse con el resto.

—Esto era mucho más fácil de lo que pensé —dijo Hermione, cuando se reunieron con los demás en el parque soleado—. No necesitaba haber estudiado el Código de Conducta de los Hombres-lobo de 1637 o el levantamiento de Elfric el Ansioso.

A Hermione siempre le gustaba volver a revisar los exámenes, pero Ron dijo que iba a descomponerse, así que se fueron hacia el lago y se dejaron caer bajo un árbol. Los mellizos Weasley y Lee Jordan se dedicaban a pinchar los tentáculos de un calamar gigante que tomaba sol en la orilla.

—Basta de repasos —suspiró feliz Ron, estirándose en la hierba—. Puedes alegrarte un poco, Harry, tenemos una semana antes de enterarnos de cómo nos fue de mal, no hace falta preocuparse ahora.

Harry se frotaba la frente.

—¡Me gustaría saber qué *significa* esto! —estalló enojado—. Mi cicatriz sigue doliéndome, me ha sucedido antes, pero nunca tan seguido como ahora.

—Ve a ver a Madam Pomfrey —sugirió Hermione.

—No estoy enfermo —dijo Harry—. Creo que es un aviso... significa que se acerca el peligro...

Ron no podía agitarse, hacía demasiado calor.

—Harry, relájate, Hermione tiene razón, la Piedra está segura mientras Dumbledore esté aquí. De todos modos, nunca tuvimos pruebas de que Snape descubriera cómo pasar a Fluffy. Casi le arrancó la pierna una vez, no va a intentarlo de nuevo. Y Neville jugará Quidditch para Inglaterra antes de que Hagrid traicione a Dumbledore.

Harry asintió, pero no pudo evitar la furtiva sensación de que se había olvidado de hacer algo, algo importante. Cuando trató de explicarlo, Hermione dijo:

—Eso son los exámenes. Yo me desperté anoche y estaba por mirar mis apuntes de Transformación, cuando me acordé de que ya habíamos dado ese examen.

Pero Harry estaba seguro de que esa sensación inquietante nada tenía que ver con los examenes. Observó a una lechuza que volaba hacia el colegio, por el brillante cielo azul, con una nota en el pico. Hagrid era el único que le había enviado cartas. Hagrid nunca traicionaría a Dumbledore. Hagrid nunca le diría a nadie como pasar a Fluffy... nunca... pero...

Harry, súbitamente se puso de pie de un salto.

—¿A dónde vas? —preguntó soñoliento Ron.

—Acabo de pensar en algo —dijo Harry. Se había puesto pálido. —Tenemos que ir a ver a Hagrid, ahora.

—¿Por qué? —suspiró Hermione, levantándose.

—¿No les parece un poco raro —dijo Harry, trepando por la colina cubierta de hierba— que lo que más deseaba Hagrid era un dragón y aparece un desconocido que casualmente tenía un huevo en el bolsillo? ¿Cuánta gente anda por allí con huevos de dragón, que están prohibidos por la ley de magos? Qué suerte tuvo al encontrar a Hagrid, ¿no les parece? ¿Por qué no lo pensé antes?

—¿En qué estás pensando? —preguntó Ron, pero Harry se apresuró por los terrenos que iban hacia el bosque, sin contestarle.

Hagrid estaba sentado en sillón, fuera de la casa, con los pantalones y las mangas de la camisa arremangados y limpiaba arvejas en un gran recipiente.

—Hola —dijo sonriente—. ¿Terminaron los exámenes? ¿Tienen tiempo para beber algo?

—Sí, por favor —dijo Ron, pero Harry lo interrumpió.

—No, tenemos prisa, Hagri, pero tengo que preguntarte algo ¿Te acuerdas de la noche que ganaste a Norbert? ¿Cómo era el desconocido con el que jugaste a las cartas?

...No lo sé —dijo Hagrid sin darle importancia—, no se quitó la capa.

Vio que los tres chicos lo miraban asombrados y levantó las cejas.

—No es tan inusual, hay un montón de gente rara en el Cabeza de Puerco, es el pub de la aldea. Podría ser un traficante de dragones, ¿no? Nunca le vi la cara, porque no se sacó la capucha.

Harry se dejó caer cerca del recipiente con arvejas.

—¿De qué hablaste con él, Hagrid? ¿Le mencionaste a Hogwarts?

—Puede ser —dijo Hagrid, con rostro ceñudo, tratando de recordar—. Sí... me preguntó qué hacía y le dije que era guardabosques aquí... Me preguntó sobre las criaturas que cuidaba... y le dije y le conté que siempre había querido tener un dragón... y luego... no puedo recordar bien, porque me invitó a muchos tragos. Déjame ver, ah sí, me dijo que tenía el huevo de dragón y podía jugarlo a las cartas si yo quería... pero que tenía que estar seguro de que iba a poder manejarlo, no quería dejarlo en cualquier lado... Así que le dije que, después de Fluffy, un dragón era algo fácil.

—¿Y él... pareció interesado en Fluffy? —preguntó Harry, tratando de conservar la calma.

—Bueno... sí... me preguntó cuántos perros con tres cabezas conocía. Entonces le dije que Fluffy era buenísimo si uno sabía calmarlo, tocando música se dormía enseguida...

De pronto Hagrid pareció horrorizado.

—¡No debí decir eso! —estalló—. ¡Olviden que lo dije! Eh... ¿a dónde van?

Harry, Ron y Hermione no se hablaron hasta llegar al hall de entrada, que parecía frío y sombrío, después de haber estado en el parque.

—Tenemos que ir a ver a Dumbledore —dijo Harry—. Hagrid le dijo al desconocido cómo pasar a Fluffy y ese era o Snape, o Valdemort debajo de la capa... no fue difícil, después de emborrachar a Hagrid. Sólo epero que Dumbledore nos crea. Firenze nos respaldará, si Bane no lo detiene. ¿Dónde está el despacho de Dumbledore?

Miraron alrededor, como si esperaran que alguna señal se lo indicara. Nunca les habían dicho dónde vivía Dumbledore, ni sabían de nadie a quien hubieran enviado a verlo.

—Vamos a tener que... —empezó a decir Harry, pero súbitamente una voz cruzó el hall.

—¿Qué están haciendo los tres adentro?

Era la profesora McGonagall, con una gran pila de libros.

—Queremos ver al profesor Dumbledore —dijo Hermione con valentía, según les pareció a Ron y Harry.

—¿Ver al profesor Dumbledore? —repitió la profesora, como si pensara que era algo inverosímil—. ¿Por qué?

Harry tragó, ¿y ahora qué?

—Es algo secreto —dijo, pero de inmdiato deseó no haberlo hecho, porque la profesora McGonagall se enojó.

—El profesor Dumbledore se fue hace diez minutos —dijo con frialdad—. Recibió una lechuza urgente del ministro de Magia y salió volando para Londres de inmediato.

—¿Se fue? —dijo Harry enloquecido— *¿Ahora?*

—El profesor Dumbledore es un mago muy importante, Potter, tiene muchos compromisos...

—Pero esto es importante.

—¿Algo que usted tiene que decir es más importante que el ministro de Magia, Potter?

—Mire —dijo Harry, dejando de lado toda precaución— profesora, se trata de la Piedra Filosofal...

Fue evidente que la profesora McGonagall no esperaba eso. Los libros que llevaba se deslizaron al suelo y no se molestó en recogerlos.

—¿Cómo es que sabe...? —farfulló.

—Profesora, creo... *sé* ... que Sna... que alguien va a tratar de robar la Piedra. Tengo que hablar con el profesor Dumbledore.

La profesora lo observó con una mezcla de impresión y sospecha.

—El profesor Dumbledore regresará mañana —dijo finalmente—. No sé cómo descubrieron lo de la Piedra, pero quédense tranquilos, nadie puede robarla, está demasiado bien protegida.

—Pero, profesora...

—Potter, sé de lo que estoy hablando —dijo cortante. Se inclinó y juntó sus libros. —Les sugiero que salgan y disfruten del sol.

Pero no lo hicieron.

—Será esta noche —dijo Harry, una vez que se aseguraron de que la profesora McGonagall no podía oírlos—. Snape pasará por la puerta-trampa esta noche. Ya descubrió todo lo que necesitaba saber y ahora consiguió sacar del camino a Dumbledore. Él envió esa nota, apuesto a que el ministro de Magia va a tener una verdadera sorpresa cuando aparezca Dumbledore.

—Pero qué podemos...

Hermione tosió. Harry y Ron se volvieron.

Snape estaba allí.

—Buenas tardes —dijo suavemente.

Lo miraron sin decir nada.

—No deberían estar adentro en un día así —dijo con una rara sonrisa torcida.

—Nosotros... —comenzó Harry, sin idea de lo que iba a decir.

—Deben ser más cuidadosos —dijo Snape—. Si los ven andando por aquí, pueden pensar que están por hacer algo malo. Y Gryffindor no puede perder más puntos, ¿no es cierto?

Harry se ruborizó. Se dieron vuelta para irse, pero Snape los llamó.

—Tenga cuidado, Potter, otra noche de vagabundeos y yo personalmente me encargaré de que lo expulsen. Que pase un buen día.

Se alejó en dirección a la sala de profesores.

Una vez afuera, en la escalera de piedra, Harry se volvió a sus amigos.

—Bueno, esto es lo que tenemos que hacer —susurró con prisa—. Uno de nosotros tiene que vigilar a Snape, esperar afuera de la sala de profesores y seguirlo si sale. Hermione, mejor eso lo haces tú.

—¿Por qué yo?

—Es obvio —intervinó Ron—. Puedes fingir que estás esperando al profesor Flitwick, ya sabes cómo —la imitó con voz aguda—: "Oh profesor Flitwick, estoy tan preocupada, creo que tengo mal la pregunta catorce b..."

—Oh, cállate —dijo Hermione, pero estuvo de acuerdo en ir a vigilar a Snape.

—Y nosotros mejor nos vamos a vigilar el corredor del tercer piso —dijo Harry a Ron —. Vamos.

Pero esa parte del plan no funcionó. Tan pronto como llegaron a la puerta que separaba a Fluffy del resto del colegio, la profesora McGonagall apareció otra vez, salvo que ahora, había perdido la paciencia.

—Supongo que creerán que ustedes son mejores para pasar un montón de encantamientos —dijo furiosa—. ¡Ya son suficientes tonterías! Si llego a saber que han vuelto por aquí, les quitaré otros cincuenta puntos de Gryffindor. ¡Sí, Weasley, de mi propia casa!

Harry y Ron regresaron a la sala común. Justo cuando Harry acababa de decir:"Al menos Hermione está detrás de Snape", cuando el retrato de la Dama Gorda se abrió y apareció Hermione.

—¡Lo siento, Harry! —se quejó—. Snape apareció y me preguntó qué estaba haciendo, así que le dije que esperaba al profesor Fliwick y Snape fue a buscarlo y tuve que irme y no sé adónde habrá ido Snape.

—¿Bueno, entonces es así, no?

Los otros dos lo miraron asombrados. Estaba pálido y los ojos le brillaban.

—Voy a ir esta noche y trataré de llegar antes y conseguir la Piedra.

—¡Estás loco! —dijo Ron.

—¡No puedes! —dijo Hermione—. ¿Después de todo lo que han dicho Snape y McGonagall? ¡Te van a expulsar!

—¿Y QUÉ? —gritó Harry—. ¿No comprenden? ¡Si Snape consigue la Piedra, es la vuelta de Voldemort! ¿No oyeron cómo era cuando él trataba de apoderarse de todo? ¡Ya no habrá ningún colegio para que nos expulsen! ¡Lo destruirá o lo convertirá en un colegio para las Artes Tenebrosas! ¿No se dan cuenta de que perder puntos ya no importa? ¿Creen que él dejará que ustedes y sus familias estén tranquilos, si Gryffindor gana la copa de la casa? Si me atrapan antes de que consiga la Piedra, bueno tendré que volver con los Dursley y esperar a que Voldemort me encuentre allí. Será sólo morir un poquito después de cuando debería haber muerto, porque nunca voy a pasarme del lado Tenebroso. Voy a pasar por esa puerta-trampa esta noche y nada de lo que ustedes digan me detendrá. Voldemort mató a mis padres, ¿lo recuerdan?

Los miró con furia.

—Tienes razón, Harry —dijo Hermione, casi sin voz.

—Voy a usar la capa invisible —dijo Harry—. Es una suerte haberla recuperado.

—¿Pero nos cubrirá a los tres? —preguntó Ron.

—¿A... nosotros tres?

—Oh, vamos ¿no pensarás que te vamos a dejar ir solo?

—Por supuesto que no —dijo con energía Hermione—. ¿Cómo crees que vas a conseguir la Piedra sin nosotros? Será mejor que vaya a buscar en mis libros, tiene que haber algo que nos sirva...

—Pero si nos atrapan, también los expulsarán a ustedes.

—No, si yo puedo evitarlo —dijo Hermione con severidad—. Flitwick me dijo en secreto que en su examen tengo ciento doce sobre cien. No me van a expulsar después de eso.

Después de la cena, los tres se sentaron en la sala común, lejos de todos. Nadie los molestó, después de todo, ninguno de los de Gryffindor hablaba con Harry. Esa fue la primera noche que no se molestó por eso. Hermione revisaba sus apuntes, confiando en encontrar algunos de los encantamientos que deberían conjurar. Harry y Ron no hablaban mucho. Ambos pensaban en lo que iban a hacer,

Poco a poco, la sala se fue vaciando y todos se fueron a acostar.

—Mejor ve a buscar la capa —murmuró Ron, mientras Lee Jordan finalmente se iba, bostezando y desperezándose. Harry corrió por las escaleras a su dormitorio oscuro. Sacó la capa y entonces su mirada se fijó en la flauta que Hagrid le había regalado para Navidad. La guardó para usarla con Fluffy, no tenía muchas ganas de cantar.

Regresó a la sala común.

—Mejor nos ponemos la capa aquí y nos aseguramos de que nos cubra a los tres... si Filtch descubre a uno de nuestros pies andando solos por allí...

—¿Qué van a hacer? —dijo una voz desde un rincón. Neville apareció detrás de un sillón, aferrado a la tortuga

Trevor, quien parecía haber intentado otro viaje a la libertad.

—Nada, Neville, nada —dijo Harry, escondiendo la capa detrás de la espalda.

Neville observó sus caras de culpabilidad.

—Van a salir de nuevo —dijo.

—No, no, no —aseguró Hermione—. No, no haremos nada. ¿Por qué no te vas a la cama, Neville?

Harry miró al reloj de pie al lado de la puerta. No podían perder más tiempo, Snape ya debía de estar haciendo dormir a Fluffy.

—No pueden irse —insistió Neville— los volverán a atrapar. Gryffindor tendrá más problemas.

—Tú no entiendes —dijo Harry— esto es importante.

Pero era evidente que Neville iba a hacer algo desesperado.

—No dejaré que lo hagan —dijo, corriendo a colocarse frente al agujero del retrato—.¡Voy... voy a pelear con ustedes!

—*Neville* —estalló Ron— apártate de ese agujero y no seas idiota...

—¡No me llames idiota! —dijo Neville—. ¡No me parece bien que sigan faltando a las reglas! ¡Y tú fuiste el que me dijo que hiciera frente a la gente!

—Sí, pero no a nosotros —dijo irritado Ron—. Neville, no sabes lo que estás haciendo.

Dio un paso hacia Neville y el chico dejó caer a Trevor, la tortuga, que desapareció de la vista.

—¡Ven entonces, intenta pegarme! —dijo Neville, levantando los puños—. ¡Estoy listo!

Harry se volvió a Hermione.

—*Haz algo* —dijo desesperado.

Hermione dio un paso adelante.

—Neville —dijo— de verdad, siento mucho, mucho, esto.

Levantó la varilla.

—¡*Petrificus Totalus!* —gritó, señalando a Neville.

Los brazos de Neville se pegaron a su cuerpo. Las piernas se juntaron. Todo el cuerpo se le puso rígido, se balanceó y luego cayó de boca, rígido como un tronco.

Hermione corrió a darlo vuelta. Neville tenía la mandíbula rígida y no podía hablar. Sólo sus ojos se movían, mirándolos horrorizado.

—¿Qué le hiciste? —susurró Harry.

—Es la Inmovilización Total —dijo Hermione angustiada—. Oh, Neville, lo siento tanto.

—Lo comprenderás después, Neville —dijo Ron, mientras se alejaban para cubrirse con la capa invisible.

Pero dejar a Neville inmóvil en el piso no parecía un buen augurio. En ese estado de nervios, cada sombra de una estatua les parecía que era Filch, y cada silbido lejano del viento, parecía Peeves persiguiéndolos.

Al pie de la primera escalera, divisaron a la señora Norris.

—Oh, vamos a darle una patada, sólo una vez —murmuró Ron en el oído de Harry, quien sacudió la cabeza. Mientras pasaban con cuidado, alrededor de la gata, esta volvió la cabeza con sus ojos como linternas, pero no los vio.

No se encontraron con nadie más, hasta que llegaron a la escalera que iba al tercer piso. Peeves estaba flotando a mitad de camino, aflojando la alfombra para que la gente tropezara.

—¿Quién anda por allí? —dijo súbitamente, mientras subían hacia él. Entrecerró sus malignos ojos negros.— Sé que están aquí, aunque no pueda verlos. ¿Aparecidos, fantasmas o estudiantitos detestables?

Se elevó en el aire y flotó, mirándolos de soslayo.

—Llamaré a Filch, debo hacerlo, si algo anda por allí y es invisible.

Harry tuvo súbitamente una idea.

—Peeves —dijo en un ronco susurro— el Barón Sangriento tiene sus propias razones para ser invisible.

Peeves casi se cae del aire por la impresión. Se sostuvo a tiempo y quedó a unos centímetros de la escalera.

—Lo siento mucho, su sangrientísima señoría, Barón —dijo meloso—. Fue mi culpa, mi equivocación... no lo vi... por supuesto que no, usted es invisible, perdone al viejo Peeves por su broma, señor.

—Tengo asuntos aquí, Peeves —gruñó Harry—. Mantente lejos de este lugar por esta noche.

—Lo haré, señor, por cierto que lo haré —dijo Peeves, elevándose otra vez en el aire—. Espero que sus asuntos salgan bien, Barón, yo no lo molestaré.

Y desapareció.

—¡*Brillante*, Harry! —susurró Ron.

Unos pocos segundos más tarde, ya estaban allí, afuera del corredor del tercer piso y la puerta ya estaba entreabierta.

—Bueno, ya lo ven —dijo Harry con calma—. Snape ya pasó a Fluffy.

El ver la puerta abierta pareció mostrarles lo que tenían que enfrentar. Por debajo de la capa, Harry se volvió a los otros dos.

—Si quieren regresar, no los voy a culpar —dijo—. Pueden llevarse la capa, no la voy a necesitar.

—No seas estúpido —dijo Ron.

—Vamos contigo —dijo Hermione.

Harry empujó la puerta.

Cuando la puerta crujió, oyeron unos gruñidos. Los tres hocicos del perro olfateaban en dirección a ellos, aunque no podía verlos.

—¿Qué tiene a los pies? —susurró Hermione.

—Parece un arpa —dijo Ron—. Snape debe haberla dejado allí.

—Debe despertarse en el momento en que uno deja de tocar —dijo Harry—. Bueno, empecemos...

Se llevó a los labios la flauta de Hagrid y sopló. No era exactamente una melodía, pero desde la primera nota, los ojos de la bestia comenzaron a cerrarse. Harry casi ni respiraba. Poco a poco, los gruñidos se fueron apagando, se balanceó, cayó de rodillas y luego se derrumbó en el suelo, profundamente dormido.

—Sigue tocando —advirtió Ron a Harry, mientras salía de la capa y se arrastraba hasta la puerta trampa. Podía sentir la respiración caliente y olorosa del perro, mientras se aproximaba a las cabezas del gigante.

—Creo que podemos abrir la puerta-trampa —dijo Ron, espiando por encima del lomo del perro—. ¿Quieres ir primera, Hermione?

—¡No, no quiero!

—Muy bien —Ron apretó los dientes y caminó con cuidado sobre las patas del perro. Se inclinó y tiró de la argolla de la puerta-trampa, que se levantó y abrió.

—¿Qué puedes ver? —preguntó Hermione con ansiedad.

—Nada... sólo oscuridad... no hay forma de bajar, hay que dejarse caer.

Harry, que seguía tocando la flauta, hizo un gesto para llamar la atención de Ron y se señaló a sí mismo.

—¿Quieres ir primero? ¿Estás seguro? —dijo Ron—. No sé cómo es de profundo ese lugar. Dale la flauta a Hermione, para que pueda seguir haciéndolo dormir.

Harry le entregó la flauta y en esos segundos de silencio, el perro gruñó y se estiró, pero en cuanto Hermione comenzó a tocar, volvió a su sueño profundo.

Harry se acercó y miró hacia abajo. No se veía el fondo. Se descolgó por la abertura y se quedó colgando de los dedos. Entonces miró a Ron y dijo:

—Si algo me sucede, no sigan. Vayan directamente a la lechucería y envíen a Hedwig a Dumbledore. ¿De acuerdo?

—De acuerdo —respondió Ron.

—Te veo en un minuto, espero...

Y Harry se dejó caer. Frío, aire húmedo mientras caía, caía, caía y ...

¡PAF! Aterrizó en algo mullido, con un ruido suave y curioso. Se incorporó y miró alrededor, sus ojos desacostumbrados a la penumbra. Parecía que estaba sentado sobre una especie de planta.

—¡Todo bien! —gritó al cuadradito de luz del tamaño de una estampilla, que era la abertura de la puerta-trampa—. ¡Fue un aterrizaje suave, puedes saltar!

Ron lo siguió de inmediato. Aterrizó al lado de Harry.

—¿Qué es esta cosa? —fueron sus primeras palabras.

—No sé, alguna clase de planta. Supongo que está aquí para detener la caída. ¡Vamos, Hermione!

La música lejana se detuvo. Se oyo un fuerte ladrido, pero Hermione ya había saltado. Cayó del otro lado de Harry.

—Debemos estar a kilómetros debajo del colegio —dijo la niña.

—Qué suerte que esta planta está aquí —dijo Ron.

—¡*Suerte*! —chilló Hermione— ¡Mírense!

Hermione saltó y chocó contra una pared húmeda. Tuvo que luchar porque en el momento en que cayó, la planta comenzó a extenderse como una víbora para sujetarle los tobillos. En cuanto a Harry y Ron, ya tenían las piernas firmemente cubiertas, sin que se hubieran dado cuenta.

Hermione pudo liberarse antes de que la planta la atrapara. Ahora miraba horrorizada, mientras los chicos luchaban para sacarse la planta de encima, pero mientras más luchaban, la planta los envolvía con más rapidez.

—¡Dejen de moverse! —ordenó Hermione—. Sé lo que es esto... ¡es Lazo del Diablo!

—Oh, me alegro mucho de saber cómo se llama, es de gran ayuda —gruñó Ron, tratando de evitar que la planta trepara por su cuello.

—¡Calla, estoy tratando de recordar cómo matarla! —dijo Hermione.

—¡Bueno, apúrate, no puedo respirar! —jadeó Harry, mientras la planta le oprimía el pecho.

—Lazo del Diablo, Lazo del Diablo... ¿Qué dijo el profesor Sprout?... le gusta la oscuridad y la humedad...

—¡Entonces enciende un fuego! —tosió Harry.

—Sí... por supuesto... ¡pero no tengo madera! —gimió Hermione, retorciéndose las manos.

—¿TE HAS VUELTO LOCA? —aulló Ron—. ¿ERES UNA BRUJA O NO?

—¡Oh, de acuerdo! —dijo Hermione y agitó su varilla, murmuró algo y envió a la planta unas llamas azules como las que había utilizado con Snape. En segundos, los dos muchachos sintieron que se aflojaban las ligaduras, mientras la planta se retraía, por la luz y el calor. Retorciéndose y alejándose, se desprendió de sus cuerpos y pudieron moverse.

—Qué suerte que aprendiste bien Herbología, Hermione —dijo Harry, mientras se acercaba a la pared, secándose la transpiración de la cara.

—Sí —dijo Ron— y qué suerte que Harry no perdió la cabeza en una crisis. Porque eso de "no hay madera"... francamente...

—Por aquí —dijo Harry, señalando un pasadizo de piedra que era el único camino.

Todo lo que podían oír, además de sus pasos, era el goteo del agua en las paredes. El pasadizo bajaba oblicuamente y Harry se acordó de Gringotts. Con un desagradable sobresalto, recordó a los dragones que decían que cuidaban las bóvedas, en el Banco de los magos. Si encontraban un dragón, un dragón bien crecido... Norbert había sido suficientemente malo...

—¿Puedes oír algo? —susurró Ron.

Harry escuchó. Un suave tintineo y un crujido parecía venir desde arriba.

—¿Crees que sea un fantasma?

—No lo sé... a mí me parecen alas.

Llegaron hasta el final del corredor y vieron ante ellos una habitación brillantemente iluminada, con el techo curvándose sobre ellos. Estaba lleno de pajaritos brillantes que volaban por toda la habitación. En el lado opuesto, había una pesada puerta de madera.

—¿Te parece que nos atacarán si cruzamos la habitación? —preguntó Ron.

—Es probable —contestó Harry—. No parecen muy malos, pero supongo que si se tiran todos juntos... Bueno, no hay nada que hacer... voy a correr.

Respiró profundamente, se cubrió la cara con los brazos y cruzó corriendo la habitación. Esperaba sentir picos agudos y garras desgarrantes en su cuerpo, pero no sucedió nada. Alcanzó la puerta sin que lo tocaran. Movió la manija, pero estaba cerrada con llave.

Los otros dos lo imitaron. Tiraron y empujaron, pero la puerta no se movía, ni siquiera cuando Hermione probó con su hechizo de Alohomora.

—¿Y ahora qué hacemos? —preguntó Ron.

—Esos pájaros... no pueden estar sólo por decoración —dijo Hermione.

Observaron a los pájaros que volaban sobre sus cabezas, brillando *¿brillando?*

—¡No son pájaros! —dijo de pronto Harry—. ¡Son *llaves*! Llaves aladas... miren bien. Entonces eso debe significar... —miró alrededor de la cámara, mientras los otros observaban la bandada de llaves—. Sí... miren. ¡Escobas! ¡Tenemos que atrapar la llave de la puerta!

—¡Pero hay cientos de llaves!

Ron examinó la cerradura de la puerta.

—Tenemos que buscar una llave grande, antigua, probablemente de plata, como la manija.

Cada uno tomó una escoba y de una patada estuvieron en el aire, remontándose entre la nube de llaves. Trataban de atraparlas, pero las llaves hechizadas se movían tan rápidamente, que era casi imposible sujetar a una.

Pero, no por nada Harry era el más joven Buscador del siglo. Tenía un don especial para detectar cosas que otra gente no veía. Después de unos minutos moviéndose entre el remolino de plumas de todos los colores, detectó una gran llave de plata, con un ala torcida, como si ya la hubieran atrapado y la hubieran introducido con brusquedad en la cerradura.

—¡Es esa! —gritó a los otros—. Esa grande... allí... no, allí... Con alas azul brillante... las plumas están aplastadas de un lado.

Ron se lanzó a toda velocidad en esa dirección, chocó contra el techo y casi se cae de la escoba.

—¡Tenemos que encerrarla! —gritó Harry, sin sacar los ojos de la llave con el ala estropeada—. Ron, ven desde arriba, Hermione, quédate debajo y no la dejes descender y yo trataré de atraparla. Bien: ¡AHORA!

Ron se zambulló, Hermione subió en vertical, la llave los esquivó a ambos, y Harry se lanzó tras ella, iban a toda velocidad hacia la pared, Harry se inclinó hacia adelante y con un ruido desagradable, la aplastó contra la piedra con una sola mano. Las vivas de Ron y Hermoine retumbaron por la habitación.

Aterrizaron rápidamente y Harry corrió a la puerta, con la llave retorciéndose en su mano. La colocó en la cerradura y giró... funcionaba. En el momento en que se abrió la cerradura, la llave salió volando otra vez, con aspecto de derrotada, ahora que la habían atrapado dos veces.

—¿Listos? —preguntó Harry a los otros dos, con la mano en la manija de la puerta. Asintieron. Abrió la puerta.

La habitación siguiente estaba tan oscura que no pudieron ver nada. Pero una vez que entraron, la luz súbitamente inundó el lugar, para revelar un espectáculo asombroso.

Estaban en el borde de un enorme tablero de ajedrez, detrás de las piezas negras, que eran todas tan altas como ellos y hechas en lo que parecía piedra negra. Enfrentándolas, del otro lado de la habitación, estaban las piezas blancas.

Harry, Ron y Hermione se estremecieron... las piezas blancas no tenían rostros.

—¿Ahora qué hacemos? —susurró Harry.

—¿Es obvio, no? —dijo Ron—. Tenemos que jugar para cruzar la habitación.

Detrás de las piezas blancas pudieron ver otra puerta.

—¿Cómo? —dijo nerviosa Hermione.

—Creo —contestó Ron— que vamos a tener que ser piezas.

Se acercó a un caballero negro y levantó la mano para tocar el caballo. De inmediato, la piedra cobró vida. El caballo pateó el suelo y el caballero se levantó la visera del casco, para mirar a Ron.

—¿Tenemos que... unirnos a ustedes para poder cruzar?

El caballero negro asintió. Ron se volvió a los otros dos.

—Esto hay que pensarlo... —dijo—. Supongo que tenemos que tomar el lugar de tres piezas negras.

Harry y Hermione esperaron en silencio, mientras Ron pensaba. Por fin dijo:

—Bueno, no se ofendan, pero ninguno de ustedes es muy bueno para el ajedrez...

—No nos ofendemos —dijo rápidamente Harry—. Simplemente dinos qué tenemos que hacer.

—Bueno, Harry, tú toma el lugar de ese alfil y tú, Hermione, al lado de Harry, en lugar de esa torre.

—¿Y qué pasa contigo?

—Yo seré un caballero.

Las piezas parecieron haber oído, porque ante esas palabras, un caballero, un alfil y una torre dieron la espalda a las piezas blancas y salieron del tablero, dejando libres tres cuadrados que Harry, Ron y Hermione ocuparon.

—Las blancas siempre juegan primero en el ajedrez —dijo Ron, mirando del otro lado del tablero—. Sí... miren.

Un peón blanco se movió hacia adelante.

Ron comenzó a dirigir a las piezas negras. Se movían silenciosamente cuando las mandaba. A Harry le temblaban las rodillas. ¿Y si perdían?

—Harry... muévete en diagonal, cuatro casillas a la derecha.

La primera verdadera impresión llegó cuando el otro caballero fue tomado. La reina blanca lo golpeó contra el tablero y lo arrastró hacia afuera, donde se quedó inmovil, boca abajo.

—Tuve que dejar que sucediera —dijo Ron, conmovido—. Te deja libre para tomar ese alfil, vamos Hermione.

Cada vez que uno de sus hombres perdía, las piezas blancas no mostraban compasión. Muy pronto hubo un grupo de piezas negras desplomadas a lo largo de la pared. Dos veces, Ron se dio cuenta justo a tiempo para salvar a Harry y Hermione del peligro. Él mismo recorrió el tablero tomando casi tantas piezas blancas, como las negras que habían perdido.

—Ya casi estamos —murmuró de pronto—. Déjenme pensar... déjenme pensar.

La reina blanca volvió su cara sin rostro hacia Ron.

—Sí... —dijo suavemente Ron— es la única forma... tengo que dejar que me tomen.

—¡NO! —gritaron Harry y Hermione.

—¡Esto es ajedrez! —dijo enojado Ron—. ¡Hay que hacer algunos sacrificios! Yo daré un paso adelante y ella me tomará... esto te deja libre para hacer jake mate al rey, Harry.

—Pero...

—¿Quieres detener a Snape o no?

—Ron...

—¡Miren, si no se apuran, va a conseguir la Piedra!

No había nada que hacer.

—¿Listo? —gritó Ron, con el rostro pálido pero decidido—. Allá voy y no se queden una vez que ganes.

Se movió hacia adelante y la reina blanca saltó. Golpeó a Ron con fuerza en la cabeza con su brazo de piedra y el chico se derrumbó en el suelo. —Hermione gritó, pero se quedó en su casillero— la reina blanca arrastró a Ron a un costado. Parecía desmayado.

Muy conmovido, Harry se movió tres casilleros a la izquierda.

El rey blanco se sacó la corona y la arrojó a los pies de Harry. Habían ganado. Las piezas saludaron y se fueron, dejando libre la puerta. Con una última mirada de desesperación hacia Ron, Harry y Hermione corrieron hacia la puerta y subieron por el siguiente pasadizo.

—¿Y si él está... ?

—Él va a estar bien —dijo Harry, tratando de convencerse a sí mismo—. ¿Qué te parece que nos queda?

—Tuvimos a Sprout con el Lazo del Diablo; Flitwick debe haber hechizado a las llaves... McGonagall transformó a las piezas de ajedrez para hacerlas vivas; eso nos deja el hechizo de Quirrell y el de Snape...

Habían llegado a otra puerta.

—¿Todo bien? —susurró Harry.

—Adelante.

Harry empujó y abrió.

Un tufo desagradable los invadió, haciendo que se taparan la nariz con la túnica. Con ojos lagrimeantes por el olor, vieron, aplastado en el suelo frente a ellos, un trasgo más grande que el que ellos habían desmayado, inconsciente y con un bulto sangrante en la cabeza.

—Me alegro de que no tengamos que pelear con éste —susurró Harry, mientras pasaban con cuidado sobre una de las enormes piernas—. Vamos, no puedo respirar.

Abrió la próxima puerta, los dos casi sin animarse a ver lo que seguía ahora... pero no había nada aterrorizante allí, sólo una mesa con siete botellas de diferente tamaño, colocadas en una hilera.

—Snape —dijo Harry—. ¿Qué tenemos que hacer?

Pasaron el umbral y de inmediato un fuego se encendió detrás de ellos. No era un fuego común, era púrpura. Al mismo tiempo, llamas negras se encendieron adelante. Estaban atrapados.

—¡Mira! —Hermione tomó un rollo de papel, que estaba cerca de las botellas. Harry miró por sobre su hombro para leerlo:

El peligro yace ante ti, mientras la seguridad está detrás,
Dos de nosotros queremos ayudarte, cualquiera que encuentres,
Uno entre nosotros siete te dejará adelantarte,
Otro llevará al que lo beba para atrás,
Dos entre nuestra numeración contienen sólo vino de ortiga,
Tres de nosotros somos mortales, esperando escondidos en la fila,
Elige, a menos que quieras quedarte para siempre,
Para ayudarte en tu elección, te damos cuatro claves:

Primera, por más astucia que tenga el veneno para ocultarse
siempre encontrarás alguno del lado izquierdo del vino de ortiga,
Segunda, son diferentes los que están en los extremos,
Pero si quieres moverte hacia adelante, ninguno es tu amigo,
Tercera, como claramente ves, todos tienen tamaños diferentes,
Ni el enano ni el gigante guardan la muerte en su interior,
Cuarta, la segunda a la izquierda y la segunda a la derecha
Son mellizas una vez que las pruebes, aunque a primera vista
son diferentes.

Hermione dejó escapar un gran suspiro y Harry, sorprendido, vio que sonreía, lo último que había esperado que hiciera.

—*Brillante* —dijo Hermione—. Esto no es magia... es lógica... es un acertijo. Un montón de los más grandes magos no han tenido una gota de lógica, y se quedarán aquí para siempre.

—Pero nosotros también, ¿no?

—Por supuesto que no —dijo Hermione—. Todo lo que necesitamos está en este papel. Siete botellas: tres con veneno, dos con vino, una nos llevará a salvo a través del fuego negro y la otra para atrás, por el fuego púrpura.

—¿Pero cómo sabremos cuál beber?

—Dame un minuto.

Hermione leyó el papel varias veces. Luego caminó de un lado al otro de la fila de botellas, murmurando y señalándolas. Al fin, golpeó las manos.

—Lo tengo —dijo—. La más pequeña nos llevará por el fuego negro, hacia la Piedra.

Harry miró a la diminuta botella.

—Aquí hay sólo para uno de nosotros —dijo—. No hay más que un trago.

Se miraron uno al otro.

—¿Cuál te llevará de vuelta, por las llamas púrpura?

Hermione señaló una botella redondeada, en el extremo derecho de la fila.

—Tú bebe esa —dijo Harry—. No, escucha, regresa y busca a Ron, tomen las escobas del cuarto de las llaves voladoras, con ellas podrán salir por la puerta-trampa y pasar a Fluffy. Vayan directamente a la lechucería y envíen a Hedwig a Dumbledore, lo necesitamos. Puede ser que yo detenga un poco a Snape, pero realmente no puedo igualarlo.

—¿Pero Harry... y si Ya-Sabes-Quién está con él?

—Bueno... Ya tuve suerte una vez, ¿no? —dijo Harry, señalando su cicatriz—. Puede ser que tenga suerte otra vez.

Los labios de Hermione temblaron y de pronto se lanzó sobre Harry y lo abrazó.

—*¡Hermione!*

—Harry... eres un gran mago, ya lo sabes.

—No soy tan bueno como tú —contestó muy incómodo, mientras ella lo soltaba.

—¡Yo! —exclamó Hermione—. ¡Libros! ¡Inteligencia! Hay cosas mucho más importantes: amistad y valentía y... ¡Oh, Harry, ten *cuidado*!

—Bebe primero —dijo Harry—. ¿Estás segura de cuál es cuál, no?

—Totalmente —dijo Hermione. Se tomó de un trago el contenido de la botellita redondeada y se estremeció.

—¿No es veneno, no? —dijo ansiosamente Harry.

—No... pero parece hielo.

—Rápido, vete, antes de que se termine el efecto.

—Buena suerte...ten cuidado...

—¡VETE!

Hermione giró y caminó directamente a través del fuego púrpura.

Harry respiró profundamente y tomó la más pequeña de las botellas. Enfrentó a las llamas negras.

—Allá voy —dijo y se tomó el contenido de un trago.

Era realmente como si tragara hielo. Dejó la botella y caminó hacia adelante. Se dio ánimo al ver las llamas negras lamiendo su cuerpo, pero sin quemarlo —por un momento no pudo ver más que fuego oscuro— luego se encontró del otro lado, en la última habitación.

Ya había alguien allí... pero no era Snape. Y tampoco era Voldemort.

Capítulo diecisiete

El hombre con dos caras

Era Quirrell.

—¡*Usted!* —jadeó Harry.

Quirrell sonrió. Su rostro no se crispaba para nada.

—Yo—dijo con calma—. Me preguntaba si me iba a encontrar con usted aquí, Potter.

—Pero yo pensé... Snape...

—¿Severus? —Quirrell rió, y no fue con su habitual sonido tembloroso y entrecortado, sino una risa fría y aguda.

—Sí, Severus parecía ser el indicado, ¿no? Fue muy útil tenerlo dando vueltas como un murciélago enorme. Al lado de él ¿quién iba a sospechar del po-pobre tar-tamudo p-profesor Quirrell?

Harry no podía aceptarlo. Esto no podía ser verdad, no podía ser.

—¡Pero Snape trató de matarme!

—No, no, no. Yo traté de matarlo. Su amiga, la señorita Granger, accidentalmente me atropelló, cuando corría a prenderle fuego a Snape, en ese partido de Quidditch. Y rompió el contacto visual que yo tenía con usted. Unos segundos más y lo hubiera hecho caer de esa escoba. Lo hubiera hecho antes, si Snape no hubiera estado murmurando un contramaleficio, tratando de salvarlo a usted.

—¿Snape trataba de *salvarme* a mí?

—Por supuesto —dijo fríamente Quirrell—. ¿Por qué cree que quiso ser referí en el siguiente partido? Estaba tratando de asegurarse de que no lo hiciera otra vez. Gracioso, en realidad... no necesitaba molestarse. No podía hacer nada con Dumbledore mirando. Todos los otros profesores creyeron que Snape trataba de impedir que Gryffindor ganase, él mismo se ha hecho muy impopular... y qué pérdida de tiempo, cuando después de todo eso, esta noche yo voy a matarlo a usted.

Quirrell chasqueó los dedos. Unas sogas cayeron del aire y se enroscaron en el cuerpo de Harry, sujetándolo con fuerza.

—Es demasiado molesto para vivir, Potter. Deslizándose por el colegio, como en Halloween, porque usted me vio ir a ver qué era lo que vigilaba a la Piedra.

—¿Usted fue el que dejó entrar al trasgo?

—Claro. Yo tengo un don especial con esos monstruos. ¿No vio lo que le hice al que estaba en la otra habitación? Desgraciadamente, cuando todos andaban corriendo por allí, para buscarlo, Snape, que ya sospechaba de mí, fue directamente al tercer piso para ganarme de mano y no sólo hizo que mi monstruo fracasara en matarlo a usted, sino que ese perro de tres cabezas no mordió la pierna de Snape como debería haberlo hecho.

"Ahora, espere tranquilo, Potter. Necesito examinar este interesante espejo.

Sólo entonces, Harry se dio cuenta de lo que estaba detrás de Quirrel. Era el Espejo de Erised.

—Este espejo es la llave para encontrar la Piedra —murmuró Quirrell, dando golpecitos alrededor del marco—. Era de esperar que Dumbledore hiciera algo así... pero él está en Londres... Yo estaré muy lejos para cuando él regrese...

Todo lo que Harry podía pensar era tratar de hacer que Quirrell siguiera hablando y dejara de concentrarse en el espejo.

—Lo vi a usted y a Snape en el bosque... —dijo de golpe.

—Sí —dijo Quirrell, sin darle importancia, caminando alrededor, para ver la parte posterior del espejo—. Me estaba siguiendo en esa oportunidad, tratando de averiguar hasta dónde había llegado. Siempre había sospechado de mí. Trató de asustarme... como si pudiera, cuando yo tengo a Lord Voldemort de mi lado...

Quirrell salió de detrás del espejo y se miró en él, con enojo.

—Veo la Piedra... se la presento a mi maestro... ¿pero dónde está?

Harry luchó con las sogas que lo ataban, pero no se afloja-ban. Tenía que evitar que Quirrel centrara toda su atención en el espejo.

—Pero Snape siempre pareció odiarme mucho.

—Oh, sí —dijo Quirrell, con aire casual—, claro que sí. Estaba en Hogwarts con su padre, ¿no lo sabía? Se detestaban uno al otro. Pero nunca lo quiso a usted *muerto*.

—Pero hace unos días, yo lo oí a usted, llorando... yo pen-sé que Snape lo estaba amenazando...

Por primera vez, un espasmo de miedo cruzó el rostro de Quirrell.

—Algunas veces —dijo— me resulta difícil seguir las ins-trucciones de mi maestro... él es un gran mago y yo soy dé-bil...

—¿Quiere decir que él estaba en el aula con usted? —jadeó Harry.

—Él está conmigo, dondequiera que vaya —dijo con cal-ma Quirrell—. Lo conocí cuando viajaba por el mundo. Yo era un joven tonto, lleno de ridículas ideas sobre el mal y el bien. Lord Voldemort me demostró lo equivocado que esta-ba. No hay ni mal ni bien, sólo hay poder, y aquellos demasia-dos débiles para buscarlo... Desde entonces, le he servido fiel-mente, aunque muchas veces le he fallado. Tuvo que ser muy severo conmigo. —Quirrell se estremeció súbitamente. —No perdona fácilmente los errores. Cuando fallé en robar esa Pie-dra de Gringotts, se disgustó mucho. Me castigó... decidió que tenía que vigilarme bien de cerca...

La voz de Quirrell se apagó. Harry recordó su viaje a Diagon Alley...¿cómo había podido ser tan estúpido? Había *visto* a Quirrell ese mismo día y se habían estrechado las ma-nos en el Leaky Cauldron.

Quirrell maldijo entre dientes.

—No comprendo... ¿la Piedra está dentro del espejo? ¿Tengo que romperlo?

La mente de Harry funcionaba a toda máquina.

Lo que más deseo en el mundo, en este momento, pensó, es encontrar la Piedra antes de que lo haga Quirrell. Entonces, si miro en el espejo, podría verme encontrándola... ¡Lo que quiere decir que veré dónde está escondida! ¿Pero cómo puedo mrar, sin que Quirrell se dé cuenta de lo que quiero hacer?

Trató de torcerse hacia la izquierda, para ponerse frente

al espejo sin que Quirrell lo notara, pero las sogas alrededor de sus tobillos estaban tan tensas, que lo hicieron caer. Quirrell lo ignoró. Seguía hablando para sí mismo.

—¿Qué hace este espejo? ¿Cómo funciona? ¡Ayúdame, Maestro!

Y para el horror de Harry, una voz le respondió, una voz que parecía salir del mismo Quirrell.

—Usa al muchacho... Usa al muchacho...

Quirrell se volvió hacia Harry.

—Sí... Potter... venga aquí.

Hizo sonar las manos una vez y las sogas cayeron. Harry se puso lentamente de pie.

—Venga aquí —repitió Quirrell—. Mire en el espejo y dígame lo que ve.

Harry se aproximó.

Tengo que mentir, pensó desesperado, tengo que mirar y mentir sobre lo que veo y eso es todo.

Quirrel se le acercó por detrás. Harry respiró el extraño olor que parecía salir del turbante de Quirrell. Cerró los ojos, se paró frente al espejo y los volvió a abrir.

Se vio reflejado, pálido y con cara de asustado. Pero un momento más tarde, su reflejó le sonrió. Puso la mano en el bolsillo y sacó una piedra rojo sangre. Le guiñó un ojo y volvió a guardar la Piedra en el bolsillo y, cuando lo hacía, Harry sintió que algo pesado caía en su bolsillo real. De alguna manera —algo increíble— *había conseguido la Piedra*.

—¿Bien? —dijo Quirrell con impaciencia—. ¿Qué es lo que ve?

Harry, haciendo de tripas corazón, contestó:

—Me veo estrechando las manos con Dumbledore —inventó—. Yo... he ganado la copa de la casa para Gryffindor.

Quirrell maldijo otra vez.

—Sal del camino —dijo. Cuando Harry se hizo a un lado, sintió la Piedra Filosofal contra su pierna. ¿Se atrevería a escaparse?

Pero no había dado cinco pasos, cuando una voz aguda habló, aunque Quirrell no movía los labios.

—El miente... él miente...

—¡Potter, regresa aquí! —gritó Quirrell—. ¡Dime la verdad! ¿Qué es lo que viste?

La voz aguda se oyó otra vez.

—Déjame hablar con él... cara a cara...

—¡Maestro, no está lo bastante fuerte todavía!

—Tengo fuerza suficiente... para esto.

Harry sintió como si el Lazo del Diablo lo hubiera clavado en el piso. No podía mover ni un músculo. Petrificado, observó a Quirrell, que empezaba a desenvolver su turbante. ¿Qué iba a suceder? El turbante cayó. La cabeza de Quirrell parecía extrañamente pequeña sin él. Entonces, Quirrell se dio vuelta lentamente.

Harry hubiera querido gritar, pero no podía dejar salir ningún sonido. Donde tendría que haber estado la nuca de Quirrell, había un rostro, la cara más terrible que Harry hubiera visto en su vida. Era color blanco tiza, con brillantes ojos rojos y ranuras en vez de fosas nasales, como las víboras.

—Harry Potter... —susurró.

Harry trató de retroceder, pero sus piernas no le respondían.

—¿Ves en lo que me he convertido? —dijo la cara—. No más que sombra y quimera.... Tengo forma sólo cuando puedo compartir el cuerpo de otro... pero siempre han estado aquellos deseosos de dejarme entrar en sus corazones y en sus mentes... La sangre de unicornio me ha dado fuerza en estas semanas pasadas... tú viste al leal Quirrell bebiéndola para mí en el bosque... y una vez que tenga el Elixir de la Vida, seré capaz de crear un cuerpo para mí... Ahora... ¿por qué no me entregas la Piedra que tienes en el bolsillo?

Entonces él sabía. El sentirlo, hizo que de pronto las piernas de Harry se aflojaron.

—No seas tonto —se burló el rostro—. Mejor que salves tu propia vida y te unas a mí... o tendrás el mismo final que tus padres... Murieron pidiéndome misericordia...

—¡MENTIRA! —gritó de pronto Harry.

Quirrell caminaba para atrás, para que Voldemort pudiera verlo. La cara maligna sonreía.

—Qué conmovedor —masculló—. Siempre consideré la valentía... Sí, muchacho, tus padres eran valientes... Maté primero a tu padre y luchó con coraje... pero tu madre no necesitaba morir... ella trataba de protegerte... Ahora, dame esa Piedra, a menos que quieras que ella haya muerto en vano.

—¡NUNCA!

Harry se movió hacia la puerta con llamas, pero Voldemort gritó : ¡ATRÁPALO! y al momento siguiente, Harry sintió la mano de Quirrell sujetando su muñeca. De inmediato, un dolor agudo atravesó su cicatriz y sintió como si la cabeza fuera a partírsele en dos, aulló, luchando con todas sus fuerzas y, para su sorpresa, Quirrell lo soltó. El dolor en la cabeza se calmó...

Miró alrededor para ver dónde estaba Quirrell y lo vio doblado de dolor, mirándose los dedos, que se ampollaban ante sus ojos.

—¡ATRÁPALO! ¡Atrápalo! —aullaba otra vez Voldemort y Quirrell arremetió contra Harry, haciéndolo caer al suelo y apretándole el cuello con las dos manos... La cicatriz de Harry casi lo enceguecía por el dolor, sin embargo pudo ver a Quirrell aullando desesperado.

—Maestro, no puedo sujetarlo... ¡Mis manos... mis manos!

Y Quirrell, aunque sostenía a Harry aplastándolo con las rodillas, le soltó el cuello y contempló, aterrorizado, sus propias palmas. Harry vio que se veían quemadas, en carne viva, con ampollas rojas y brillantes.

—¡Entonces, mátalo, idiota, y termina! —chilló Voldemort.

Quirrell levantó su mano para lanzar un maleficio mortal, pero Harry, instintivamente, se incorporó y se aferró a la cara de Quirrell.

—¡AAAAAAH!

Quirrell se apartó, con el rostro también quemado y entonces Harry se dio cuenta: Quirrell no podía tocar su piel, no sin sufrir un dolor terrible. Su única oportunidad era sujetar a Quirrell, que sintiera tanto dolor como para impedir que hiciera el maleficio.

Harry se puso de pie de un salto, tomó a Quirrell de un brazo y lo apretó con fuerza. Quirrell gritó y trató de empujar a Harry —el dolor de cabeza de Harry aumentaba— el muchacho no podía ver, sólo podía oír los terribles gemidos de Quirrell y los aullidos de Voldemort: ¡MÁTALO! ¡MÁTALO! y otras voces, tal vez sólo en la cabeza de Harry, gritando ¡Harry! ¡Harry!

Sintió que el brazo de Quirrell se iba soltando, supo que estaba perdido, sintió que todo se oscurecía y caía... caía... caía...

* * *

Algo dorado brillaba justo encima de él. ¡La Snitch! Trató de atraparla, pero sus brazos eran muy pesados.

Pestañeó. No era la Snitch. Era un par de anteojos. Qué raro.

Pestañeó otra vez. El rostro sonriente de Albus Dumbledore se agitaba ante él.

—Buenas tardes, Harry —dijo Dumbledore.

Harry lo miró asombrado. Entonces recordó.

—¡Señor! ¡La Piedra! ¡Era Quirrell! ¡Él tiene la Piedra! Señor, rápido...

—Cálmate, querido muchacho, estás un poco atrasado —dijo Dumbledore—. Quirrell no tiene la Piedra.

—¿Entonces quién la tiene? Señor, yo...

—Harry, por favor, cálmate o Madam Pomfrey me echará de aquí.

Harry tragó y miró alrededor. Se dio cuenta de que debía estar en el ala de la enfermería. Estaba acostado en una cama, con sábanas blancas de hilo y cerca había una mesa, con una enorme cantidad de paquetes, que parecían la mitad del negocio de golosinas

—Regalos de tus amigos y admiradores —dijo Dumbledore, radiante—. Lo que sucedió en las mazamorras, entre tú y el profesor Quirrell es completamente secreto, así que, naturalmente, todo el colegio lo sabe. Creo que tus amigos, los señores Fred y George Weasley son responsables por tratar de enviarte un inodoro. No dudo de que pensaron que eso te divertiría. Sin embargo, Madam Pomfrey consideró que no era muy higiénico y lo confiscó.

—¿Cuánto tiempo hace que estoy aquí?

—Tres días. El señor Ronald Weasley y la señorita Granger van a estar muy aliviados al saber que recuperaste el conocimiento, han estado sumamente preocupados.

—Pero señor, la Piedra...

—Veo que no quieres que te distraiga. Muy bien, la Piedra. El profesor Quirrell no te la pudo sacar. Yo llegué a tiempo para evitarlo, aunque debo decir, que lo estabas haciendo muy bien.

—¿Usted llegó? ¿Recibió la lechuza que envió Hermione?

—Nos debimos cruzar en el aire. En cuanto llegué a Londres, me di cuenta de que el lugar en dónde debía estar era el que había dejado. Llegué justo a tiempo para quitarte a Quirrell de encima...

—Era *usted*.

—Tuve miedo de haber llegado demasiado tarde.

—Casi es así, no hubiera podido aguantar mucho más sin que me sacara la Piedra...

—No por la Piedra, muchacho, por ti... el esfuerzo casi te mata. Por un terrible momento, tuve miedo de que fuera así. En cuanto a la Piedra, fue destruida.

—¿Destruida? —dijo Harry sin entender—. Pero su amigo... Nicolas Flamel...

—Oh, ¿sabes lo de Nicolas? —dijo encantado Dumbledore—. ¡Hiciste bien los deberes, no es cierto? Bien, Nicolas y yo tuvimos una charlita y estuvimos de acuerdo en que era lo mejor.

—¿Pero eso significa que él y su mujer van a morir, no?

—Tienen suficiente Elixir guardado como para poner sus asuntos en orden y luego, sí, van a morir.

Dumbledore sonrió ante la expresión de desconcierto en el rostro de Harry.

—Para alguien tan joven como tú, estoy seguro de que parecerá increíble, pero para Nicolas y Perenelle, realmente será como irse a la cama, después de un día muy, muy largo. Después de todo, para una mente bien organizada, la muerte no es más que la siguiente gran aventura. Sabes, la Piedra no era realmente algo tan maravilloso. ¡Todo el dinero y la vida que uno pueda desear! Las dos cosas que la mayoría de los seres humanos elegirían... el problema es que los humanos tienen el don de elegir precisamente las cosas que son peores para ellos.

Harry yacía allí, sin saber qué decir. Dumbledore tarareó un minuto y sonrió hacia el cielo raso.

—¿Señor? —dijo Harry—. Estuve pensando... Señor, aunque la Piedra ya no esté, Vol, quiero decir Ya-Sabe-Quién...

—Llámalo Voldemort, Harry. Usa siempre el nombre correcto de las cosas. El miedo a un nombre aumenta el miedo a la cosa que se nombra.

—Sí, señor. Bien, Voldemort va a intentar regresar de nuevo ¿no? Quiero decir ¿no se ha ido, no?

—No, Harry, no se ha ido. Está por allí en algún lugar, tal vez buscando otro cuerpo para compartir... como no está realmente vivo, no se lo puede matar. Él dejó morir a Quirrell muestra tan poca misericordia con sus seguidores como con sus enemigos. De todos modos, Harry, mientras tú tal vez retardaste su regreso al poder, la próxima vez hará falta algún otro preparado para luchar, y si es detenido otra vez y otra vez, bueno, puede ser que nunca regrese al poder.

Harry asintió, pero se detuvo rápidamente, porque le hacía doler la cabeza. Luego dijo:

—Señor, hay algunas cosas más que me gustaría saber, si me las puede decir... cosas sobre las que quiero saber la verdad...

—La verdad. —Dumbledore suspiró. —Es una cosa terrible y hermosa, y por lo tanto debe ser tratada con gran cuidado. Sin embargo, contestaré a tus preguntas a menos que tenga una muy buena razón para no hacerlo, en ese caso, te pido que me perdones. Por supuesto, no voy a mentirte.

—Bien... Voldemort dijo que sólo mató a mi madre porque ella trató de evitar que él me matara. ¿Pero por qué iba a querer matarme a mí en primer lugar?

Esta vez, Dumbledore suspiró profundamente.

—Caramba, la primera cosa que me preguntas y no puedo contestarte. No hoy. No ahora. Lo sabrás, un día... sácalo de tu cabeza por ahora, Harry. Cuando seas mayor... ya sé que eso es odioso... bueno, cuando estés listo, lo sabrás.

Y Harry supo que no sería bueno discutir.

—¿Y por qué Quirrell no podía tocarme?

—Tu madre murió para salvarte. Si hay algo que Voldemort no puede entender es el amor. No se dio cuenta de que un amor tan poderoso como el de tu madre por ti, deja marcas poderosas. No una cicatriz, no un signo visible... haber sido amado tan profundamente, aunque esa persona que nos amó no esté, nos deja para siempre una protección. Eso está en tu piel. Quirrell, lleno de odio, codicia y ambición, compartiendo su alma con Voldemort, no podía tocarte por esa razón. Era una agonía el tocar a una persona marcada por algo tan bueno.

Entoces Dumbldore se mostró muy interesado en un pájaro que estaba cerca de la cortina, lo que le dio tiempo a Harry para secarse los ojos con la sábana. Cuando pudo hablar de nuevo, Harry dijo:

—¿Y la capa invisible... sabe quién me la mandó?

—Ah... sucede que tu padre me la había dejado y pensé que te gustaría tenerla —los ojos de Dumbledore brillaron—. Cosas útiles... tu padre la usaba sobre todo para robar comida en la cocina, cuando estaba aquí.

—Y hay algo más...

—Dispara.

—Quirrell dijo que Snape...

—El *profesor* Snape, Harry.

—Sí, él... Quirrell dijo que me odia, porque odiaba a mi padre. ¿Es verdad?

—Bueno, ellos se detestaban uno al otro. No muy diferente que tú y el señor Malfoy. Y entonces, tu padre hizo algo que Snape nunca pudo perdonarle.

—¿Qué?

—Le salvó la vida.

—*¿Qué?*

—Sí... —dijo Dumbledore, con aire soñador—. Es curiosa la forma en que funciona la mente de la gente ¿no es cierto? El profesor Snape no podía soportar estar en deuda con tu padre... Creo que se esforzó tanto para protegerte este año, porque sentía que así estaría a mano con tu padre. Así podría seguir odiando la memoria de tu padre, en paz...

Harry trató de entenderlo, pero le hacía doler la cabeza, así que lo dejó.

—Y, señor, hay una cosa más...

—¿Sólo una?

—¿Cómo pude hacer que la Piedra saliera del espejo?

—Ah, bueno, me alegro de que me preguntes eso. Fue una de mis más brillantes ideas y entre tú y yo, eso es decir algo, sabes, sólo alguien que quisiera *encontrar* la Piedra, encontrarla, pero no usarla, sería capaz de conseguirla, de otra forma, se verían haciendo oro o bebiendo el Elixir de la Vida. Mi mente me sorprende hasta a mí mismo... Bueno, suficientes preguntas. Te sugiero que comiences a comer esas golosinas. Ah, las grajeas de Todos los Sabores. En mi juventud tuve la mala suerte de encontrar una con gusto a vómito y desde entonces, me temo que dejaron de gustarme. Pero creo que no tendré problema con esta linda grajea ¿no te parece?

Sonrió y se metió en la boca una grajea color dorado. Luego se atragantó y dijo:

—¡Ay de mí! ¡Cera del oído!

* * *

Madam Pomfroy, era una buena mujer, pero muy estricta.

—Sólo cinco minutos —suplicó Harry.

—Absolutamente no.

—Usted dejó entrar al profesor Dumbledore...

—Bueno, por supuesto, es el director, es muy diferente. Usted necesita *descansar*.

—Estoy descansando, mire, acostado y todo lo demás. Oh, vamos, Madam Pomfrey...

—Oh, está bien —dijo—. Pero sólo cinco minutos.

Y dejó entrar a Ron y Hermione.

—¡*Harry!*

Hermione parecía lista para lanzarse en sus brazos, pero Harry se alegró de que se contuviera, porque le dolía la cabeza.

—Oh, Harry, estábamos seguros de que te... Dumbledore estaba tan preocupado...

—Todo el colegio habla de ello —dijo Ron—. ¿Qué es lo que *realmente* pasó?

Fue una de esas raras ocasiones en que la verdadera historia es aún más extraña y apasionante que los más salvajes rumores. Harry les contó todo: Quirrell, el espejo, la Piedra y Voldemort. Ron y Hermione eran muy buen público, jadeaban en los momentos adecuados y cuando Harry les dijo lo que había debajo del turbante de Quirrell, Hermione gritó bien fuerte.

—¿Entonces la Piedra no existe? —dijo por último Ron—. ¿Flamel va a *morir*?

—Eso es lo que yo dije, pero Dumbledore piensa que... ¿cómo era? ah, sí "para las mentes bien organizadas, la muerte es la siguiente gran aventura".

—Siempre dije que estaba chiflado —dijo Ron, muy impresionado por lo loco que era su héroe.

—¿Y qué les pasó a ustedes dos? —preguntó Harry.

—Bueno, yo regresé —dijo Hermione— desperté a Ron —eso llevó un rato— y cuando íbamos a la lechucería, para comunicarnos con Dumbledore, lo encontramos en el hall de entrada y él ya sabía, porque nos dijo: "¿Harry se fue a buscarlo, no?", y se fue al tercer piso.

—¿Crees que él quería que lo hicieras? —dijo Ron—. ¿Enviándote la capa de tu padre y todo eso?

—*Bueno* —estalló Hermione— si lo hizo... eso es terrible... te podían haber matado.

—No, no fue así —dijo Harry, pensativo—. Dumbledore es un hombre muy especial. Yo creo que quería darme una oportunidad. Creo que él sabe más o menos, todo lo que sucede aquí. Acepto que debía saber lo que íbamos a intentar y, en lugar de detenernos, nos enseñó lo suficiente como para ayudarnos. No creo que fue por accidente que me dejó encontrar el espejo y ver cómo funcionaba. Es casi como si él pensara que yo tenía derecho a enfrentar a Voldemort, si podía...

—Bueno, sí, está bien —dijo Ron—. Escucha, debes estar levantado para mañana, es la fiesta de fin de curso. Ya están todos los puntos y Slytherin ganó, por supuesto. Te perdiste el último partido de Quidditch, sin ti, nos ganó Ravenclaw, pero la comida será buena.

En ese momento, entro Madam Pomfrey.

—Ya estuvieron quince minutos, ahora FUERA —dijo con severidad.

Después de una buena noche de sueño, Harry se sintió casi normal.

—Quiero ir a la fiesta —dijo a Madam Pomfrey, mientras ella le acomodaba todas las cajas de golosinas—. ¿Podré ir, no es cierto?

—El profesor Dumbledore dice que usted tiene permiso para ir —dijo con desdén, como si considerara que el profesor Dumbledore no se daba cuenta de lo peligrosas que eran las fiestas—. Y tiene otra visita.

—Oh, bien —dijo Harry—. ¿Quién es?

Mientras hablaba, entró Hagrid. Como siempre que estaba adentro de un lugar, Hagrid parecía demasiado grande. Se sentó cerca de Harry, lo observó y se largó a llorar.

—¡Todo... fue... por mi maldita culpa! —gimió, con la cara entre las manos—. Yo le dije al malvado cómo pasar a Fluffy. ¡Se lo dije! ¡Podías haber muerto! ¡Todo por un huevo de dragón! ¡Nunca volveré a beber! ¡Deberían echarme y obligarme a vivir como un *muggle*!

—¡Hagrid! —dijo Harry, impresionado al ver la pena y el remordimiento de Hagrid y las lágrimas que mojaban su barba—. Hagrid, lo hubiera descubierto igual, estamos hablando de Voldemort, lo hubiera sabido igual, aunque no le dijeras nada.

—¡Podrías haber muerto! —sollozó Hagrid—. ¡Y no digas ese nombre!

—¡VOLDEMORT! —aulló Harry y Hagrid se impresionó tanto que dejó de llorar—. Me encontré con él y lo llamo por su nombre. Por favor, alégrate, Hagrid, salvamos la Piedra, ya no está, no la podrá usar. Toma una Rana de Chocolate, tengo muchísimas...

Hagrid se secó la nariz con el dorso de la mano y dijo:

—Eso me hace acordar. Te traje un regalo.

—¿No es un sándwich de comadreja, no? —dijo con ansiedad Harry y finalmente Hagrid se rió.

—No. Dumbledore me dio libre el día de ayer para hacerlo. Por supuesto tendría que haberme echado... bueno aquí tienes...

Parecía un libro con una hermosa cubierta de cuero. Harry lo abrió con curiosidad.. Estaba lleno de fotos mágicas. Sonriéndole y saludándolo desde cada página, estaban su madre y su padre...

—Envié lechuzas a todos los compañeros de colegio de tus padres, pidiéndoles fotos... Sabía que tú no tenías... ¿Te gusta?

Harry no podía hablar, pero Hagrid entendió.

Harry bajó solo a la fiesta de fin de curso de esa noche. Lo había ayudado a levantarse Madam Pomfrey, insistiendo en examinarlo una vez más, así que cuando llegó, el Gran Hall ya estaba lleno. Estaba decorado con los colores de Slytherin, en verde y plata, para celebrar el triunfo de esa casa al ganar la copa por siete años seguidos. Un gran estandarte mostraba la serpiente de Slytherin cubriendo la pared detrás de la Mesa Alta.

Cuando Harry entró hubo un súbito murmullo y todos comenzaron a hablar al mismo tiempo. Se deslizó en una silla, entre Ron y Hermione, en la mesa de Gryffindor y trató de ignorar el hecho de que se ponían de pie, para mirarlo.

Por suerte, Dumbledore llegó unos momentos después. Las conversaciones cesaron.

—¡Otro año se va! —dijo alegremente Dumbledore—. Y voy a molestarlos con la charla de un viejo, antes de que puedan empezar con los deliciosos manjares. ¡Qué año que tuvimos! Esperamos que sus cabezas estén un poquito más llenas que cuando llegaron... ahora tienen todo el verano para dejarlas lindas y vacías antes de que comiencen el próximo año...

”Ahora, tengo entendido que hay que entregar la copa de la casa y los puntos ganados son: en cuarto lugar, Gryffindor, con trescientos doce puntos; en tercer lugar, Hufflepuff, con trescientos cincuenta y dos; Ravenclaw tiene cuatrocientos veintiséis y Slytherin, cuatrocientos setenta y dos.

Una tormenta de vivas y aplausos estalló de la mesa de Slytherin. Harry pudo ver a Draco Malfoy golpeando la mesa con su copa. Era una visión asquerosa.

—Sí, sí, bien hecho, Slytherin —dijo Dumbledore—. Sin embargo, los acontecimientos recientes deben ser tomados en cuenta.

Todos se quedaron inmóviles. Las sonrisas de los Slytherin se apagaron un poco.

—Entonces —dijo Dumbledore— tengo algunos puntos de última hora para agregar. Déjenme ver. Sí...

”Primero, para el señor Ronald Weasley...

Ron se puso tan colorado, que parecía un rábano con insolación.

—... por ser el mejor jugador de ajedrez que Hogwarts haya visto en años, premio a la casa Gryffindor con cincuenta puntos.

Las hurras de Gryffindor llegaron hasta el cielo raso encantado y las estrellas parecieron estremecerse. Se oyó que Percy les decía a los otros prefectos: “Es mi hermano, saben.¡Mi hermano menor! ¡Consiguió pasar en el juego de ajedrez gigante de McGonagall!”.

Por fin hubo silencio otra vez.

—Segundo... a la señorita Hermione Granger... por el uso de la fría lógica al enfrentar el fuego, premio a la casa Gryffindor con cincuenta puntos.

Hermione enterró la cara entre los brazos; Harry tuvo la casi seguridad de que estaba llorando. Los cambios de Gryffindor estaban ante ellos, ahora cien puntos más arriba.

—Tercero... al señor Harry Potter... —continuó Dumbledore. La sala estaba mortalmente silenciosa. —...por todo su temple y sobresaliente valor, premio a la casa Gryffindor con sesenta puntos.

El estrépito fue total. Los que pudieron sumar, además de aullar y aplaudir, se dieron cuenta de que Gryffindor tenía ahora los mismos puntos que Slytherin: cuatrocientos setenta y dos. Si Dumbledore le hubiera dado un punto más a Harry, pero así no llegaban a ganar.

Dumbledore levantó el brazo. La sala fue recuperando la calma.

—Hay todo tipo de valentía —dijo sonriendo Dumbledore—. Hay que tener un gran coraje para oponerse a nuestros enemigos, pero hace falta el mismo valor para hacerlo con los amigos. Por lo tanto, premio con diez puntos al señor Neville Longbottom.

Alguien que hubiera estado en la puerta del Gran Hall, habría creído que se había producido una explosión, tan fuertes eran los gritos que salieron de la mesa de Gryffindor. Harry, Ron y Hermione se pusieron de pie y vivaron a Neville, quien, blanco por la impresión, desapareció bajo la gente que lo abrazaba. Nunca había ganado más de un punto para Gryffindor. Harry, sin dejar de vivar, dio un codazo a Ron y señaló a Malfoy, quien no podía haber estado más atónito y horrorizado, si le hubieran echado el maleficio de la Inmovilidad Total.

—Lo que significa —gritó Dumbledore sobre la salva de aplausos, porque Ravenclaw y Hufflepuff estaban celebrando la derrota de Slytherin— que hay que hacer un cambio en la decoración.

Hizo sonar las manos. En un instante, los adornos verdes se volvieron escarlata y los de plata, dorados; la gran serpiente se desvaneció para dar paso al león de Gryffindor. Snape estrechaba la mano de la profesora McGonagall, con una horrible sonrisa forzada en su cara. Captó la mirada de Harry y el muchacho supo de inmediato que los sentimientos de Snape hacia él no habían cambiado en lo más mínimo. Eso no preocupaba a Harry. Parecía que la vida iba a regresar a la normalidad en el año próximo, o a la normalidad como era en Hogwarts.

Esa fue la mejor noche de la vida de Harry, mejor que ganar un partido de Quidditch, o la Navidad o desmayar al mostruo gigante... nunca, jamás, olvidaría esa noche.

Harry casi había olvidado que tenían que recibir los resultados de los exámenes, pero éstos llegaron. Para su gran sorpresa, tanto él como Ron pasaron con buenas notas; Hermione, por supuesto, fue la mejor del año. Hasta Neville pasó a duras penas, sus buenas notas en Herbología compensaron los desastres en Pociones. Ellos confiaban en que Goyle, que era casi tan estúpido como malo, fuera reprobado, pero él también aprobó. Era una lástima, pero como dijo Ron, no se puede tener todo en la vida.

Y de pronto, sus roperos se vaciaron, sus equipajes estuvieron listos, la tortuga de Neville apareció en un rincón del cuarto de baño; todos los alumnos recibieron notas en las que los prevenían para que no usaran la magia durante las vacaciones (yo siempre espero que se olviden de darnos esas notas, dijo con tristeza Fred Weasley); Hagrid estaba allí para llevarlos en los botes que cruzaban el lago; subieron al Hogwarts Express, charlando y ríendo, mientras el paisaje campestre se volvía más verde y menos agreste; comiendo las grajeas de Todos los Sabores, pasando a toda velocidad por las ciudades de los *muggle*, sacándose la ropa de magos y colocándose chaquetas y abrigos; y bajando en la plataforma nueve y tres cuartos de la estacion King Cross.

Les tomó un tiempo salir de la plataforma. Un viejo guarda enjuto estaba del otro lado de la casilla de los pasajes, dejándolos pasar de a dos o de a tres, para no llamar la atención al salir de golpe de una pared sólida y alarmar a los *muggles*.

—Tienen que venir y pasar el verano —dijo Ron— ustedes dos. Les voy a enviar una lechuza.

—Gracias —dijo Harry—. Voy a necesitar alguna perspectiva agradable.

La gente los empujaba mientras se movían hacia la estación, de vuelta al mundo *muggle*. Algunos le gritaban.

—¡Adiós, Harry!

—¡Nos vemos, Potter!

—Sigues siendo famoso —dijo Ron, con sonrisa burlona.

—No a donde voy, eso te lo aseguro —respondió Harry.

Él, Ron y Hermione pasaron juntos a la estación.

—¡Allí está él, mami, allí está, míralo!

Era Ginny Weasley, la hermanita de Ron, pero no señalaba a su hermano.

—¡Harry Potter! —chilló—. ¡Mira, mami! Puedo ver...

—Tranquila, Ginny, y es mala educación señalar con el dedo.

La señora Weasley les sonrió.

—¿Un año movido? —les preguntó.

—Mucho —dijo Harry—. Muchas gracias por el chaleco y los caramelos, señora Weasley.

—Oh, no fue nada, querido.

—¿Ya estás listo?

Era tío Vernon, todavía con el rostro púrpura, todavía con bigotes y todavía con aire furioso ante la audacia de Harry, llevando una lechuza en una jaula, en una estación llena de gente común. Detrás, estaba tía Petunia y Dudley, con aire aterrorizado ante la sola presencia de Harry.

—¡Usted debe ser de la familia de Harry! —dijo la señora Weasley.

—Por decirlo así —dijo tío Vernon—. Apúrate, muchacho, no tenemos todo el día.—Dio vuelta para ir hacia la puerta.

Harry esperó para despedirse de Ron y Hermione.

—Los veré durante el verano, entonces.

—Espero que... que tengas unas buenas vacaciones —dijo Hermione, mirando insegura a tío Vernon, impresionada de que alguien pudiera ser tan desagradable.

—Oh, lo serán —dijo Harry y con sorpresa, vieron la sonrisa burlona que se extendía por su cara—. *Ellos* no saben que no nos permiten usar magia en casa. Voy a divertirme mucho este verano, con Dudley...